林慶彰　總策畫
民國時期稀見期刊彙編
第一輯

哲學科研究年報①

臺北帝國大學研究年報

第七冊

哲學科研究年報

第一輯

臺北帝國大學文政學部

臺北帝國大學文政學部 哲學科研究年報 第一輯

目次

ウイルヘルム・フォン・フムボルトの

個別的人間學について

伊藤猷典

目次

第一 序説

本論に入るに先だち、序説として二三の豫備的注意をのべよう。

一 題目の解説

こゝに個別的人間學と稱するのは、人間一般に關する所謂人間學と識別するために呼ばれてゐることは説明を要しないであらう。たゞ問題はフムボルトがかゝる名稱を用ひたりや否やであるが、フムボルト自身はかゝる言葉は用ひず。これに近い言葉としては比較人間學(Vergleichende Anthropologie)といふのを用ひてゐる。しかし、後に判明するやうに單にこの言葉だけでは不充分な感を屢〻感ずる。シュプランガーが此の説を性格學(Charakterologie)といふ言葉で表はして居り、(Spranger, Ed.: Wilhelm von Humboldt und die Humanitätsidee) ハイネマンがフムボルトをば性格學の祖と稱してゐる點のあることも同一理由に基づくのでないかとも考へられる。比較人間學といふのも、性格學といふのも人と人との間に存する性格の、差異を知ることを目的とする點に於て同一であると信ずるから自分は暫く表題の如き名稱を用ひてフムボルトの説を述べることゝした。

二　自分とフムボルト

自分は大正十二三年頃からディルタイ派の學者、特にシュプランガーやシュテルンの著書に格別の興味を覺えてゐた。又恩師小西博士からはフムボルトを讀まずしてシュプランガーは判らないと諭されてゐながら、根本的の研究は今日まで延びてゐた。

一方に自分は「教育者の操るべき人間研究方法」なる論文をものし、折柄岩波から出た教育講座にその大半を「教育者の操るべき生命の範疇」と題して掲載したのであるが、今にして考へると歴史的な背景が少なかつた。で歴史的な背景を深めるために、同時に自分の今迄に作つたものゝ缺陥を補ひたいとの念願から暫く古典の再吟味をなすべく最初に解釋學派の祖と稱せられるフムボルトを選んだのである。「フムボルトの人間學と人間認識」並に「哲學の新方法」の著者フリィツ・ハイネマンのやうに新カント學派の崩壊後、新方法を發見せんがために、フムボルトを研究するといふやうな大袈裟な望みは抱いてゐないことを豫め斷つておく。

三　ウィルヘルム・フォン・フムボルトの略傳

こゝに述べる傳記と次にのべる世界觀とは自分の創始的研究ではなくして、最も權威ありと思はれるシュプランガーの説に依つた。但しその理由は、同一問題に關し、外人である自分が同國民であるシュプランガー以上に出づることに餘程の難事業であり、且それ程の犧牲を拂はなくとも個別的人間學の研究には支障なしと信じたるがためである。小活字が用ひてある所以もそこにある。たゞ本論理解への參考となれば幸である。(Spranger, Eduard : Wilh. v. Humboldt. 1910. S. 18. ff. 參照されたし)

父はアレキサンダー・ゲオルグ・フォン・フムボルトと稱し、ヒンターポムメルンの昔の貴族出で、陸軍少佐兼侍從としてフリードリヒ・ウィルヘルム二世の宮廷に仕へてゐた。

母はマリア・エリザベス・フォン・ホルウェーデと稱し、コロンブ生れである。父親と結婚する時には初婚の際の連子を持つた寡婦であつた。

今問題の人、フリードリヒ・ウィルヘルム・クリスチアン・カール・フェルジナント・フォン・フムボルトは一七六七年六月二十二日ポツダムに於て生る。

一七六九年、卽ち氏が三歳の時に、西洋教育史上、有名なカムペが前述の母親の連子の家庭教師として招かる。カムペはその頃まだ有名ではなかつたとは言へ、一七七四年迄足掛け六年間家庭教師として居り、氏の殘した印象がフムボルト兄弟に與ふる所は多大であつた。一七八〇年のクリスマスには弟のアレキサンダーはカムペ自身から氏の著ロビンソンと兒童文庫とを贈られてゐる。

カムペの去つた後、コブランク、クルーゼーネン二氏が教師として來たるも影響を與ふること少なし。

一七七七年にクントが來て非常に熱心に教授した。一七八一年の初めにはやつと十五歳のウィルヘルムは獨逸語、拉典語、佛蘭西語を研究した。氏は其當時に既に拉典文法の外にケーザル、キケロ、カトーの著作を讀み、佛蘭西語に於てはフェネロンのテレマックやロビンソンの飜譯物を讀んだ。歷史特に古代史は氏の興味を引くことが多かつた。數學については學ぶ所少なかつたやうである。

一七七九年卽ち十三歳の時父死す。母は相當に冷たかりし由、從つて氏は多くの事柄を自分で處理したやうであつた。

十八、九歳の頃ヨハン・ヤコブ・エンゲル（ベルリンのジョアキムスタール人文中學敎授）より哲學並に哲學史の講義を聞く（エンゲルは同樣の講義を時の皇太子、後のフリードリヒ・ウィルヘルム三世にもなした由）。ライマルスよりウォルフ流の理性論を聞き、其他スピノザ、ヘルデル、カントの哲學をも學ぶ。氏は本來の哲學上の發見なるものはなさなかつた。しかし批判には優れてゐた事は同僚の驚異とする所でありし由。

十九歳、廿歳頃、大審院判事クラインから自然法についての講義を、ドームからは重農主義の經濟論を聞く。

前記諸氏から受けた大學の私講義はフムボルト自身の精神の眞の糧とはならなかつた。彼自身の特有の立場を得たのは書籍からではなくして氏の生きた經驗と交際から、獨居と思索から得たものであつた。かゝる精神の糧を氏はベルリンの猶太婦人の交際社會から得た。興味ある個性が氏の理想となつたとしたならば、そのことに大なる影響を與へたものは、當時のベルリンの精神界を支配してゐた所のヘンリエッテ・ヘルツ、ブレンデル・ヴァイト、レヴィ等であつた。氏はフリードリヒ・シュレーゲルのやうに眞の浪漫家となつたかも知れない。氏の冷靜なる知性と圓滿なる人格への敏感性はシュライエルマッヘルのいふ如く、氏の理想をして古典的な客觀的、調和的個性たらしめた。氏はカントを通じて古典主義に走る以前に浪漫主義の搖籃を通過した。ヘンリエッテ・ヘルツに對する氏の思慕は、氏の生命の中核をなさずとするも、少くとも氏の生命に一紀元を作つたものであつた。

一七八七年秋から一學期の間フランクフルトで講義を聞いたが得る所はなかつた。

翌年、卽ち廿二歳の時ゲッチンゲン大學へ單獨にて行く。こゝは國際的な研究所であり、近代精神の中心地であつた。大學教育を受けて得る所最も多かつたのはこのゲッチンゲンであつた。氏はシュレーツァー(歷史家(一七三五―一八〇九。)一七六九―一八〇五年の間ゲッチンゲン大學の教授)フーゴー(法學者(一七六四―一八四四)。歷史法學派の創設者。一七八八年以來ゲッチンゲン大學教授)ハイネ(一七二九―一八一二。言語學者、一七六三年以來同大學教授)等から大なる影響を受けた。當時のゲッチンゲン大學に於ての特長は、新國家學的、歷史的方向であり、それと相並んでハイネの指導の下に言語學が勢力を得てゐた。若き法學者フムボルトもハイネの演習に加つてゐた。又個人的に非常に熱心にカントの理性批判を研究した。凡そこれらの印象が結合してゲッチンゲンはフムボルトに取りての精神的生誕の地となつた。かつそれは純粋な大學的な影響といふよりは寧ろ特有な方向と力とを持つた、將來ある研究家と共に生活したことであつた。その中特に若き學者フォルスターは彼に影響を與ふること最も大であつた。氏がその當時のプロシヤの宗教政策に大影響を與へた自由なる立場はフォルスターに負ふものであつた。

一七八九年にはフムボルトは古き教師カムペと共にパリーへ旅行した。フムボルトとカムペは八月十三日にはベルサイユに於て國王より國賓の待遇をうけた。しかしフムボルトはカムペの熱狂に妨げられてゐた。この時には既に氏は汎愛派の雰圍氣を超越してゐた。

同年、卽ち二十三歳の時、瑞西に行きラファーター(Lavater 一七四一―一八〇一、著述家であり、又一七六九年以來はチューリヒで牧師をしてゐた。觀相學に關する著述あり)と個人的に知合となり、身體の有つ精神的意義に關する氏の說がフムボルトの興味を引く所となつた。

同年のクリスマスにカロリン・フォン・ダッケレーデンと婚約す。

廿四歳の初めにベルリン大審院の陪席判事となる。氏はその職務をよく果した。しかし法文の取扱ひは、人間並に個性の秘密について氏が考へたもの凡てと矛盾した。外部的標準に從つてのみ判斷することは彼に取つて矛盾であつた。氏が更になほ研究しなければならないもの、工夫しなければならないものが餘りに多數にあつたので、氏は一旦プロシヤの官吏生活から離れた。氏に取りて眞の道德の第一法則は「自分自身を教育せよ」であり、第二の法則は「汝がある所のものによりてのみ他に盡せよ」であつた。

廿五歳の時、詳しくは一七九一年六月廿九日にフムボルトはカロリンと結婚した。したがつて暫時近世の生活が始まり、たゞシラー、ロッテ、カロリン・フォン・ボイルウィツ等の組織せるエルフルト倶樂部に關係を持つのみであつた。この頃に言語學者ウォルフの影響により、夫妻共に希臘思想の影響を受け、審美的問題にも耽るやうにもなり、ドレスデンに居るケルネル(一七五六―一八三一)シラーの友人、一七九〇年にはドレスデン控訴院判事となる」を訪ねては同問題に一層深入するやうになつた。かくして氏はイエナへ全然移轉するべく決心した。

一七九四年二月に決心を實行した。その年の五月にはシラーが故郷から歸り、ゲーテも個人的にケルネンは遠方から加はり、フィヒテも入り、シュレーゲル(詩人兼批評家、一七九八—一八〇一の間イエナ大學教授)も亦將來ある思想家として遇せられ、作詩、藝術の鑑賞、解剖學的研究、個性の心理學等が一同の興味の中心となつた。

翌年七月にフムボルトはベルリンへ旅行し前述の社交會との個人的交際は途絶へたが、しかし彼は出席者と同様に、事の大小に係らず關與し、氏の創造性も亦友人達によつて刺戟啓發されるのであつた。この期間に彼を常に惱ましてゐた問題は理想性への、換言すれば人類の理想の實現への途上必然的な段階としての個性の權利を基礎づける事であつた。**比較人間學の計畫**をものしたのもこの時であつた。北獨逸を旅行してフォス(詩人、古代研究家、氏のホーマーの飜譯は有名)やヤコビ(哲學者、小説家)から新しい影響を受けた。

一七九六年十一月にイエナへ歸つて來た時、舊友の活動振に驚いたのであつた。自分自身にもまだ自分の特長といふものが判らなかつた。氏は常に絶えず心理的な知識の獲得に努めた。諸國の國民性をも根本的に、源泉について研究せんと欲した。そこで大旅行案を企て、最初にドレスデン、ウヰン、ミュンヘンへ行つた。伊太利へも行かんと欲したが戰爭の不安—妨げられたので、伊太利行は止めて一七九七年十一月パリーへ行つた。**第十八世紀**がものされたのはこの遍歴時代であつた。

パリーに於て二重の意味に於て氏の第一期を劃した。(1) 卽ち氏のヘルマンとドロテアについての論文に於て、氏は個別的ではあるが、しかも客観的な詩人精神といふものについて、歴史哲學について、又倫理的天職についての考を纒めた。(2) 同時に氏は自分の特長といふもの、中心點を捉へ得た。即ち氏が舞臺の上や、博物館で見た佛蘭西人の國民性を直觀することによつて自分は獨逸人であり、獨逸人に外ならないことを切實に感じた。論文小アウグスチン博物館に表はされた思想もこの頃に釀成されたのである。しかし勿論、未だ、自分の國民性内で、どの領域が自分に課せられてあるのかといふ事についての明確なる判定はなかつた。氏の思想は更に動搖した。氏は西班牙へ旅行し、この地にては、國民生活と自然との關係、並に國民性格と言語との關係の二重關係を體驗した。又常に彼は、自然と精神とを不可分の統一性として把へようと努めた。言語の現象についての突然の感激から氏は原始的な方言の名殘を集めるために再びパリーより西班牙へ赴いた。一八〇一年にベルリンへ歸つた。

家庭に於ても生活は進んで來た。その當時既に、カロリン、ウィルヘルム、テオドル、アーデルハイドの四人の子供あり、ベルリンではガブリエレが生れた。後更にルイゼ、グスタフ、ヘルマンの三人が生れ、その中ヘルマンのみが生殘つた。長男のウィルヘルムは非常な美男であつたが、神は早くこの子供を呼び取つたのであつた。

フムボルトは人間生活の神秘に動され、非常な敬虔の念を以て氏の子供の精神を洞察した。氏はその手紙に於て父としての喜びを以て、子供の魅力、特有性、發展等について語つてゐるといふことである。長男の教授は大部分氏自ら擔當したのであつた。しかし後に氏は家庭教師として若き言語學者を招いた。この人達は氏の家庭とは親密なる關係をつゞけ、殆ど凡てが有名なる學者となつた。パリーでも同様な方法で、ストラスブルグの言語學の教授の息子のゴットフリード・シュワイグホイザーを招いた。氏はウィルヘルムの教師としては一ケ年未滿であつたが、フムボルト家との交通は其後永く續き、フムボルトの言語學の研究にも大なる影響を與へたやうであつた。

フムボルトのベルリンに於ける滯在は永くはなかつた。何故ならばベルリン市の精神界は氏の不在中に非常なる變化をなし、浪漫派が擡頭してゐた。ワイマールに於ても話題はこれで持ちきりであつた。フムボルトはその性質上、又過去の經歴上、この新思潮に對して無理解に對立する事は出來なかつた。のみならず、その多様なる特殊形式と性質によつて文藝運動に貢獻する所大なるが故にそれに贊同したのであつた。しかしながら單なる鑑賞だけでは彼を滿足さすには不充分であつた。無爲にして過すことは殊に氏の堪え難い所であつた。偶〻時の外務大臣ハウグヴィツがフムボルトを勸誘し、ローマ法王宮廷駐在プロシヤ公使ウーデンの後任者たらしめたので氏は早速それを快諾した。但し氏が快諾した理由は愛國心からでもなく、政治的な名譽心からでもなく、恐らくは豫てから懷いてゐた伊太利渇仰と、限定した範圍内で活動しようとの希望とであつたやうである。

一八〇二年卽ち三六歳の秋にフムボルトは家族と共にローマに旅立つた。六ケ年間の羅馬に於ける滯在は彼に取りてもゲーテにとりてと同様、生涯中での黄金時代であつた。公務で時間を割かれることは僅かで、一週間に一回佛蘭西語で、時には暗號で外務省宛に報告し、時々私信を大臣宛に認めるのみであつた。

羅馬法皇宮廷は高等な政策をなさず、既に永らく佛蘭西の影響の下にあつた。そのために凡ての歐洲の出來事がこゝに反映し、ナポレオンの手もそこに感ぜられた。フムボルトの外交上の事蹟はベルリンに於て大評判を得た。人々は感じえたであらう、この人がこの地位の任務をよく果しえたのは、氏が凡ゆる地位以上に立つがためであると。

ローマがフムボルトに提供したものは本來の南方的な性質でもなく、又生きた近代的な藝術でもなく、却つてそれは歴史的に意義あるものであり、歴史的に觀察せられた藝術であつた。彼にとりては羅馬の魅力はこの點にあつた。古代の華かなる世界は今は殘骸しか見得ざるも、しかし、眼のあたりに見ることが出來た。氏は伊太利をばゲーテ等とは全く異つた形に於て把捉した。ゲーテは形式の朗かな方面を捉へ、從つて希臘的となつたに反しフムボルトに於ては感傷的な悲歎が首位を占めてゐた。更に又氏の人間觀察の眼界は漸次に展げられ、諸國並に諸國民を眺めることによつて、個人とは畢竟、人類の無限の大波の上にある暫定的な波の頂きに過ぎないといふ事を知つた。言語、宗教、藝術、其他共通的な國民生活が各個人を圍繞し、各個人は結局、その中に存する生ける人間性の力が、純粹な人間型のために働きかけるもの以外に何事をもなし得ないといふことを知つた。人類が如何樣に移り變つて行くかといふことを羅馬が彼に一歩一歩と示した。從つて氏はローマの七丘をば古物として見ないで、却つて反對に近代的な感情を以て浪漫的として見た。かゝる環境の下にあり、かゝる感情を以て氏は新學派の文學並にシェリングの哲學をば自分自身に取入れた。浪漫派の要素を彼の精神から遠ざけることはシュライエルマッヘルやランケと同樣に彼にとりては不可能であつた。彼の個人的な運命も彼を驅りて神祕的思想の持主たらしめた。一八〇三年に若盛りの長男を亡くしてより、兩親はその不幸についての悲歎から、人生、人生の苦み、冥福等について考へ、延いては生命一般について深き洞察をなしたのであつた。

しかしながら公人としても亦この回想的な生活に這入つた。プロシヤはイエナとアウエルステッドに於てナポレオンのために破られた。精神的な慰撫を求めるために彼は再び古代の研究に歸り、「希臘の自由國の衰亡史」を書かうといふ計畫に轉じた。その計畫はその當時に於ける彼の希望を反映するものであつた。

しかしながら、フムボルトをして、かゝる計畫を起さしめた動機は希臘自身の問題といふよりは寧ろ、現在の運命に對して如何樣に關與すべきかといふことであつた。その上に彼自身の經濟關係も亦、凶變によつて危險に瀕したためであつた。

一八〇八年十月十四日に離別の情に堪えかねつゝ羅馬を去つた。プロシヤへ歸る途中ミュンヘンに於て既に人々が氏をプロシヤ教育の長に推擧してゐることを聞いた。

一八〇九―一〇年の間、卽ち四三歲から四四歲へかけ十六ケ月に亘る間文部大臣の職にゐた。チーグラーは氏を評して曰く「プロシヤが、從つて獨逸國が甞て有した所の最大の文部大臣である」と。

フムボルトは教育に對する關係としては、家庭關係以外には持つてゐなかつたのである。(フムボルトは羅馬滯在中、夫人が歸國の際には子供達と共に家事の監督をなし、女兒達が自分自身で幾多の子供相應の知識を學ぶのを見て興味深く思つてゐた。又長女に對しては自分で希臘語を教へた。文法教授に於ては彼特有な方法を持ちイオニアの文書から始めた。この方法は今日に於ても名ある言語學者からは推奬されてゐるといふことである。)行政事務とか文書の取扱ひとかは彼の慣れない問題であつた。彼が有するものはこれ迄なしてゐた教育と、人間に關する知識とであつた。氏は他の人と共同に働き、しかも他の人を利用しないといふ特有の技術を有してゐた。氏の管掌せる地位は行政機關と理想と個性とが合して一統一體系をなす場所であつた。フムボルトの創造的な力はかゝる結合をうまく成就させることにあつた。

卽ち氏は既にシュタイン(一七五一―一八三一。政治家)が考へてゐた案、卽ち人間の中に存する精神的な、又道德的な諸力を覺醒し、活躍させるのが教育の根本であるとするペスタロッチーの精神をプロシヤの小學校へ移植しようとする案を實行し、若い有爲の教師をペスタロッチーの教育所イフェルデンに送つて學ばしめた。又大學教育に關してはベルリン大學を創設したことが主なる功績であつた。

シュプランガーは氏の教育上の根本方針を次の言葉で要約してゐる。曰く「初等教育に於てはペスタロッチーの精神に於て、中等教育に於ては新人文主義の意味に於て、大學教育に於ては哲學的理念に基く、諸科學の有機的統一に於て」と。

一八一〇年、四四歳の時、秋に、ウィン駐在大使としてウィンへ赴く。一四年より一五年へかけてのウィン會議に際しては總理大臣の片腕となり、重要案件の處理に際して、又多數の委員會の委員としての活躍には目醒しいものがあつた。彼は仕事を立案し、且結末をつけたのであつたが、しかしその結果は、その努力の割合に酬いられなかつた。フムボルトの意圖の正しい事には疑ふべくもないが、要は事情極めて複雜なりしため、より偉大なる外交官といへども恐らくは何事もなしえなかつたであらうと云はれてゐる。

一八一七年、五一歳の時樞密顧問官となる。この制度は氏が長年主張して居り、このときに漸く實現されたものであつた。

一八一九年七月、五三歳の時内務大臣となる。自由の希望は、初めは彼に輝かしく見えてゐたが、しかし一八一〇年以來、時代は變つた。國王と總理大臣とは反動思想に向つてゐた。國王も總理大臣もメッテルニヒから絶えず刺戟せられて古い自由運動の名殘りを信用しなくなつた。内閣に對しては自由運動の防止策が勅命によつて要求された。一般教育から生ずる不利益なる影響も亦その考慮の中に入れられてあつた。フムボルトは逡巡しつゝ答申した。答申の結論は墺太利の影響下にあるウィトゲンシュタイン侯に對する攻擊を含み、且全體としては内閣總理に對する新攻擊でもあつたので、國王の側に於てこれを採用することは堪える所でなかつた。これだけでは重大結果とはならなかつたがカールスバード決議(この決議によつて墺太利とプロシヤとが結合して獨逸聯邦の前衛として、民衆政治組織をなした。）によつて初めて總理大臣ハルデンベルグとの衝突の火の手をあげた。フムボルトはこの決議をば、恥知らずの、非國民的な、思慮あるものをして激昂せしむるものであるとなし、このことに對して徹底的に反對を表示した。何故ならばこれによつて氏の有する重要なる意見が脅かされるからである。氏の意見とはプロイセンの州憲法を制定し、地方の歴史的原理を重んずると同時に、出版、居住、良心の自由等の自由の理念を織混ぜることであつた。氏の立場は合歴史的な自由主義であつた。氏は氏の說く憲法をば政治的擴張への手段と見、且自律的な國民の、躍動せる國民精神から流れ出る所の、理想的な政治組織のみを追究したのであつた。ところが今や此等凡ては、墺太利の影響下にある聯邦政策の反動精神によつて壓倒された。啻に個人的な精神の自由ばかりでなく、プロシヤの政治的獨立性も脅かされてゐるとフムボルトは思つた。政治的並に歴史的の正當性は總理大臣ハルデンベルグの側にあるのか、フムボルトの側にあるのかは、未だ〳〵決定しないといふことであるが、しかしその當時にあつて總理大臣は僅かに勝利をえた。總理大臣並にメッテルニヒの政策は長年の間支配權を制した。總理大臣を罷めさせるか、フムボルトを罷めさせるかと問はれた時、國王は後者を罷免した。内務大臣に就職せる年の大晦日にフムボルトは職を辭し、爾後終生官職を去り、全くの私生活に入つた。ハルデンベルグの死後に、その後繼者となる可能性はあり、その任命についての噂も立つてゐたが氏は取合はなかつた。

一八二五年には新設されたプロシヤ國藝術協會の長となり、且つそれより出版する年報には、藝術に關する圓熟せる見方を發表した。その價値はゲーテやシラーに比肩すべきものと言はれてゐる。

一八二九—三〇年へかけ、國王の特別の依頼によつて美術館を設立した。

一八三〇年には再び樞密顧問官となり三四年迄その席につく。

しかし彼の生命の中心は今は他の領域にあつた。卽ち氏は自分の特有の領域として、言語學の研究に歸り、この點に於て、氏が永年根を下さんと願つてゐた地磐を見出したのであつた。しかもこの先天的な氏の興味は、氏の弟の有する生理的興味に對する補足のやうであつた。何となれば氏にとりては、言語は人間の精神狀態の表現であり、この言語から人間の精神の奥祕に這入りうると考へた。氏は實證的な言語學を言語心理學に基いて建てようとした最初の一人である。しかし、この哲學的な判定は單なる思辨よりもより以上であつた。彼はその理論をば包括的な經驗材料に基いて建て、その研究の範圍は古代語、近世語、西班牙語より、アメリカの方言に迄も及んだ。更に梵語の研究を重ねるに從つて非常な深みを與へた。最後に彼はその研究の範圍を更に支那語、南洋諸島語迄擴げ、且研究の結果、凡てをそれに結合させた。卽ち氏はカヴィ語(古代ジャワ語、八〇〇―一四〇〇年頃に用ひらる)の研究に於て言語研究についての歷史的、民族心理學的、並に純粹哲學的方面を綜合したのであつた。氏の死後、大學の出版物として出た三卷よりなる大著述の序文は「**人間の言語の構造の差異性と、それが人類の精神發展に及ぼす影響について**」との題目の下に、啻に氏の言語哲學ばかりでなく、更に生命哲學一般をも含めてゐるのである。

一八二九年、六十三歲の時氏の夫人は世を去つた。氏はそれを諦めることは出來なかつた。從つて氏は寒き冬の間も靜なる居住地テーゲルを去り得なかつた。夫人の死後彼は病氣に罹り、視力も衰へかけ、脊髓病が高じて來た。夫人の命日に墓參の途中に致命的な感冒にかゝつた。氏は熱に浮かされつゝも希臘の詩を口號んでゐた。やがては夫人の許に行くのだと自他共に信じ、子供達に取圍まれながら、一八三五年、卽ち六十九歲の時、四月八日永逝した。

四　フムボルトの世界觀

先きに斷つたやうにフムボルトの世界觀に關してもシュプランガーの敍述による(Spranger, Eduard: Wilh. v. Humboldt. 1910. S. 43 ff)。

フムボルトの初期の哲學書中にある思想は次のやうである。

(1)　凡ての人間は個別的である。既に男女性の對立が人間內に制限を置いてゐる。何人も男であるか、女であり、純粹の人間ではない。この個別化は更に進み、精神力の複合によつて無數の段階を生ずる。而してかゝる敎育の特有性、かゝる創造性があるがために、人格について興味ある問題が生ずるのである。かくして個性が中心問題となつて來る。個性は言はゞ法則的な原理を含み、爾餘のものはこれを樞軸として精練されるのである。しかしながら人の理念と比較すると個性は常に不完全である。若し人偶然的に得た素質の不完全性に止まることを欲しないならば、その個性內で理想を贏ち得るやう努めなければならない。個別的な理想性を求めなければならない。かゝる見方は從來說かれし合理論の立場とは全く正反對の立場であるが、しかしこのことはカントの美に關する根本概念を取入れることによつてのみ可能である。審美的理念は不可能をして可能ならしめ、有限者、具體者を通じて無限を表示する。少くとも感激的な渴仰を起させる如くに、修養の積まれたる個性は、人間本質の無限的な內容を、云はゞ具體的な姿に於て表示する。圓熟せる人格は言はゞ藝術品に比すべし。そは啻に多樣に於ける統一を意味するばかりでなく、更に有限內に於ける無限を意味する。

(2)　上述の如くであるが故に、個性のかゝる理想的な擴大への道は普遍への擴大の方法であり、有限性に於ての各面への擴張である。人は凡て人間的なもの凡てを所有しなければならない。自分の内面性を豐富にするには、國民であるにしても、個人であるにしても各種の個別的な教育を比較することによつて得られる。被把捉者の特有性を一層鋭く表現するには、比較人間學、歷史、希臘研究等が役立つ。普遍性へ赴くには、經驗、交際、社交等が、わけても豐かな全生命を鳥瞰的に表現する所の藝術品が役立つ。ヘルマンとドロテアの詩人が外部關係の世界を吾人の眼前に展開せる時、彼はそれによつて鑑賞者の心の内に、人間感覺の一世界を展開した。單なる個別的から客觀的へ導き、感傷的なるものは古典を、主觀的なるものは客觀的なものを要求する。故に個性はその對立者である普遍なくしては無意味である。凡ての個々のもの、外部的なもの、中心となる樞軸を自分自身の中に見出すと同樣に、受働的に生命の充實に努めることも必要である。如何なる場所が自分自身の力を以て自ら確立しうるかを知る人のみが、萬事を理解し、且萬事を處理し得る。フムボルトはこの倫理的な根本感情をば、所働性と能働性、質料と形式、感性と理性といふやうな、カント流の對概念によつて構成しようと試みた。しかし根本に於ては古典學者より初期の浪漫派に到る迄用ひてゐた倫理生活と同一傾向、即ち道德的な藝術作品の意味に於ての内面性の教化を取扱つてゐたのである。

(3)　既にシャフツベリーは道德的藝術衝動をば内面性の構成力と名けた。啓蒙期の學者は藝術教育の思想をライプニッツのいふ表象する單子と結合した。カントは遂に理論的構成並に道德的構成の力と相並んで藝術的な構成力を說いた。しかしながら人々はカントの批判的な謹直に安住しないで、却てシャフツベリー、ライプニッツ、ヘルデルのいふ如き詩的に世界を精神化する意味に於て、自然と精神をば、大なる有機的宇宙内へ收めしめた。事物に内在し、同時に事物構成の規準となる所の精神の形式に關するプラトー、アリストテレス流の見方が再興した。身體の判定についてはブルーメンバッハ(自然研究家、比較解剖學並に人類學の方面に於ける先驅者)やゲーテは教育衝動を頼りとなし、道徳世界の説明については人々は英國流の道徳衝動なるものを用ひた。ヤコビやシラーに取りては、自由と理性とは本來人間生具の衝動であり、且構成衝動の最高目的はカントのいふ如き合理的、論理的一法理的に限定された法則ではなくして、寧ろ遊戯に於て、換言すれば、素材についてなされた空想に於て目指されたる内面的調和である。かくして個性と普遍性との外に更に第三のもの、即ち全體性を説いた。全體性とは個性と普遍性とが統一する場合の標準となる尺度を與ふるものである。人間が全體性となるためには、ルソーの意味に於て、その天性が各方面に展開し、如何なる力も摘められてはならない。しかしこの場合に、時には甲の生活を、時には乙の生活をなすのでなくして、常に内面から現はれて來なければならない。これぞ彼のいふ個性の構成衝動である。この衝動は全き人間でありたいといふ衝動以外何者でもない。

以上はフムボルトの一七八九―一七九八年時代の著書に現はれた根本思想であるが、フムボルトがパリーに滯在せる時に思想は變化した。フィヒテの説く哲學が一時彼に影響し始め、精神の根本作用、並にその無限性から出發することが、以前に考へてゐた程に無稽なものではなかつた。西班牙に滯在中には、諸國民が恰も植物のやうに、内面的な原理に從つて發展し、且滅びて行くものであることとを知つた。この大有機體を眺めると各個人はその内に漸次に隱れてしまふ。この大有機體も亦、無限の宇宙の膝の上に居る單なる花にすぎない。この新らしい立場は羅馬に於て、浪漫派の影響の下に完成した。彼は今や人間性の根本概念から出發した。勿論この根本概念は初めは曖昧であつたが、シェリングの哲學を知るに到つて明瞭となつた。フムボルトはシェリングの絶對についての見方は取らなかつたがその理念說は取入れた。氏にとりては凡ての生物は無限的な理念が、有限性並に個人に於て表現されたものとなつた。有機體、藝術品、個別的な人格とは畢竟理念が實在內に這入りたる形體にすぎない。世界の萬物に存する內面組織の類似性はこれあるによるのである。全世界は言はゞ鏡である。この鏡の中には根抵には存するがしかし基礎づけることの出來ない所の統一が表はれてゐる。しかしてかゝる比論こそは世界說明の普遍なる手段である。しかしながら他面に先きの全一は現象內へ顯現する時に分化する。故に吾人の知るのは一理念の個別的表現のみである。かゝる見方の下にありて希臘人はフムボルトにとりては人間性の眞の表現となつた。その當時に於て成功した最高且最純粹のものとなつた。しかして個人も亦單に人間的な、全一の片鱗にすぎない。人格の價値は、人格が現象の大海から理念を摘出し、それと同化し、人格性の全本質を理念の純粹性、永遠性、不變性に合致せしむることである。かくしてこそ初めて人間は自然並に環境と完全なる調和をなしうる。何となればこの人にして初めて、雜多の世相中に隱れたる大なる世界法則を體得して居り、大宇宙の神秘の鍵を握り、大宇宙の創造、生成と合一せりと感ずるから。しかしながら、彼は、彼の中に作用する理念をも自ら構成する樣努力しなければならないと說いた。即ち最高の人間性への形而上的渇仰心は彼の心を支配せる最深の生命力であつた。

かくしてフムボルトの世界觀は非常に深められた。從來は單なる規整的理念であつたものが、形而上的實在性とまで高められた。カントのいふ叡智的人格は神秘的な無限の人間性理念とまで深められた。氏をして全力をあげて實生活に入らしめた、あの冷靜不動なる態度と、半ば思辨的なる神秘とは、前述の如き確信に基いたのである。一八〇九年から一〇年へかけての新課題に向つた際の內面的確信はまさにこれであつた。氏はその夫人に手紙を認めて曰く、「故に自分は出來るだけ狹い範圍に立籠るが、しかし、思想は常に最善、最高であり、かつ自分の生命は甞てありし如くに觀察と思惟でなければならない。自分自身でなした統一せる世界の生ける姿は、恐くは人間がなしうる最善のものであり、特に自分にとりては、自分自身の性質によつて課せられたもの程に適當なものはない。世界に於て何處かで起るもの、現れるものは、永遠に作られたる像に於けるが如くに、再び根元的な理念に於て現れる。根本的な理念の統一から如何樣にして多樣が現れるか、如何樣にして多樣がその中に歸つて行くかについては何人も研究し盡すことは出來ない。實在内で理念を直接に捉へることと、身體内で精神を眞に見極めることは、二三の容易なる場合に於ては一般的に行はれうるであらうが、しかし、その全領域に亘り、その深き本質に於て捉へることは非常に稀であり、多くはたゞ神秘的に、且お道化的に現はれる。けれども世界の眞の把握はかゝる意味によつてのみ可能である。人格の理解も個性の把握も同樣にして可能である」と。

　上述の如くに理念を現象内に於て探究することは、フムボルトの持つ支配的な衝動であつた。かかる衝動を以て歴史の中に入り、かゝる衝迫を以てシラーやゲーテの人格性の神秘内に浸りて自らを深め、又かゝる衝迫を以て不屈不撓の經驗的研究家として、多樣なる言語の世界を觀察したのであつた。彼は萬事を人間性の表現であるといふ見方の下に把へた。彼は常に身體的なるものから、内面の構成的な精神へ歸り、特に青年時代には、精神組織の神秘をば、身體の可塑的陶冶に於て求めたのであつたが、後年には他の身體、卽ち言語といふものが、精神の純粹の表徵となつた。精神は言語に於て客觀化される。最初には一般的な人間精神が客觀化され、次には自分により多く關係あるもの、卽ち國民の個別的精神、各個人の精神が現れてゐる。智性的な並に感情的な生活の微妙なる姿が言語の中に現れてゐる。故に言語は人格性の神秘を發く鍵である。言語は全世界觀を反映する。精神が不可視的身體としたならば、言語は可聽的身體である。

フムボルトの後年に於けるこの言語の研究の順序をいふと次のやうであつた。氏の言語研究の第一の且最深の根據は、人間人格の秘密を基礎づける事にあつた。西班牙の小民族を研究することによつて、言語の超個人的意義が明かとなつた。氏がベルリンへ歸つた時に、氏は既にベルンハルディの一般言語學を手に入れてゐたもの丶如くである。氏はそこで初めて、言語の哲學的思辨的問題が、自分が考へてゐたと同樣な方法で現れてゐるのを知つた。精神の内面の論理的、全體的組織、言語の文法的、文章的組織は、精神内部の論理的、全體的組織に相應して出來てゐる。内外の言語形式は同一の型に基き、且その最高の完成に於ては、世界一般の理念と構造を表示してゐる。

前述のやうな直觀を、しかも深遠なる仕方に於て捉へえたことは、氏の如くに古典の美的な生命氣分に透徹されてゐる人にして初めてなしうることである。氏は最小のものにも宇宙の關聯が道入つてゐるものと信じた。從つて個々の現象の分解をもなした。かくして氏は氏の言語哲學が示す如くに、哲學的經驗家となつた。一八〇九年から一〇年へかけての教育改革に於ても、心理學、美學、希臘の研究、言語の研究などが大なる教育的關聯として表れた。かゝる點からしてのみ、吾人は氏の性格の統一を把握し得る。彼をして政治家としてみることは、彼の外部的作業のみを知ることゝなる。凡ての過去のものは彼にとりては永遠に創造する人間力となり、物理的な表徵の中に、彼をして絶えず、敬虔の念を以て「人間性の表示」と感ぜしめた大なる秘密が現れてゐた。

五　個別的人間學に關する著書とその梗概

1　Über die Gesetze der Entwicklung der menschlichen kräfte 1791.

この論文が出來た年代に就いては全集編纂者ライツマンの説によると、他に頼るべき何等の資料がなく、たゞ原稿用紙に入つてゐる漉によつて、同じ漉の入つてゐる他の手紙の年代から推定して一七九一年となしたと言つてゐるが、しかしその內容から判定すると「比較人間學の計畫」の後、「第十八世紀」と同時代又は後でないかとも思はれるが、暫く編纂者の説に從つてそのまゝ掲載する。

內容の大要は、地上に於ける人間諸力の發展の法則は、個人の場合に於ては地上に於ける一定の地位が示されるや否や求められ、全國民の場合にありては社會的地位が示され、同時に集團せる生活によつて彼等の力の同形性が示されるや否や求められ、最後に縦に連なる人間種族の場合に於ては、その作用がそれの繼續的な力の作用と無關係なる革命によつて中斷されないで、後代者は前代者の準備したもの以外には何等他のものを經驗しない限り求められる。　換言すればかゝる法則は

(a)　一時代の進歩が純粹に且完全に次の時代に移り行く限り

(b)　讓られたものが前代者の力の純粹の結果である限り

かゝる場合に於てのみ諸力に對する限定者であり、人類一般の運命上にも適用されうる。　しかしながらこの兩種の條件の何れも、少くとも兩者は同時には一度たりとも實在世界には現れない。　從つて我等の法則は常に非常なる誤りを伴ひつゝ適用されるのである。

この問題の研究によつて知りえたことは、この事の研究によつて、人間を相手にする人々が、その目的に到達するための手段を充分に示すことが出來ないとは言へ、不可能なものを渇仰するやうなことをなさしめず、彼等の活動の對象となるものに對して敬意を起さしめ、且自發活動に對しては自由を與へるやう誘ふであらうと。

2. Plan einer vergleichenden Anthropologie.

本論文は一七九五年の八月か九月頃に書き始められたようである。人間學に關するフムボルトの著書の中で最も纏つたもの。比較人間學の重要性、研究領域、課題、方法、限界、人間學を研究しうる人。最後に具體的な研究の例示として男女性の差異を說いてゐる。この論文は既に飜譯物も出來てゐることとであるから、內容に關する詳細の紹介は略する。

3. Das achzehnte Jahrhundert (1796—97)

全集編纂者ライツマンの說によるとフムボルトは一七九六年の初めに當つて、人間精神についての人類學的心理學的大研究をなさうとの大計畫を立てたことがシラーへ宛てた當時の書簡によつて察せられる。恰も其當時氏は人間精神の事實上の進步と、必然的可能的進步とを比較研究し、人間の理想と現在の狀態との比較からして實踐上の規範を得ようと考へた。かゝる大計畫は一人の力では到底出來難く、多數の人々と共同して出來ることであり、而して氏自身の分擔としては第十八世の特長を書き、歷史的敍述に對して廣き哲學的の根據を與へようと決心した。本問題に取つて肝要なる第四章、第五章は一七九七年のドレスデン滯在中にものしたものとされてゐる。

內容は標題の示すが如く第十八世紀の特色を論じたものであるが、その中前記第四章に於て性格の座は何處にあるかを論じ、第五章に於て性格中に於ける本質と偶然とは如何樣にして區別すべきかを論ず。殊に自分達にとりて興味あることは人間の性格の認識方法に關しては、前項の論文よりも遙かに詳細を極めてゐるといふことである。

4. Musée des petits Augustins 1799.

フムボルトは一七九七年の夏ドレスデンに滯在中ケルネル(前掲、傳記の項參照)と約束して、諸國民の典型的代表者の傳記を作つて、友人達を、特にシラーを驚かさうとの計畫があつた。而して氏は一七九七年十一月からパリーにあつて佛蘭西人の國民精神について研究して居り、且又小アヴグスチン博物館(小アヴグスチン町にある博物館のことにて、今のルーブル博物館の前身をなすものと言はれてゐる。)にある古代の記念像を見て佛蘭西人の額付が時代の推移と共に如何樣な變化をなしたかを知らうとしてゐた。偶〻ゲーテが一七九九年の五月に佛蘭西藝術についての豫備的報告を乞うたので、その年の七月と八月に、ゲーテに對する三篇の手紙の形式に於て、その當時の氏の觀察を纏めたものである。

我々に關係あるのは三篇の手紙の中第一編にて、その內容は大體觀相學についての氏の意見をのべたものにて、觀相學で得た知識は人間の性格の判斷上どれだけの信頼度があるか、哲學者に對してどんな利益を與へるか、藝術家にとりて利用しうべしとしたならば如何なる點に於てゞあるか。人相上に法則なるものが存在するか否か等を論じたものである。

5. Über die Verschiedenheit des menschlichen Sprachbaues und ihren Einfluss auf die geistige Entwicklung des Menschengeschlechts. 1830—35.

本書の成立の事情並に內容の大要については氏の傳記と世界觀を述べた際に觸れてあるからこゝでは重複を避ける。

× × ×

前記五種の論文の內人間學に關係ある部分は一括して、左記の書籍に收めてあるから、全集の手に入り難い人はそれによるのが便利であらう。

Wilhelm v. Humboldts Philosophische Anthropologie und Theorie der Menschenkenntnis. Herausgegeben und eingeleitet von Fritz Heinemann.

なほフムボルトの勞作中本問題の理解に資する所ありと思はれる論文に左に列記の數種がある。

Über den Geschlechtsunterschied und dessen Einfluss auf die organische Natur. 1794.
Über die männliche und weibliche Form. 1794.
Über den Geist der Menschheit. 1797.
Über den Charakter der Griechen, die idealischen und historische Ansicht desselben. 1807.
Über die Bedingungen, unter denen Wissenschaft und Kunst in einem Volke gedeihen. Bruchstück, 1814.
Betrachtungen über die Weltgeschichte. 1814.
Betrachtungen über die bewegenden Ursachen in der Weltgeschichte. 1818.
Über die Aufgabe des Geschichtschreibers. 1821.

× × ×

本論文に於てフムボルトの言葉として引用した個所に記してある卷數並に頁數は凡てプロシヤ翰林院藏版全集による。

第二　本　論

フムボルトの學說を組織的に知るには、年代順に又は個々の論文每に述べるといふ方法よりは寧ろ、彼が若し生前に、前記の諸種の論文を一括したならば、斯くもなしたであらうと思はれる方法によることが便利であると信ずるから、かゝる方法により、次にのぶる如くに論題を細別しつゝ記載することゝしよう。

ハイネマンは前掲の書の序論に於てフムボルトの論文一つ每に特殊の課題を持つかの如くに詳しくは「比較人間學」に於ては精神科學構成の基礎として、「第十八世紀」は性格學を「小アウグスチン博物館」は觀相學を、「言語學」は人間本質の表現の學として、而して此等四者合して歷史的人間理解の方法を基礎づけるものと見てゐる。がしかし、この四種の論文の內容がハイネマンのいふ如くに截然と區別されるかは疑問である。殊に「比較人間學」と「第十八世紀」とでは重複せる個所あり、又一方に疎にして他方に精なる場合あり、他の二論文はこの二論文のある個所に於ける補充、追加と見做される場合あり。從つてハイネマンの如くに見るは、取扱ひの仕方が鮮かすぎて却て內容を輕視せる如き感あるを惜む。

一　個別的人間學の必要なる所以と關心

個別的人間學が必要なる所以と關心は、比較人間學に於て、同學の重要性を力說せる個處に於て知ることが出來る。今その中、必要なる所以についての要點をのべると次の三種に歸着するやうである。

a. 人間生活上に於て必要なること。

人間生活上に於ける實際的な仕事にして人間の知識を、蓋し單に哲學的に考へられた一般的な人間ばかりでなくして、吾人の眼前に見るやうな個別的な人間についての知識を必要としないものはない。(第一卷、三七八頁)人格の差異性が畢竟存在するとするとき、そのことにつき注意を拂ふことなくして如何にして個々人の性格に影響を與へうると云ひうるか(同上、三七九頁)。

b. 人類としての理想實現のために

個々の特長について一定の支配術を學び込むためには、例へば佛蘭西人に對しては衒學的でないやうに、英國人に對しては專制的でないやうに取扱はなければならないといふことを知るためには、勿論大した準備は必要でない。人間性格の敏感な點を保護し、弱點を善用するの手段は皮相的な觀察でも容易にえられるであらう。(同上、三七九頁)けれども上述の事柄とは全く異つた問題が起る。個々の性格は一面的ならずして獨自性を保持し、しかもそれは一般の理想的な卓越性をうることに於て妨げとならないもの、單に缺陷とか極端といふことによつて獨自性となるのでなくして、人格の本質的限界を越ゆることなく、それ自身に於て整合せるやうに教育されなければならない。人は凡て理想とのかゝる内部的整合と外部的一致に於て共同的に作業すべきである。(同上、三七九頁)人間は共同作業によつてのみ、その最高點に到達しうる。人間が多くの人々の結合を必要とするのは、力の單なる増大によつて一層大なる、又一層繼續的なる仕事を引起すためでなく、却て多樣なる素質によつて、人間の天性を充分に、豐かに發展させんがためである。(同上、同頁)

c、哲學的見方と經驗的見方との短を補はんがために。

人間觀察に際しては單なる可能的な素質のみを觀察することも出來なければ、單なる偶然的な素質のみを觀察することも出來ない。前者によりて思辨的哲學者は、その實際的應用についての根本命題を缺き、後者によりて實際家はその永續性について、又その內面的性格に及ぼす影響についての系統的知識を缺く。(同上、三七八頁)

人間が如何樣にあるかを精確に知り、同時にその人が何處へ向つて發展するかを自由に判定するためには、實際的な觀察と、哲學的な精神とが共同して働かなければならない。この共同作業を容易ならしむるには、比較人間學に於て得たる個別的性格についての知識を科學的思惟の對象に迄高め、且右人間學に於て、種々の階級の人間についての特有性について、又外面的地位が內部性格に及ぼす通常の影響について確實なる描寫を得る必要がある。かくして得られる一般的な型は、自分自身の經驗の助けによつて、更に明確にすることが出來、又この研究の結果、ある性格について可能として示した領域に於ては、その性格の人が如何なる時でも、事實上取りうるやうな地位を限定しうる(同上、同頁)と。

卽ちフムボルトは、(a)、(b)の要求を充すためには新たに(c)のやうな學問を必要と見たのである。氏はこの學問の重要性について繰返し次のやうにも述べてゐる。

比較人間學は二重の目的に取つて又二重の仕事にとつて有用である。それは容易に人格を知らしめ、且同時に哲學的な指導を與へて、人格の價値を判定し、將來の發展を豫測し、他方に他の人と合同して全體として作用しうる可能性を概算せしめる。比較人間學は人間を利用し、支配せんと欲する所の事務家に取つて有用であり、同時に又人間を改善、陶冶せんと欲する敎育者、哲學者に取つても有用である(同上三八三頁)。

次に人間がこの問題に對して持つ關心については次のやうにのべてゐる。比較人間學は人間精神のなす最も關心ある仕事である。何故ならばそれに於ては

a. 自然が提供する崇高なる對象を、最も綿密に、且最も完全に描寫するから。

b. 多種多様なるものが描かれてあるので、そのために構想力や感官を樂しましむるばかりでなく、特長についての精緻なる描寫のために、精神や感覺が豊かにされる。

c. 啻に個々の特有性が全體として觀察されるばかりでなく、凡ての個々の特有性も亦高次の全體と綜合されるといふやうに常に取扱はれてゐるから(同上、三八三―四頁)と。

氏は性來個別的人間學については非常の關心を有してゐた。ハイネマンが指摘してゐるやうに、氏の自敍傳の一節中には次のやうな句がある。

自分は子供の時代から絶えず自分の周圍の人々に注意し、彼等を互に、又最も尊敬に値すると思はれた人々とを比較した。常に思つた。人間を言はゞ道具として遊ぶことが出來るのは最も尊敬に値する藝術であると。但しそれは外部目的に對する道具としてゞはない。それならば自分は常に輕蔑する所のものであり、その事ならば常に必ずしも大なる熟練を要しない。(第十五巻、四五三頁)

二　個別的人間學の研究領域

この問題についても前問題と同樣「比較人間學」の中に觸れてはゐるが、要領はえない。曰く「比較人間學の範圍はその限界を擴げることに對して二種の原因がそれを妨げない限り、全人間、種屬の範圍と同じであらう」(同上、三九三頁)。但しこの妨げとなる二種の原因が何なるかについては、記載されてゐないので、斷言は出來兼ねるが、一は一個人の內面的本質を捉へることは非常に困難であること、他は、一個人を全體に對する關係に於て捉へることの困難なることを指せるものと見るべきであらう(第一卷、三九四頁、並に本論文、四、人間の認識について、の項を參照されたし)。

三　個別的人間學の課題

この點に關しても前同樣「比較人間學」に於て詳細に說いてゐる。要點は次のやうである。

比較人間學は一般人間學の根據に立ち、一般人間の持つ種としての性質を既に承認されたものとして前提し、たゞ人間の個別的差異性を求め、一時的なもの、偶然的なものと、恒常的なもの、本質的なものとの區別をなし、恒常的なもの、本質的なもの丶性質を調べ、その根元を探究し、その價値を判定し、それを取扱ふべき方法を限定し、且その發展の過程を豫告するにある。（同上、三七七頁）

比較人間學は人間性格の多樣性を知らしむるといふだけでは十分でない。其の外に更に一層大なる人格を引起させ、且既に事實上存するものをば一層合目的に指導するやう貢獻しなければならない。（同上、三八四頁）

人格性の差異は假令有害としても畢竟避くべからざるものであるとしたならば、か丶る差異性を盲目的に偶然に任せるか、或は理性の指導によつて特有性とまで改良すべきかといふことである。これに對する答はたゞ一つしかありえない。（同上、同頁）

氏によれば人間學が理想性のものたるべき要求は今一つ他にあつた。曰く、比較人間學の目的は、個性に於ける人間性の差異を出來うる限り測定し盡すことである。換言すれば一個人の力では一度だつて十全でない所の人間の理想が如何樣にして多くの人々によつて表現せられうるかといふことである」と。（同上、同頁）

從つて比較人間學が求むるものは自然の對象ではなくして、却て無條件的なる

の、卽ち理想である。(同上、同頁)

しかし、フムボルトは單なる思辨的な理想を說くのでなくして實在から出發した理想を說くのであつた。このことはやがて方法の問題に移る。その項の下に詳述するであらうが、それに入る前に人間の認識についてのべよう。

四　人間の認識について――個別的人間の中核、並に性格の個別的差異の認識について。

人間の性格の認識の困難なることについては「第十八世紀」に於て詳述してゐる。その論旨は次のやうである。

人間の本當の性格を完全に、又その本當の形態に於て知る手段を、又人間の心情を云はゞ機械のやうに說明し、計量しうる手段を所有すると自惚れることは論者にとりて最も恥かしきものである。人間の性格を知ることを以て自分の天職としてゐる人はかゝる誤解をば決してなさないであらう。かゝる人は寧ろ反對に次のやうに云ふであらう。卽ち吾人は吾人の非常なる努力あるにも係らず、吾人は性格の眞の原動力の周圍に單に圓を畫いて居り、原動力自身は何處にも發見せられないといふこと、尚又特に注意すべきは一の簡單なる方法では全然發見されない。たゞ遠くから又凡ての方面から窺ひ、推量するにすぎないといふことである。（第二卷、八七―八八頁）

その認識の困難なる理由として氏は曰く

人間はその言說、行動よりも、又凡ての感覺、思想よりもより多くであり、又幾分異つたものである。且又假令吾人が特定個人を充分に知りえたとしても、それは單にその表現の個々を知るのみで、その人特有のもの凡てを綜括しても滿足を感じえない。人のなす凡ての計畫、並に推論は或點迄は大なる困難もなく溯り、又分解することも出來る。けれども思想なり、決心なりが初めて成立する所まで來ると人は突然に暗黑界に出遇はし、個別的な、斷片的な現象が突然に表はれる樣は知りえても、その奥は見透しえなき困難に陷る。各人の特有の本質を構成し、根本的に凡てを動かさしむるものはこの第一の原動力であり、この內面的な力である。人間を最も氣高くするもの、卽ち心の偉大なること、德の高きこと、英雄的な精神などは席をこゝに有し、凡ての偉大なる行動、凡ての天才的なる思想はそこからしてのみ生ずる。（同上、八八頁）

歴史上の著名なる事件に於ても、私生活に於ても吾人は容易に次のやうな人を想起するであらう。即ち平素は普通の力以上のものは現はさずして、しかも批判的な危機に到ると突然に堅忍自久、乃至は稀に見る果斷を示して平素の凡庸性を突然に突破するのを見る。この種類の例は佛國革命の恐ろしき光景中に澤山に現はれた。かゝる高等なる性格は、その人について既に知られた根本命題やら格率から説明しようと試みても無益である。吾人は何處迄探し廻つてもかゝる偉大を推測しうるの根據を見出すことは出來ない。異常なる地位がよく精神を灼熱し、覺醒すると人はよく云ふ。けれどもそれは必然にかゝる覺醒を可能ならしむる所の力の存在することを要求する。明瞭に現はされた概念や、普通の感覺の量からしては全然計量することが出來ないやうな、秘せられた内面的な性格が、恐らくは永らく眠つてゐたのが、機會が來たので突然に發動し、その全力を示したものと見る外はないであらう。かゝる性格は悟性の根本命題の單なる結果でもなく、又推理の作用でもない。純粋な根元的な天性である。……教育に於て屢〻吾人の期待を裏切り、又は吾人の努力を無效ならしむるものは恰もこの力である。兒童の根元的な天性、先天的な性格は、それを根絶するとか、又は本質的に變調せしめようとする凡ての試に反抗する。全然同一の教育を受けた兄弟が、その子供の早い時代に既に示してゐたと同一の性格の差異を、後年の成熟期にも示すことは普通の現象である。生ける力は如何なるものでも他の影響に對して單に受動的な態度に甘ずるものはない。人はその力を如何に多く他から强められ、指導され、保護されたとしても、しかもその人に起る凡てのものは、その人自身の内面的な力の作用にすぎない。且又よき教育に對してなされる反抗に關しても、かゝる反抗の力なくしては適應することも不可能であることを忘れてはならない。……これを要するに人間の本質を、それに影響を及ぼす所の事項から完全に引離し、完全に捉へ、表現せんと欲する試は全然無益な骨折である。如何に深く突入つても、如何に近く眞理性に到りえたとしても尙常に一つの知られない大なるもの、卽ち原始的な力、根元的な自我、生れると同時に與へられたる人格性なるものが存する。人間の自由はこれに依存する。それ故にこのものこそ、その人の特有の性格である。
(同上、八八—九〇頁)

卽ちフムボルトによれば吾人の認識の限界の彼方に不可知なる力の存在を認め、個別的性格の本性はこのものに依存すると見たのである。

右の問題と關聯したことであるが各人間の間の個別的差異の認識については次のやうにのべてゐる。

最も嚴密なる意味に於て人は生れつき他の人と異なるものか、乃至は初めは全然同じ性質のものが各個人の個別的な地位によつて變化され、個別化されたのか否かといふことは全然吾人の經驗や、吾人の知見の領域外に存する疑問である。吾人が人間を知るのはその人の進歩の大さに從つて、その人の歩み來りし道の重要なる部分を顧みた後である。しかして吾人が判斷しうる凡てのものは常に單に外部の事情と内部の力との共同作業の結果であるから、吾人はこの兩種の要素を互に分離することは出來ない。吾人が確實に主張しうることは、何處かに力が、それは同じであるにしても、或は同じでないにしても、その力を取卷く凡ての事情から獨立して最初に存在するといふだけである。その他に吾人の確實に云ひうることは、吾人にとりては多くの人々の間に認める所の差異性が、事實上、生れつき存在したかの如くであるといふことである。實際子供は母親の膝を離れる以前に、既に一定の地位に存するが故に、且この地位並にそれを捉へる身體の性質は全生涯を通じて繼續的に、その性格の上に影響を及ぼすが故に、しかもこの原因全體は吾々の經驗の範圍外にあるが故に、外からの作用によるかゝる差異性をば、吾人が根元的、本質的と見做すのも尤もな次第である。(第二卷、九一頁)

吾人は一面に自然が我々に跡づけた所の凡ての性格は、吾人の意志の支配下に立たなければならないといふこと、それが不道德的になるや否や、それを根絶しなければならないといふことを否定することは出來ない。しかし他面に眞の根元的な先天的な性格は決して剿滅することは出來ないといふこと、それを弱め、變化することは出來るが、その變化に於て跡方のないやうに廢棄することは出來ないと。(同上、九二頁)

すると次に重要なる問題が生ずる。吾人の精神の道德的敎養と全然調和しないやうな性格を自然が我々に與へた時には如何にすべきかと。項を改めて述べよう。

五　自然の性格と一般道德性との關係

この點に關してはフムボルトは單なる自然機械觀にもよらず、又安價な運命觀にもよらず、結局はシェリングの理念說の影響下にあつた。曰く人間は二三の哲學者が我々に說いたやうに單なる自然機械の結果であり、且運命によつて定められたる地位のみに從屬するとしたならば、先きの矛盾は事實解かれず、吾人を惡人になすのも、狂人になすのも共に偶然の力の中にのみ存することゝなるであらう。けれども既にこの非常識的な反理性的な歸結が、人間の中には元來一の力があつて、外部影響をばその天性に從つて利用せんがために、外部影響を使役しうることを示してゐる。さうしてこの力は吾人が後になりて初めて道德的力として知りうるものであり、しかもこの力はその人の生誕の時から同一であり、爾後我々には非常に高揚せる力として示される。人間は最初の呼吸をなす時から人間であり、その根元的な性格はその人の人格性の性格に外ならない。所謂理性とはそれの一形式に外ならない。吾人はこの形式に即して人格其物をば最も明瞭に又最も確定的に認識するのである。從つて個別的性格が道德性に對して障害となるやうな場合には、この障害はその性格の偶然的な性質から來たのであつて、決してその本質中に根據を有するものではない。且又吾人は自然は理性に對しては打勝つことの出來ないやうな障害を置くものでないといふことは確たる根本原則として假定しうる。（同上、九二―三頁）

かくして吾人は精神陶冶を確立するための二種の規則を知る。即ち(一)は自分自身の教育に對して、自分特有な道徳的工夫に際しては身體、氣質、又は習慣等の外見上の障害に對しては憂慮の必要なく、(二)は他人を教育する場合には、その個性の特有性を求め、それを固守し、忠實に留まることであると。(同上、九三頁)

フムボルトが自然の性格と道徳性とについて有する立場は次の一句に盡きてゐると云ひ得るであらう。

自然と理念は同一物である。自然は働く力としての理念であり、理念は反省的思惟としての自然である。(第三卷、二〇九頁)

六　個別的人間學の方法

この問題については比較人間學に於て明確にのべられてある。且特に注意すべきは經驗を重要視したことである。(三)に於て述べた課題が充されるためには實在に注視しなければならないといふことであつた。例により此の論旨をそのまゝにのべよう。(第一卷、三八九頁參照)

先きに提出した要求が完全に充されうるためには比較人間學は、必然に實在の

嚴密なる觀察に習熟し、のみならず最初は徹頭徹尾この實在から出發しなければならない。何故ならば

1　思辨的方法は、凡ての形式の多様性に於ても、又個々人の限定性に於ても、常に有害なる不足を伴ふであらう。又最も好運に奮闘してみても、そこからしては何等かの偉大なる個性を探究することは不可能であるであらう。

2　理想の定立は實在の科學的考察を必要とする。何故ならば、かゝる理想とは凡ての制限的障害から解放され、同時に凡ての方向に擴大された天性に外ならないからである。

3　理想の定立はそれが直接に經驗的觀察を支柱となす場合にのみ實際生活に對し、事實上の應用をなしうる。しからずして理想を實在に結合する手段を缺く場合には、そは無益に高い理想を定立することゝなるであらうから。（第一卷、三八九頁）

經驗的事情の考慮につき氏は更に興味なる書振にて次のやうに述べてゐる。（同上、三九八頁以下參照）

人間はそれを取卷く物理的な事物の標準に從つてのみ發展する。一見その人

の精神にとりては全然異質的である所の、事情、出來事その他氣候、土地、生計、外部的施設等はその人に於て新しい現象を、且屢〻最も精細な、又最も高い道德的現象を引起す。嘗て收得した道德的天性は物理的な手段により、換言すれば子孫の產出、その血統によつて傳承され、繼續される。且又かくすることによつてのみ、智的進步や、道德的進步が、その天性の恒常性、繼續性に或程度迄與かりうるのである。しからざればそれは恐らくは一時的のもの、變化性のものであるであらう。故に人間の物理的性質は、その人格の陶冶に際し、凡ての點に於て重要なる役目を演ずる。

尙このことは個人の場合よりは一層明かに全人類の場合に於て表はれる。一群團、一定系統の人々、一定國民等は數百年を通じて共通の性格を保持し、又その人々が大なる變化を受けた場合ですらも、尙その根元の痕跡を認め得る。同樣の原因は凡ての時代を通じて同樣の結果を引起す。故に吾人は全體としては、相似た力については相似た結果を、外部の事情からは同樣の影響を、感情については同樣の表現を、善又は眞については同樣の力を知り、……吾人若し短期間に留まることなく、尙又吾人の不充分なる認識に滿足しないでゐるならば、前述の事柄は一層限定され、一層明瞭となるであらう。

故に比較人間學は單に經驗から出發するばかりでなく、却て出來るだけ深く經驗內に沈潛することが必要である。自然研究家が動物界の種族や、變異性を限定するために、努力すると同樣に、比較人間學者も亦男女性、年齡、氣質、國民等の現在存する特長を探究しなければならない。（第一卷、三八九－三九〇頁）

しかしフムボルトが經驗的見方を重要視したのは理想的な要求と調和するやうな個別的差異性を求めるための手段であつた。蓋し一面には個人其物に一層詳しく立入り、繼續的なもの、本質的なものを一層確實に認識して、一時的な偶然的なものによつて迷はされないために、他面には自然其物の道行を一層よく觀察し、種の類似性によつて個人の創造性を促進し、その自由を拘束することなくして、それを限定すべく自然を利用するために。（同上、三九一頁參照）

故に比較人間學の特有性は、經驗的素材を思辨的方法に於て、歷史的對象を哲學的に、人間の事實上の性質をば、その可能的な發展に基いて處理するといふことである。（同上、三九〇頁）

フムボルトが單なる經驗のみに留まるものでないことは前述の引用文に於ても旣に明かなことであるが、氏は自然史的、歷史的、哲學的の三方法によるべきことを說き、且各の長短について大要次のやうに述べてゐる。

人間の個々の性格が、その可能的な理想化のために研究せられ、且その素材が單に個々の場合に於ける斷片的のものでなくして、却て一般的な命題に於て、一の理論として加工せらるべき時には、その取扱方は、自然の觀察の凡ゆる種類を通過し、且同時に、自然史的、歷史的、哲學的でなければならない。（第一卷、三九―四五頁）

しからば謂ふ所の自然史的、歷史的、哲學的方法とは如何樣なものか。

人間は種族として觀察すれば明かに物理的自然の鎖の一片である。人間は爾餘の動物と同樣に、人種に於て變化し、人種はその特有性を子孫に傳へ、且混血兒を作る。この場合にも還元することの出來ないやうな自然の作用が屢〻利用せられ、隨伴しなければならない。この點に關して人間は特に自然に屬する。人間は自然と同樣に觀察することが出來る。且この場合の本當の特色は實驗することが出來得ることとである。（同上、三九五頁）

しかしながら自然史方法には次に述ぶるやうな難點がある。

即ち人間の有機的性質は規則的に間違なく適合するやうな法則を示してゐる。例へば兩親の個性の一部が子供に遺傳するといふことは一般的な自然法則である。しかしながら人間身體の複雜せる統制、容易に把握し難き身體と道德的性格との結合、人間を實驗することの非常なる困難等のために、前述の自然法則は益〻不完全となり、徹底的に理解することは猶更困難となされる。例へば某性質が、如何なる事情の下に、如何なる程度で子孫の出產によつて遺傳するかを決定することは不可能である。これよりは遙かに簡單である所の、個人の物理的、並に生理的特有性を全體として認識することすらもまだ一般的な形式又は方法といふものは存しない。吾人は單に個々の差異性を觀察し、又知りえたとしても、それから推論しうるものは僅少であるか、皆無である。（同上、三九五—六頁）

哲學的方法に關しては次のやうに述べてゐる。

自然と人間の恣意とは、眞の人間の自由に於て、理性によりて結合される。その故は、理性は法則に從ふ所の自然と同樣に大なる必然性を引出すがしかし、理性は自分自身にこの法則を與ふるものにて、自由に對しては少しの妨害も與へないがためである。從つてこゝに法則が存する。蓋し現象の領域以外にあつて、自主的な力より發する法則である。從つてこゝからして、哲學的な又審美的な判定の領域が始まる。（同上、三九五頁）

哲學的な判定は最も大なる嚴密さと合法則性とを與へる。別してそれが、その知識の擴張のためとか、その諸力間の實際的な關聯を知るためになす場合よりは、寧ろそれが人間のために、その情懷に對する規則を規定するためになす場合には一層多く與へる。哲學的人間學は成程個々の事情を誤りなく正當に限定し、且説明しうるであらうが、しかし個々の事情は全然單獨に、孤立して存在するのでなく、從つて出來事も單獨に存在するものでないから、內面的な知的並に道德的事情は完全無缺に表示せられることはなく、又完全に扱み盡されるといふこともない。

（同上、三九六頁）

歷史的方法については次のやうにのべた。

人々のよく云ふ如く人間は偶然の事象に、外部からの干渉に、或は內面的な一時的な刺衝に從ふ。人間がかゝる仕方でなすものは、理性から發したものでないから勿論物理的ではあるが、しかしそは常に物理的又は其他の變化が自由なる天性に及ぼす結果なるが故に、自然法則に從つて計量する事も出來ず。尙又實驗することも不可能である。この方面からして人間は單に歷史的に認識せられうるのみ。彼は現在かく存し、かくなつた。如何にして然るかといふことについては滿足なる答はえられない。(同上、三九五頁)單に歴史的に取扱はれた素材は合法則性を示すこと最も少ない。かゝるものに於ては凡ての個々は、それを引起した偶然又は恣意と同樣に無規則的である。けれどもこゝに於ても亦吾人が一度多數の場合を把握しうるや否や、同樣な出來事は、假令、それ程嚴密でなく、觀察する事も困難であるとは云へ、一定の合法則性に還元しうる」と。(同上、三九六頁)

自然史的、哲學的、歴史的方法の長短についてのフムボルトの說の大要は右の紹介によつて明かにされたことゝ信ずる。次に問題となるのはこの三方法相互間の關係であるが、この問題に關しては人間研究者の生活に於て統一さるべきものと見て、前述の紹介並に後に說く「人間學を研究しうる人」の個所に紹介せるもの以外に別に詳しい論理的分析をなさなかつたやうである。氏によれば人間は一面に於て、自分の中にある凡てのものと結合し、のみならず身體的な構造に移り行き、且それからして他のものに傳へられるといふやうに作られたる特有性を有し、他面に人間は、その精神が他の轉向をとるや否や、これ迄の形式から脱け出で、他の形式と交換しうるといふことを知る。……一見容易に理解出來なき恒常性と變易性との結合についての解明は、明白に人間に於ての感覺的な力と純粹精神的な力との共同作業中に於て見出す。…… 感覺的な力と精神的な力とが相爭ふ場合には前者は勝利を占めるが、後者はしかもなほ常に活動的に存在するから、常に習慣的な性質を生ずる。この習慣的な性質が獨裁權を取りえないのは、轉向せる精神方向と矛盾せる時のみである。…… 事實上多くの場合、人は經驗的人間觀察者となるか、又は思辨的人間觀察者となる。故に人間知にとりての最善の學校は生活である(第一卷、三九八頁)と。

この點については「人間學を研究しうる人」の項の後半を參照されたし。

七　個別的人間認識の實際的方法

この問題に就いてフムボルトの說く所は、「比較人間學」に於けるよりは「第十八世紀」に於て一層詳しく說いてあると思はれるから主として後者によつて述べよう。(第二卷、九四頁以下參照)

抑〻吾人が性格を知るのは單にその表現に於てのみである。而して性格は個々の表現に於て現れないばかりでなく、吾人がこれを見渡す限りの全體に於ても現れず、外部的の他種の原因の影響から離しても現れないから、尙又性格は自由な自發的な力であつて自然力のやうに、一斑から全豹を推すことは不可能であるから、性格を本當に且その眞の形體に於て認識することは不可能である。

從つて性格を知るには當該主體を他から區別せしむるもの凡てを完全に集めて性格の概念を確立するといふよりは寧ろ性格の影像を描寫し、又哲學的判定に對しては、合目的に選ばれ、正當に配置された素材を供給するといふことである。このことのためには尙次の仕事を必要とする。卽ち哲學的判定は個々人が理想に對する關係を限定し、多くの個人が如何に合目的に共同作業をなしうるかを概算することである。さてこの困難なる比較を輕減するために、哲學的判定は各性格の形式を一部分は完全なる純粹性に於て、一部分は出來るだけ簡單なる表現に於て保持するやう努力しなければならない。卽ち哲學的判定は次の二項に要約される。

イ　性格の偶然的性質を本質的性質から區別すること。

ロ　知覺せられた多樣なる特有性を出來うる限り簡單なる表現に纏めること。

（同上、九五頁）

イ　については次のやうに詳述してゐる。（同上、九六―八頁參照）

人間性格の内部本質を完全に純粋に捉へるといふこと、或は寧ろ完全に純粋に他に表示することが如何に僅かの人にのみ可能の事であり、又この僅かの人に對しても如何に稀に、幸運な時にのみなしうるものであることを凡ての注意深き人間研究者は自分自身についても又他の人についても屢〻經驗しなければならない。吾人は吾人の生命の大半は拘束的な障害によつて壓迫されるか、又は偶然的な他の原因によつて自分自身の特有の道から外れて行くのを感ずる。

外部原因は内部原因と結合し、一時的な偶然性が性格に對して重荷を負はせる。吾人の身體の性質、吾人の住む地位、吾人の日常の仕事の經過、鼓舞する如き賞讃、畏縮せしむる如き非難などは、一方面的ならしむるか、又は異れる方向を與へ、或は少くとも精神の自然的なる進歩を阻害する。……我々は子供の時代から一定の周圍の影響の下に立ち、それが吾人の心中に引起す所の變化によつて吾人の觀察の立場も又影響される。この錯雜、困亂の中から、自分を純粋に引出し、又それを純粋に保持することが如何に困難なるかは想像に難くない。吾人がこの目的に到達せんと熱望すればする程、吾人は益〻危險に陷る。何故ならば常に不安に充てる我々の理性は、選ばれたる道が正しい道であるか否かを疑ひ、又個々に於けるよりは寧ろ常に全體に於て徐々に現はれる自然の行程に對して餘りに先き走りすぎ、又結果をば注意深く充分に待つといふことなく、變化から變化へと移動するから。

困難はまだこればかりではない。性格に對し偶然的特長を與へる所の原因が非常に雜多であり、且又この偶然的特長が屢〻繼續的であり、支配的であるとするとき、この偶然的特長を本質的特長から精確に區別しうべき十分なる特長は何處に見出すべきか。一人間の全生涯を眺めて偶然と名付けるのが正當であるものも、その人の個々の期間の判定に際しては恐らくは偶然とは云はれない場合には如何になすべきか。この點に關しフムボルトは次のやうにのべてゐる。

全力をあげ、心情の全緊張を以てなしうるものは本當の天性から發せるものに外ならない。しかして各人はその本質が異常に緊張した强さで働いてゐると感ずる瞬間を自覺するであらう。人が自分の眞の天性の影像を畫かうと求むるとき、かゝる瞬間を回想するならば、彼はこの點に於てのみ完き自分を見、爾餘の點に於ては單に細分され、部分的に現はれたる自分を見るであらう。故に人は人が凡ての方向に向つてなしたものゝ內で最善、最高のものを求め、これを一に結合し、かくして構成された全體をばその人の眞の本質的性質と見做しうる。この概念に相應しないものは凡て偶然的と呼びうるであらう。それは實際問題としては異種の性質か、又は本當の性質の內の小量の程度、又は一面的の表現を示すにすぎない。

ロ　に關してはフムボルトはカントの說いた分量、性質、關係、樣態の四範疇から眺め前二者の見方を排して後二者に依るべきことを强調した。その論旨は次のやうである。（第二卷、五五頁以下參照）

量的に見る立場は更に次の二種に分れる。

a.　內面的な力の度合が特にその人をして爾餘の人々と區別せしむるといふことである。力や活動性をば他の人々のそれらと比較し、時には外部目的に對するその有用性から、時にはその人の費せる內面の緊張度から判定する。しかしながら表現せられた力の度は同一性格內の異れる狀態の比較には役立つが、異れる性格相互間の比較には役立たない。且こゝで最も重要なることは、かゝる限定によつては個性の眞實の、且根元的な天性を見出すことは不可能であるといふことである。なぜならば人間の本質的な性質上、凡ての性格は必然的に無限である。如何なる力もその發展中に於て、その靜止狀態を記述することは出來ないから。

b. これは經驗的人間知と思辨的人間知との中間を行くもので、力の絶對度に於てその本質を求めようとせず、又何處かで獨斷的に靜止の狀態を提供しようと欲するのでもない。眞の實際家は各人をば無限の大さとして眺め、且極めて出色のない、又缺陷だらけの人にても、その發展のために、時間と機會をだに與へるならば、その人の根元的な純粹性にまで到りうるといふ確信を有してゐると。この方法は結局等しからざるものを互に比較し、既に測定濟みの段階の度に從つて限定することゝなり、結局は人間の性格について一種類しか認めないことゝなる。かかる方法によつて得る所のものは共通な局限された頭の人のみである。

性質から見る立場は、特有性が人間の不完全性に由るとしたならば、凡ての變異性をばその人特有のものとし、凡ての特有性に興味を感ぜしめようとするものである。かゝる方法によつては感激性に富み、精神內容は豐かであるが、正しい判斷、嚴密なる思慮に慣れない人を多く見ることゝなると。(同上、五八頁)

フムボルトは前述のやうに三種の見方の誤りなることを說き終つて、次に取るべき道を次のやうに說いた。(同上、五八頁以下參照)

平凡な人のみを標準とせず、又極端な異種類に偏せず、しかも種々なる性格についての正しい判斷を得るためには、吾人は初づ第一に性格をば一定種類に分類しなければならない。この分類は改良されうるやうな缺陷や、充實されうるやうな缺乏をも含みうるばかりでなく、最高の教養あるものも、又繼續的な本質的な特長あるものも含みうるものでなければならない。若しさうであるとするならば、それ等は互に比較せられうるのでなくして、却て理想的な又全然形式的な要求に從つて判定される。かゝる分類の仕方は力そのものゝ差異に基くのでもない。何故ならばこの點では凡ての人は均しく同一であるから。又力の絕對的な度の差異に基くのでもない。何故ならばそれは力の全繼續に就て觀察さるべく、その場合、度は計算されないから。從つて性格の差異は、カントの四範疇の中爾餘の二範疇に依ることゝなる。この點に於て各人は嚴密なる意味に於て性格と名付けられるものを求めなければならない。これ卽ち力の關係と運動「氏は樣態と呼ばずして運動(Bewegung)と呼んだ。しかしこの運動といふ見方がカントのいふ樣態に相當することは前後の關係から容易に判明することであり、別に論證を要しないことゝ信ずる」とである。

I、 性格は力の關係に依存すること。

或特定の力が優れすぎてゐること、或は一傾向が全人格を支配することが缺陥あり、有害と認められるといふことは普通である。又完全に出來上つた性格を見受けることも少ない。だがこの缺陥、有害性が、道德の純粹性を害せず、其他、全人格上に著しい不利益を蒙らない程度に避けえられるとしたならば、かゝる方法に於て丁度、最も興味ある性格が、最も特有なる、又最も多樣なる形態を生ずることゝなる。自然は常に優れたる力に幸する。

特定の精神能力が優れてゐることによつて、特有なる性格の型が、理想の凡ての要求に適つた仕方に於て成立する場合には、性格は其物の性質が發する所の取扱ひの仕方、精神、情懷の中に重要なる區別を生ずる。これぞ優れた人間と平凡人とを區別する識別點であり、これぞその人の言語、行動、身振りを特長づける所の特有性の跡方である。例へば氣高い向上的な名譽心に於て、微妙な深い政治に於て、人をば左程骨折らずして自分の意志の方向に支配しうる技術に於て、玉座に於て、又戰場に於て、決定的な瞬間を利用する天才的な才能に於て、アレキサンダー、ケーザル、フリードリヒの三人は全體としては區別することが出來ない程に互に相似てゐるかも知れない。しかしながら前述の個人的性格から發する所の支配的特長から眺めると截然と區別されるのである。想像の豐かな詩人的なアレキサンダーはその國の古代の英雄の仕方に傚つて、物語めいた神々を追從しようと盲信し、自分の仕事の永續性といふことには煩はされないで、たゞ異常な巨人のやうな行動によつて靑史に名を留めようと試みた。ケーザルはアレキサンダーよりも一層政治的であり、眞面目であり、空なる夢を追はずして、實際的な、本質的な目的を追求した。しかしながら氏は深く考慮し、且計畫を大膽に實行することにより獨裁政治家となつたことによつて、彼は單に自分自身のために、又如何なる競爭者をも堪えしめないやうな欲望の滿足のために働き、自分の思出となるやうな善行を後世に遺さなかつた。これに反してフリードリヒは人類を統轄することによつて、人類の善行者にならうと、異常な人々のみが感じた所の高尙なる熱望によつて鼓舞され、光輝ある自由と、賢明なる知見とを以て、物質的な幸福、市民的な安全性、精神的自由とを互に結合させるために、且一世の創設者となるために、自分の國に對しては力と確實性とを與へ、歐洲の諸國家組織に對しても影響を與へ、賢良なる拘束が人類をば漸次にその最高の敎養に迄導くやうにした。これを要するに希臘人の詩的飛躍の多樣性と、羅馬人の眞面目な利己的な激情性と、近代の哲學的性格とが前記の三英雄に於て最も明瞭に表はれてゐると。

II、性格は力の運動に依存すること

性格は永續的な活動狀態にあるから、その能力の關係は各瞬間毎に變化する。それ故に諸種の力の性質から引出されたる論說は、若しそれが自然の中には何處にも存しないやうな靜止狀態を前提とする限りは凡て常に誤りである。人間がその思想、感覺、動作等に於て向上する場合の手段となる努力作用は、その人の個性については忠實なる影像を與へ、且その外に進步の狀態を一層正當に判定せしむるといふ利益を與へる。かゝる作用は吾人が先きに力の運動と名付けたものであり、又力の關係の外に性格の本當の席を發見しうると信じた場合も亦この作用である。最もありふれた性格表徵、例へば元氣とか、意氣銷沈、朗らかとか憂鬱とか表現されてゐるもの、尙又作用の强さ、弱さ、時間上に於ける速さ、遲さに對する關係等、一般に運動といふ表言のもとに綜括されるものである。

注意深き觀察者にとりては此等凡ては多少とも力の關係の描寫であることに氣付くであらう。所謂活氣ある性格にあつては構想力と感情とが支配的地位に立ちて、悟性の働きは徐々に行はれ、陽氣なる性格にあつては實在內に生活しようとする傾向が勝ちて、理念内に住まうとの傾向は後退する。

だがしかし、この場合に若し人が見方として分離した力の關係と運動とを、それ自體に於て分離してゐると信じたならば誤りであらう。人間性格に於ては一定の力は一定の方法に於て、言はゞ一定の律動に於て作用するから、關係と運動即ち、素材と形式とは各〻それだけで觀察することが便宜のやうに見える。形式と素材の兩者は、それ自體では完全に同一であり、且互に兩者から説明される。

肝要なることは次のことである。即ち普通になされるやうな個々の表現に從つて、又は悟性空想其他のもの丶量に從つて、個々の力を特長づけようとしないで、却て凡ての力がその表現に於て、それ自體に擔つてゐる所の且人々が云はゞ、その中に流し込まれてある形式又は自分が歩む道と見做されうるやうな、より一般的な特性に從つて眺めなければならないといふことである。さてこの一般的な性質は力の種々なる關係か又は力の種々なる運動に還元されると。

力の運動性からえた性格描寫について氏は左記三種の特長を列記してゐる。

イ、自然の眞理性に對しては一層忠實であること。

ロ、個性の凡ての特有性を一層完全に包括すること。

人が普通生活に於て仕事に從事してゐる有樣を示すことによつて、悟性に對しては抽象的な概念を與へることをせず、寧ろ纏つた感性的影像を與へるやう構想力を指導すると。

これを要するに個別的人間認識の主眼點は初づ第一にその人の本質的性格を見出し、次に、その人の力の關係と運動の樣を把握するにある。氏自身の用語に從ふならば「このことは凡ての人が全部互に相一致する所の最根元の簡明なる努力作用に遡り、且この努力が異なれる各個人の間に於て如何樣に異つて形を變へるかの仕方を研究することによつて最も自然に達しうる。人類中に存する最高、最根元的な差異性の形式を發見することもかゝる方法に於て恐くは最もよく到達する。かくして哲學的人間學は一の段階から次の段階へ昇り、云はゞピラミッドの形に於てその素材をば益〻多く綜合する。それは最下段に於ては觀察された事實並に表現の廣い基礎の上に立ち、上部では最も簡單なる表現に於て終り、しかも性格の特有性を表示しうると」。(第二卷、九五―六頁)

以上に述ぶる所は個別的人間認識の最高根本原則とでも云ふべきものであるが、氏は更に副次的な法則として次の四則を擧げてゐる。(第二卷、六九頁以下參照)

第一則。凡ての性格は、その人の持つ價値に從つて、その人の持つ內面關係に從つて判定すべく、各種の目的に、外部的に役立つとか、その人の作れる客觀的財を標準として判定してはならない。人間とその人の製作品とを混同してはならない。何故ならば吾人が現在ある所のもののみが吾人の所有物であつて、吾人がなす所のものは偶然と事情とに依存してゐるからである。各人はその人のなせる作品よりもより以上である。何故ならば胸に懷いてゐる理想に到達することは決して出來ないのであるから。又反對に作品は作者よりもより以上である。何故ならば作品はその人の力の集合せる又は興奮狀態に於ての結果であつて、若ししからざれば、その力は分散し、より少なく活動したであらうから。行爲の原因や意圖については煩はされず、單にその客觀的價値のみを檢する所の普通の判定方法は、合法則性を促進し、嚴格にして空なる辨明を斥け、しかもなほ善行爲に對しては、下劣な根情から猜疑の眼を以て跡づけるといふやうなことをしないから、實踐上には非常に有用である。けれどもこの方法は功罪共に秤らないから道德的には非難すべきである。又この方法は結果のみを見て性格を研究しないから、哲學的には全然使用出來ない。……人間のなす表現、精神の所産、道德的行爲などは、その判定の規準としてではなく、資料として役立つ。

第二則。人間觀察者は人間の精神力の內面的、主觀的性質をば、その發達並に活動の仕方に從ひ、發生的に出來うるだけ多く示すこと、且又その敎育や活動性の結果よりは寧ろ道程を描寫すること。

第三則。凡て人格描寫に際しては常に直接感官に映ずるもの、行動、表現一般を豫め知り、そこから出發して漸次に明瞭に見えないもの、最後には全然知覺されず、却つて閉ざされたる內部構造迄も探究しなければならない。

抑〻完全に表現された性格は三階段に分類される。第一階段は凡ての爾餘の事項の必然的な根據となる所の特有な事項、卽ち談話、行動、表現一般、身體的構造、身振り、形態等、第二階段は第一段の事項から直接に生じ、且それを知覺するや否や何人も別段の研究を要せずして推論しうる所の一般的性質。第三階段は本質的な構造に於ける本當の內面的な性格、その力の關係並に運動、その活動に於ける諸力の共同作業の仕方である。（同上、七六頁）

フムボルトは性格を右のやうに三層をなすと見る所からして人間學の技術を次のやうに見た。

完全なる實踐的人間學の技術は次の三種の點にのみ存する。卽ち(イ)正當に且完全に個別的な觀察をなすこと、(ロ)個別的な觀察によつて得た結果からして、外面には單に部分的にしか現はれない所の性格の本質を充分に且完全に抽象すること。(ハ)かくして觀察と概念とを相互に根據づけるために、觀察から概念へ、又概念から觀察へ、全く平易に往復することである。この三種の取扱方を同時に出來うる限り別々に處理することが出來、しかも一方を處理することによつて他方を準備するといふ才能を持つ人のみが、人間觀察についての眞の天才を有するのである。(同上、七七頁)

この第三則に關し特に注意すべきは氏が晩年に說いた言語學との關係である。若し氏が言語學を完成した後に、本問題に觸れることあらば恐らくこの處で言語學の效用を力說したことゝ思はれる。何故ならば氏の見る所によれば言語は人間の精神力の所產の影響下にあり、(第七卷、第一二三頁)內部認識へ、又表現へ到るの內部的機關であり、內部存在其物であり(同上、一四頁)、言語と精神力との兩者は、前後に又分離して生ずるのでなくして、却て全然、又不可分離的に知的能力の同一作用である(同上、四二頁)から。氏にとりては言語は精神の活動の產物ではなくして却て精神の非思性的發露であつた。國民の製作物ではなくして、國民の内面的な運命によつて彼等に降りかゝつた賜であつた。(同上、一七頁)斯様な關係から氏にとりては、一國民の精神の特有性と言語の形態とは密接に融合してゐるので、一方が與へられてゐる時には他方はそれから完全に引出されなければならない程であつた。言語は云はゞ國民の精神の外部的現象であり、國民の言語は國民の精神であり、國民の精神は國民の言語であつた。(同上、四二頁)精神や性格が、よりて以て認識せられる凡ての表現の中で、言語は兩者の最秘密の點までも表示するに最も適したものであつた。(同上、四三頁)氏にとつては理解と話す事とは同一の言語力の異なれる作用にすぎなかつた。(同上、五六頁)

しかし氏の言語の問題に關しては次の二點に注意しなければならない。

(イ)氏の云ふ言語とは品詞や、規則に分解されたものでなくして(同上、四六頁)又話方や、その直接の發生ばかりを指すのでなくして却て、思惟能力や觀察能力をも包含してゐた。精神から出でゝ、精神に歸る全道程を指してゐる(同上、五五頁)こと。

(ロ)言語の理解は各人に於て異なること。氏によれば言語は個人に於て初めて、その最後の限定性を得る。何人も同一言葉に於て他の人と同一の事を考へない。恰も水に於ける圓の如くに小さき差異が各人に於て各言葉に伴ふ。故に凡ての理解は常に同時に不理解であり、思想や感情に於ての凡ての一致は同時に乖離である(同上六四―五頁)と見てゐる。

第四則。吾人は人の身體的並に人相的構造を以て直ちに内部性格に對する認識根據と見做してはならない。さりながら他の方法によりて得た結果を徐々にこのものと比較するために、且後者によつて一面には權利根據づけ、一面には一層綿密に限定するために、當該研究を綿密に且完全に研究しなければならない。(同上、七八頁)

ハイネマンの説によればフムボルトの人相學に就ての見方はラファーターと弟のアレキサンダー・フォン・フムボルトの兩氏の影響を受けてゐるとの事である。理解に便のため兩氏の説をハイネマンに倣つて略記しよう。(前掲ハイネマンの著書、序論、六二頁以下參照)

ラファーターの人相學。

人相學に對する傾向は基督教々會學以來、基督教に取つては内在的となつてゐた。ラファーターにとつては人相學は宗教であり、宗教は人相學であつた。聖書に記せられてある如く、精神の中心は神の言葉であり、神の言葉は同時に世界を作つたことによつて、外面に與へられた記號から内部に隱れた意味を推定しようとする、記號解釋の學が出來上らなければならなかつたばかりでなく、宇宙其物にもこの見方を擴げなければならなかつた。ラファーターは猶太・基督教の根本思想である、人間は神の似像であり、最も尊敬に値する觀察の對象であるといふ見方から出發して、基督敎的人相學の理念形式化した。人間は感官を通じてのみ現れる。人間の表面は我々に與へられてある。吾人は人相に於て、人間の凡ての直接の表現を捉へる。そうして人相學は外面を通じて內面を認識する可能性である。

アレキサンダー・フォン・フムボルトの人相學。

ラファーターに於て神に關係したものはアレキサンダーでは宇宙に關係した。氏は自然を記述するのに、形の絕對的差異、その數の關係、地方的、氣候的傳播を以てした。

フムボルトは身體的構造といふ言葉の內には、普通に理解されてゐるものよりは一層多くのものを含まなければならないとなした。身體的性質が精神的には如何樣にあるか。外面的に如何樣に現はれるか等、その全部を包括させた。それについて問題となる個々の點は大要次のやうである。

1. 顏附や身體の部分の云はゞ機械的地位。精神の役立つこと、強きこと、外觀などはこの機械的地位の種々なる關係、大さ、構造に依存する。
2. 美しいとか、醜いとかの審美的觀察者に對する印象。
3. 人相學的觀察者に及ぼす印象。安靜時と運動時に於ける人格表現。
4. 生理的機能の特有な性質。健康狀態に於ける多くの人々の身體的の差異は、このもの丶個別的差異性から生ずる。

5. 病理的な特有性。一定種類の病氣に對する身體の素質。天性が病氣との鬪に於ける關係。

それ自身に於ては意味のない單獨の個人も、此等の點を顧慮して身體的に又道德的に認識するならば、人間學は突然に異常なる進步を得るであらう（同上七八頁）と。

次に人相學について次のやうに興味ある說をのべてゐる。

人相學は兩三年以來虛僞的な、忘想的な研究として棄てられる傾がある。理論としては斷乎として投げ棄てられながら、しかも日常生活に於ては使用されてゐる。かゝる矛盾は何處から來たか。新人相學者の過失は次の點に於て成立する。

イ 外部形態をば啻に一認識根元となすばかりでなく、凡ての內面性格についての最善且唯一の根元となすこと。

ロ 凡ての形態の生きたまゝの姿から生じうる所の結果をば、個々の部分から引出したり、全體や可動的特長の印象を餘りにも視したりすることによる。（同上、七九頁）

外面的なる體的性質の觀察が妥當するのは內部性格の認識根元に對してゞはなくして、單に補助手段に對してゞある。卽ち觀察者をば一層確實に自然に留まらしめ、他の何處からか得た結果を檢證せしめ、又初めは或程度迄方向を定めさせる補助手段にすぎない。……判斷を下すこともなく、推論を敢てすることもなく、最初はたゞ眺め、把握しなければならない。一層確實なる方法に於て、旣に結果を見出したる後、初めて人相學的印象との比較をなしうる。若し兩者の間に相違點を見出したならば、注意深く檢證し、後者か前者か、何れかを訂正しなければならない。若し兩者が互に調和するならば、後者は前者をその一層立派なる變形に於て、又その度に從つて限定しなければならない。形態や身振りは聲樂に於ける伴奏の役目を演ずる。伴奏は言葉の意味に常に忠實に從ふが、しかしそれを時には强め、時には柔らげ、或は言葉では常に離れ切れぐになれる思想の移行を確かと結合すると同樣に、眼附、口元、額の皺などは、一層精細なる色合、程度に於て性格の樣態を示す。（同上八二頁）

フムボルトは身體性が性格に及ぼす重要性について次のやうに强調してゐる。人の一定性質は高度に身體の性質によつて限定されるといふことは否定出來ない。爾餘の性質は理性と自由の所産である。前者は自然に後者よりも一層明瞭に身體的性格に於て表はれ、從つて文化や道德性がその意味を全く抹殺される程に強く現はれる。物理的性質は道德的性質よりも一層根強い力を有するので、その表現に對しては重要視しなければならないやうな場合がある。例へば男女性、年齡、氣質に從つて行動する國民や個人、知的力や道德的力よりは寧ろ感性的力、趣勢、衝動に支配される人、煩惱に妨げられて理性の熟慮を缺く場合等。かゝる場合に於ては、觀察者はその現象が自然性格から來てゐることを能く知るであらう。事實上の性格は單なる又は純粹なる意志性格ではありえない。それは常に兩者の結合でなければならない。根元的な天性は理性と自由とによつて是正され、允許される。」(同上八三頁)

フムボルトの說く個別的人間認識の實際的方法の骨子は大體に於て說き終つた。最後に氏の要約せる言葉を左に譯出してこの節を結ぶことゝする。

眞の性格描寫は個人の凡ての特長を含まなければならないが、しかし、それ以外のものを含んではならない。又個人の內部本質をばその力の關係、運動に從ひ、その職能の遂行中に於て、その進歩的な發展の道程に於て、又力の內部性質や、力が容貌に、身體に現はれたる樣態に從つて、忠實に且十全に描寫しなければならない。

（同上八四頁）

八　個別的人間學を研究しうる人の備ふべき條件

人間學を研究しうる資格ある人についての說をのべる以前に、氏が第十八世紀中に述べた、これ迄に性格描寫をなした人々、並にその描寫の不備なる點について述べた點をのべよう。（第二卷五二—四頁參照）

人間の性格についての研究は此迄は單に他の目的のためになし、それ自身のためになすことはなかりしため、この硏究は常に不遇な運命を辿り、常に餘りに一面的で、哲學者からは餘りに一般的な取扱ひをうけ、經驗家からは餘りに特殊的な取扱ひを受けてゐた。道德家、歷史家、詩人は共に主として性格描寫を司る人であつた。しかしながら三者にはそれぞの特長はあつたが同時に缺陷があつた。

卽ち道德家は個々の方面では適切に且正當に表現したが、全性格を表示することはなさなかつた。少くとも特有な、異常な、又非常に個別的な性格を表示することは決してなさなかつた。

歴史家は個別的性格內に餘りに深く沈潛するとき、自分の領域を餘りに離れすぎた。その故は歴史家は描寫を完全にしようと欲する時には、その資料の缺けたる部分を詩人として滿たさざるを得ないからである。それ故にこの領域に於ける龜鑑を見出すことは非常に困難である。永らく歴史家の模範と云はれてゐたプルタークにしても、彼が遺した效績は、性格は光彩を放てる行動に於けるよりは、日常の私生活に於て一層よく表はれてゐるといふことを明瞭に洞察した第一人者であるといふことのみである。彼は眞の性格描寫についての天才と、哲學的精神とに於て缺くる所があつた。

この問題に關し重要なることをなしえた唯一のものは詩人であつた。特に劇詩人、小說家である。彼等は性格を新らしく作らなければならないがために、又構想力のために作らなければならなかつたがために、彼等は造形美術家と同樣に、如何なる特長をも忽諸に付せず、萬事を、調子、身振りに到るまで考察しなければならなかつた。けれども活動中に於ての全性格を完全に表示するといふことは殆どなかつた。希臘の演劇に登場する人物は何れも一面的の性格を表示せるにすぎない。

詩人的性格描寫の眞の技術の創始者はシェクスピーアであり、且英國の最も優れたる小説家も彼に追從せるものであるが、この道が襲踏されたのは不幸にして遙か後の事であつた。佛蘭西の文學も伊太利のそれもこの點に關しては皆無と云つて差支へない。英國劇作家の大部分並に獨逸の初期のものは同樣の道を取つてゐる。最近に到つて始めて新しい道を開き、時代の精神に一層近づき、活動の全範圍に亘りて多方面的な又根元的な性格を登場させるやうになつた。

しかしながら詩人は、假令それが如何に成功したとは云へ、直接に生命其物を模倣するのである。詩人は性格を表示する。けれども詩人はそれを分解するのではない。吾人が今こゝで問題とする性格の合理的分解に取つては、詩人の努力によつて得る所のものは僅かである。得る所のものは、精神によりて加工され、よりよく説明され、自分に都合のよい材料を供給するのみであると。

しからば人間學を研究しうる人は如何樣な人か。この點に關してはフムボルトは「比較人間學」に於て次のやうにのべてゐる。

人間學研究の根本案を立てうる人は、自分自身に偉大なる、多方面的なる人格を持ち、同時に多數の個人についての知識を持ち、尚且一面に狹き關係に興味あらし

むる所の思想、感覺内容を持ち、他面に廣き世界内に於て活動するだけの輕快さを持つ人でなければならない。（第一卷三八三頁）

右の要求を更に方法論的に述べ、自然的、哲學的、歴史的の三方法を一身に具備すべきことを說いてゐる。

個々の人間についての知識を眞に多量にえたいと希ふ人は自然觀察者や歴史家、哲學者などの種々の精神的氣分を一身に具有しなければならない。人間研究者は自然觀察者と同樣に常に有機體の概念から出發し、徹底的に完全なる合法則性を前提とし、萬事はその本質の内面的な、又特有の力から說明し、こゝに於ては凡ては目的であり、同時に手段として見倣さるべく、物理的說明よりも他のものにその逃道を取つてはならない。次に人間研究者は歴史家と同樣に起りしものについては單に公平に、同等の關心を以て研究しなければならない。觀られたる個々の事實の宗家たる全體は自然產物としても尙又純粹意志の產物としても見倣されない。したがつて原因やら法則から個々の現象に推及するといふことは一度も試みられなくして、却て常に後者から前者へ推及される。何故ならば人々が歴史家をば自然觀察者や哲學者に對比して區別せしむる所以のものは、歴史家は起りしもののみを取扱ふを事とし、その活動する領域は自然の領域でもなければ、純粹意志の領域でもなく、却て運命や、偶然の領域と見られ、その氣紛れさについては、少くとも個々の場合に於ては何人もその根據を説明しえないものであるといふことである。最後に哲學者と同樣に、その觀察の對象は自由な、自律的な本質であることを忘れてはならない。この本質に於ては、現象の外側に存する所の第一の必然的な原因を前提し、且それをば法則並に理性理想に從つて判定しなければならないといふことを忘れてはならない」。（同上三九七頁）

最も困難なることは此等三種の相異つたる精神的氣分が、個々の場合に於て單獨に活動することは勿論屢〻あるが、しかし常にさうあるのではなく、それは又屢〻非常に密接に互に結合してゐるといふことである。何故ならば人間は自然の鎖中にある自由なる存在なるが故に、それから全然自律的に發するものも亦容易に自然的組織の一部となるであらうから。又性格の素材が一度十分に歷史的に研究せられる時でも、それは同時に常に必然的に、自然として、組織として説明せられ、他面に純粹な人間の力の最も自由なる作用と判定されるからである。（同上三九七—三九八頁）

氏は更に同書に於て人間學者の資格を說いて曰く、人間知のための最善の學校は故に生活である。人格其物が格段の教養を積み、且法則に從つて判定するやう形式も豐かであり、充分に慣れてゐる人のみが、最もよく人間の知識をうることに成功する、何故ならば自分自身に自由と合法則性とを併せ有する人にとつては、所與の素材を把握する感受性に缺くることもなく、又素材を法則に從つて嚴密なる試驗に服せしむべき力にも缺けないであらうからと。（同上三九八—九頁）

第三　氏の學說の批判

一　氏の企圖とその結果

氏の企圖は單に相手の人間を支配せんがために、或は又政治家が部下を統御することと恰も將棋の駒の如くであるがために、各個人の差異を知らうと云ふのではなかつた。かゝることのために個人の差異性を知るのは氏に取つてはいと易いことであつた。氏の企圖したものは、人間の抱く理想が如何樣にして多數の人々の協力によつて實現されるかといふことであつた。卽ち理想性のものであつた。

理想性のもの、從つて目的性のものが手段として役立ちうるのは單に目的の體系に於てのみである。低次の目的は高次の目的に役立つ。所謂理想型のものが、目的であり、同時に手段として役立つためには、目的の體系內に於て一定の座を占めなければならない。卽ち氏の當初の企圖に眞に役立つためには目的體系を考慮する必要がなかつたであらうか。氏は個人の性格の認識についてはピラミッドの形に於てその素材を綜合する。最下段に於ては觀察された事實並に表現の廣い基礎の上に立ち、上部では最も簡單なる表現に於て終るやうにすべきだと說いたと同樣、ピラミッド型の目的體系を作る必要はなかつたか。

次に氏が性格差異認識の實際的方法に於て、人間がカントの說いた四範疇(分量、性質、關係、樣態)の何れかに包攝されるものと考へたことは大なる誤りであつた。人格と事物とを混同した謗は免れ難いであらう。しかし人間認識の方法の方法論に於て經驗的と哲學的と歷史的との三方法を說き、且三者が人間觀察者の生活に於て綜合さるべきことを强調したことは、リットの說く生命の辨證法と相通ずる所あり、現今に於てもなほ生きた見方でないかと思はれる。三方法の結びつきについての論理的分析の點で物足りなさを感ずるも、それを充たすことは百數十年前の彼に求むべきでなくして、寧ろ後人に遺された課題と見るべきであらう。

二　人間學史上に於ける效績

フムボルトが人間學史上に遺した效績として第一に擧ぐべきは、人間一般についての外に更に個人間の差異を明かにしようと企て、所謂性格學の祖となつたことである。勿論氏が初めに取つた比較の方法は、ハイネマンの見る所によれば當時一般學界の風潮であり、殊に氏と親交あつたゲーテには一七九二年には一般比較學に就いての研究があり、一七九五年には比較解剖學序論なる研究があつた。（ハイネマン前掲の書、序説四三頁參照）フムボルトはかゝる研究法についてゲーテと話をして知つてゐたばかりでなく、イエナにゐる頃、自然科學に、特に解剖學に興味を有してゐたといふことだとすると、奇想天外といふ程のことでもなからうが、しかし、氏の取つた比較の面は、經驗と哲學と歴史の三方面に亘つてゐる。この點はハイネマンの賞讃せる如くに、第十九世紀に行はれた實證主義者の取れる比較よりも一層包括的であり、且深いものであり、現代の一部偏狹なる哲學者のいふものよりも一層確實性を持つものと云ひうるであらう。

氏の遺した效績の第二に擧ぐべきは、個別的性格認識の實際的方法について、普通に考へえられる凡ての場合を淸算して最後に理想型を說くことによつて、後年の卽ちシュプランガーの生活型說の先驅をなしたことである。

（昭和九年一月九日、脫稿）

高砂族の形態の記憶と種族的特色とに就て

飯沼龍遠
力丸慈圓
藤澤茽

一、緒　言

高砂族は、所謂臺灣蕃族であつて、タイヤル(又はアタヤル)、サイシャット、アミ(又はパングツァ)、パイワン、ブヌン、ツォー、熟蕃、ヤミの八種族の總稱である。われ〲の教室が、昭和五年から七年までの間に、その教育所生徒について心理學的檢査を行ふことのできたのは、右の中、タイヤル、パイワン、ブヌンの三種族だけである。

我々の檢査は、個人檢査、團體檢査合せて十餘種から成つてゐる。その中、團體檢査に屬して、圖形の直接記憶に關するものだけを取り出してこゝに報告する。

二、檢査の實施方法

まづ被檢査者には、第一圖の點線の部分のないもの、卽ち菱形(一)から五角形(十)に至る十個の幾何學的圖形が與へられてある。(檢査用紙の一頁として。)

檢査者の使ふものとして、この各圖形に點線の部分をも實線で加へて、一圖形づゝ厚紙に描いた十枚の示圖がある。　この示圖を描いた厚紙は何れも縱三三、橫四

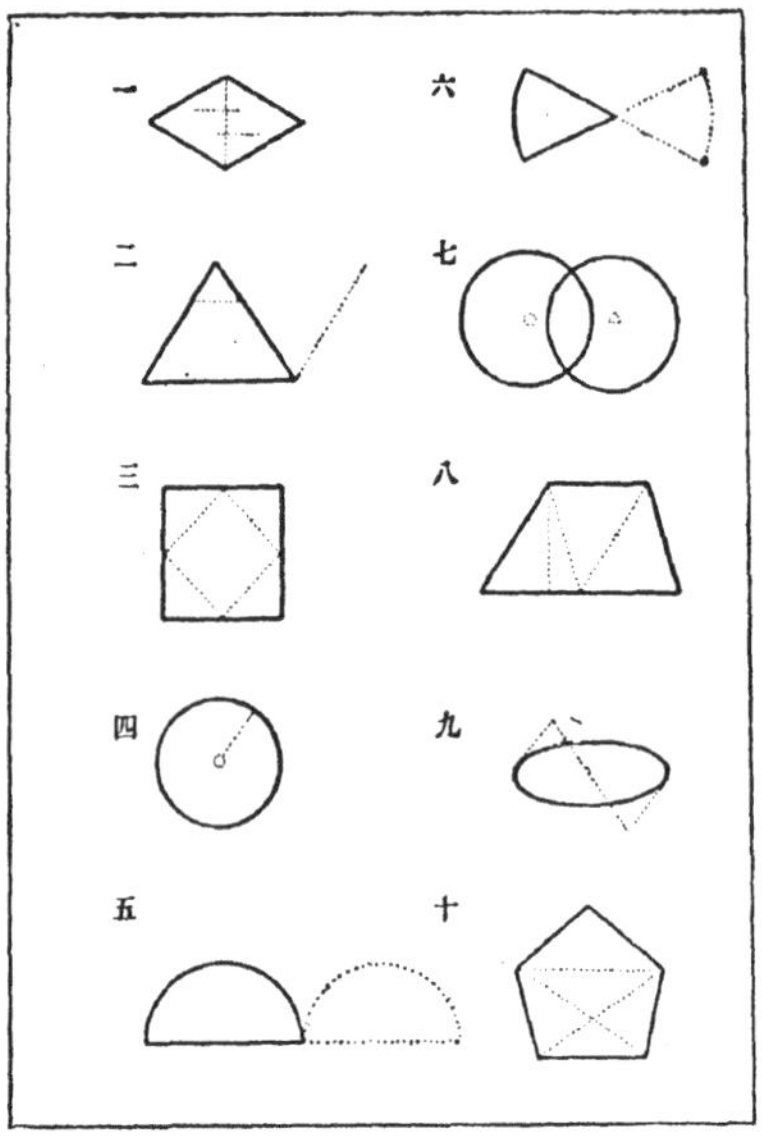

22.2×15糎
第一圖

一糎である。

檢査者はまづ示圖(一)を十秒間揭出して記憶せしめる。この間被檢査者には右の圖形の頁を伏せさせておく。そして、示圖を引き下げると同時に、その頁を飜して、示圖と同じになるやうに、原圖(一)に加筆させる。加筆し終へた者は直ちに復た伏せる。同じ事を、順次十個の圖形に就て繰返し、この檢査を終る。この檢査に先んじて、二回(二圖)の練習をなさしめる。

三、被檢査者に就て

被檢査者はすべて教育所生徒である。われわれが草鞋脚絆で經めぐつた教育所所在地の中、この報告に直接關係あるものは左の通りである。

イ、タイヤル族

臺北州蘇澳郡――寒溪。リヨヘン。クバボー。キンヤン。ピヤハウ。

臺北州羅東郡――シキクン。ピヤナン。

男七一、女八七、合計一五八名。

（以上昭和五年夏檢査）。

ロ、パイワン族

高雄州潮州郡――アマワン。クワルス。カピヤン。ライ。クナナウ。

男九〇、女六九、合計一五九

（以上六年冬檢査）。

ハ、ブヌン族

臺中州新高郡――ランルン。バクラス。カ。カネトワン。丹大。カトグラン。マシタルン。東埔。

男六一、女六七、合計一二八名。

（以上七年夏檢査）。

この檢査は三・四學年に對する檢査用紙中にあるもので、從つてこの報告に關係あるものは三・四學年である。而して敎育所の學級は、パイワン、ブヌンに於ては四學年で終るが、タイヤルではその上に補習科一・二學年がある。この補習科生にも同樣の檢査を課したが、その結果はこゝには省く。それで、こゝには各族同一學年生徒から得た結果だけを用ひることゝなるが、併し教育所生徒の就學年齢が極めて不規則で且各族一樣でないから、各族の學年を揃へても、その年齢は揃はない。その狀態を種族・性別に見ると第一表の通りである。パイワンが他の二族より平均約二歳年長なることは比較研究上顧慮しなければならないことである。

各年齢（算へ年）の人數

年齢	タイヤル 男	タイヤル 女	パイワン 男	パイワン 女	ブヌン 男	ブヌン 女
9	4	6	0	0	3	0
10	18	27	0	3	13	12
11	18	26	13	10	11	14
12	16	17	14	8	15	18
13	9	8	26	17	10	13
14	5	1	14	5	5	4
15	1	2	15	19	2	2
16	0	0	4	6	1	3
17	0	0	3	1	0	0
18	0	0	1	0	1	0
平均	11.4	11.1	13.4	13.4	11.8	12.0

第一表

四、形態傾向の分類

前述の如く加筆された圖形の頁を、すべての檢査用紙に就てフォトシタットで複寫し、その印畫すべてを、一頁につき十個の圖形に切離す。次にこれらの切離された圖形をまづ原圖に依て分類し、十組の圖形群に分け、而してその各組の内を、生徒の

第二表

その一 ◇

形態傾向	ダイヤル 男	ダイヤル 女	ダイヤル 混	パイワン 男	パイワン 女	パイワン 混	ブヌン 男	ブヌン 女	ブヌン 混
	人 71	人 87	人 158	人 90	人 69	人 159	人 61	人 67	人 128
1a 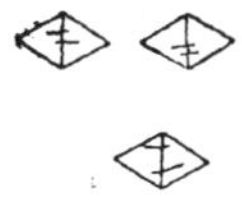	% 16.9	% 12.6	% 14.6	% 13.1	% 13.0	% 23.3	% 26.2	% 22.4	% 24.2
1b 	4.2	3.5	3.8	1.1	5.8	3.1	0	4.5	2.3
1c 	8.5	11.5	10.0	7.8	2.9	5.7	4.9	13.5	9.4
1d 	18.3	10.3	13.9	4.4	2.9	3.8	8.2	4.5	6.3
1e 	12.6	20.6	17.1	20.0	21.7	20.8	32.8	31.3	32.0
1a—1e 計	60.5	58.5	59.4	64.4	46.3	56.7	72.1	76.2	74.2
2a 	2.8	7.0	5.1	1.1	7.3	3.8	1.6	3.0	2.3
2b 	4.2	2.3	3.2	1.1	0	0.6	3.3	3.0	3.2
2a—2b 計	7.0	9.3	8.3	2.2	7.3	4.4	4.9	6.0	5.5
3a 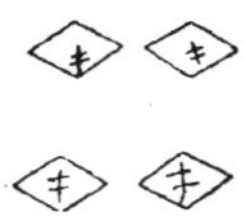	5.6	10.3	8.2	7.8	8.7	8.2	3.3	7.5	5.5
3b 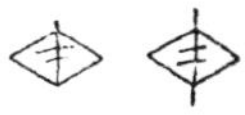	1.4	1.1	1.3	3.3	1.5	2.5	1.6	0	0.8

第二表

その一　（續き）

形態傾向	タイヤル			パイワン			ブヌン		
	男	女	混	男	女	混	男	女	混
	人 71	人 87	人 158	人 90	人 69	人 159	人 61	人 67	人 128
	%	%	%	%	%	%	%	%	%
3a—3b 計	7.0	11.4	9.5	11.1	10.2	10.7	4.9	7.5	6.3
良 1a—3b 計	74.5	79.3	77.2	77.7	63.8	71.8	81.9	89.7	86.0
4 	1.4	2.3	1.9	3.3	1.5	2.5	0	0	0
5a 	2.8	3.5	3.2	3.3	10.1	6.3	0	1.5	0.8
5b 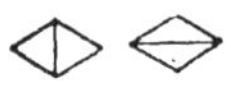	5.6	1.1	3.2	2.2	1.5	1.9	3.3	4.5	3.9
4—5b 計	9.8	6.9	8.3	8.8	13.1	10.7	3.3	6.0	4.7
6 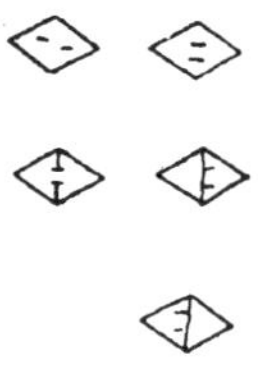	1.4	0	0.6	3.3	0	1.9	4.9	0	2.3
7 空白及不適解答	14.3	13.8	13.9	10.2	23.2	15.6	9.9	4.3	7.0
總　計	100	100	100	100	100	100	100	100	100

第二表

その二 

形態傾向		タイヤル			パイワン			ブヌン		
		男	女	混	男	女	混	男	女	混
		人 71	人 87	人 158	人 90	人 69	人 159	人 61	人 67	人 128
1a	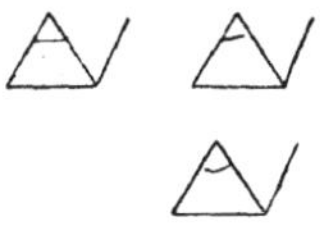	% 9.9	% 3.5	% 6.3	% 13.3	% 15.9	% 14.5	% 14.8	% 16.4	% 15.6
1b1		4.2	7.0	5.7	17.8	13.0	15.7	11.5	13.5	12.5
1b2		18 3	27.6	23.4	38.9	21.7	31.4	31.1	26.9	28.9
1b3		1.4	5 8	3.8	5.6	2.9	4.4	6.6	4.5	5.5
良 1a—1b3 計		33.8	43.9	39.2	75.6	53.5	66.0	64.0	61.3	62.5
1c	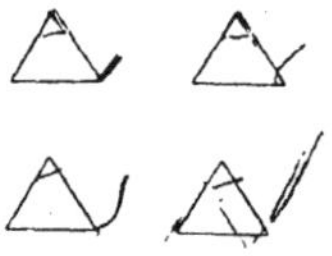	1.4	2.3	1.9	3.3	8.7	5.7	0	1.5	0.8
1d	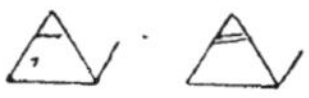	2.8	0	1.3	0	2.9	1.3	1.6	1.5	1.6
1a—1d 計		38.0	46.2	42.4	78.9	65.1	73.0	65.6	64.3	64.9
2a	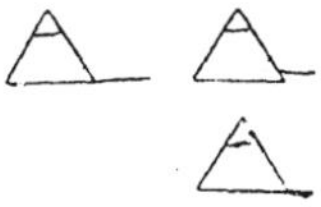	4.2	2.3	3.2	1.1	5.8	3.1	3.3	1.5	2.3
2b		0	5.8	3.2	2.2	0	1.3	4.9	7.5	6.3

第二表

その二 △（續き）

形態傾向	タイヤル			パイワン			ブヌン		
	男	女	混	男	女	混	男	女	混
	71人	87人	158人	90人	69人	159人	61人	67人	128人
2c 	1.4%	0%	0.6%	2.2%	2.9%	2.5%	0%	0%	0%
2d 	4.2	1.1	2.5	0	0	0	0	0	0
2a—2d 計	9.8	9.2	9.5	5.5	8.7	6.9	8.2	9.0	8.6
3a1 3a2 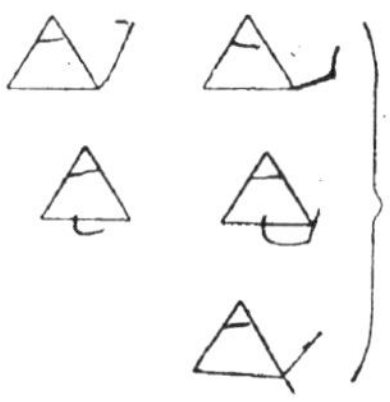	2.8	1.1	1.9	1.1	0	0.6	0	1.5	0.8
3b1 3b2 3b3 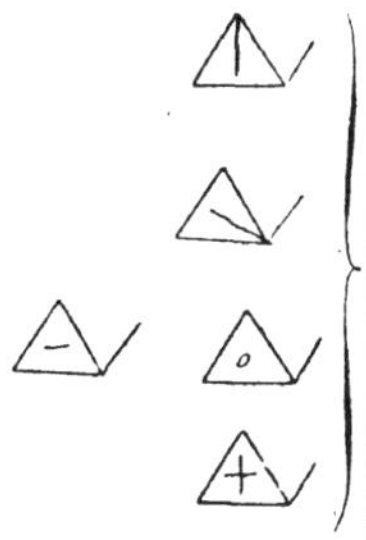	5.6	4.6	5.1	3.3	0	1.9	0	3.0	1.6
4a 	4.2	2.3	3.2	1.1	2.9	1.9	3.3	7.5	5.5
4b 	0	0	0	0	0	0	0	1.5	0.8
4c 	1.4	0	0.6	0	0	0	0	0	0

第二表

その二　（續き）

形態傾向	タイヤル			パイワン			ブヌン		
	男	女	混	男	女	混	男	女	混
	人 71	人 87	人 158	人 90	人 69	人 159	人 61	人 67	人 128
4a—4c　計	% 5.6	% 2.3	% 3.8	% 1.1	% 2.9	% 1.9	% 3.3	% 9.0	% 6.3
5a 	4.2	4.6	4.4	0	1.5	0.6	6.6	3.0	4.7
5b 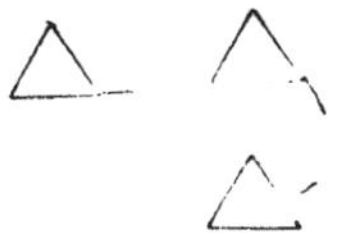	4.2	0	1.9	0	1.5	0.6	0	3.0	1.6
5c 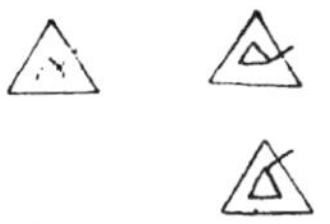	5.6	0	2.5	0	0	0	0	0	0
5a—5c　計	14.0	4.6	8.8	0	3.0	1.2	6.6	6.0	6.3
6 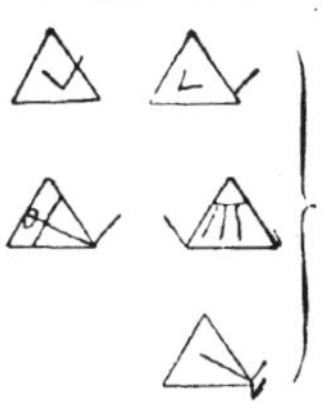	1.4	4.6	3.2	1.1	0	0.6	0	0	0
7　空白及不適解答	22.8	27.4	25.3	9.0	20.3	23.9	16.3	7.2	11.5
總　計	100	100	100	100	100	100	100	100	100

第二表

形態傾向	タイヤル			パイワン			ブヌン		
	男	女	混	男	女	混	男	女	混
	人 71	人 87	人 158	人 90	人 69	人 156	人 61	人 67	人 128

その三 □

		%	%	%	%	%	%	%	%	%
1a		19.7	13.8	16.5	36.7	17.4	28.3	18.0	16.4	17.2
1b		8.5	4.6	6.3	4.4	4.4	4.4	4.9	5.8	5.5
1c		5.6	1.1	3.2	11.1	2.9	7.6	3.3	9.0	6.3
1d	 	7.0	4.6	5.7	7.8	4.4	6.3	9.8	1.5	5.5
1e		5.6	4.6	5.1	6.7	2.9	5.0	3.3	4.5	3.9
1f	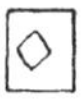  	14.1	20.7	17.7	11.1	13.0	12.6	16.4	16.4	16.4
良 1a—1f 計		60.5	49.4	54.5	77.8	44.8	64.2	55.7	53.6	54.8
2a		11.3	8.1	9.5	3.3	5.8	4.4	13.1	4.5	8.6
2b		2.8	1.1	1.9	5.6	8.7	6.9	6.6	4.5	5.5
2a—2b 計		14.1	9.2	11.4	8.9	14.5	11.3	19.7	9.0	14.1
3a		0	0	0	2.2	1.5	1.9	1.6	3.0	2.3
3b		2.8	3.5	3.2	0	1.5	0.6	1.6	7.5	4.7

第二表

形態傾向	タイヤル			パイワン			ブヌン		
	男	女	混	男	女	混	男	女	混
	人 71	人 87	人 158	人 90	人 69	人 159	人 61	人 67	人 128

その三　（續き）

3c 	% 2.8	% 4.6	% 3.8	% 0	% 1.5	% 0.6	% 1.6	% 1.5	% 1.6
3a—3c 計	5.6	8.1	7.0	2.2	4.5	3.1	4.8	12.0	8.6
4a 	0	1.1	0.6	2.2	7.3	4.4	0	0	0
4b 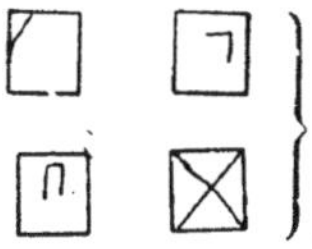	2.8	5.8	4.4	2.2	5.8	3.8	3.3	7.5	5.5
4a—4b 計	2.8	6.9	5.0	4.4	13.1	8.2	3.3	7.5	5.5
5 空白及不適解答	16.1	26.4	22.1	6.7	23.1	13.2	16.5	17.9	17.0
總計	100	100	100	100	100	100	100	100	100

その四 

1a 	% 43.7	% 46.0	% 44.9	% 31.1	% 29.0	% 30.2	% 41.0	% 23.9	% 32.0
1b 	11.3	5.8	8.2	31.1	21.7	27.0	0	0	0
1c 	9.9	8.1	8.9	11.1	8.7	10.1	8.2	5.8	7.0

第二表

その四　（續き）

形態傾向	タイヤル			パイワン			ブヌン		
	男	女	混	男	女	混	男	女	混
	人 71	人 87	人 153	人 90	人 69	人 159	人 61	人 67	人 128
1d 	5.6	12.6	9.5	8.9	15.9	11.9	9.8	22.4	16.4
良 1a—1d 計	70.5	72.5	71.5	82.2	75.3	79.2	59.0	52.1	55.4
1e 	7.0	4.6	5 7	4.4	4.4	4.4	3.3	5.8	4.7
1a—1e 計	77.5	77.1	77.2	86.6	79.7	83.6	62.3	57.9	60.1
2a 	8.5	7.0	7.6	1.1	2.9	1.9	1.6	4.5	3.2
2b 	1.4	3.5	2.5	1.1	0	0.6	4.9	5.8	5.5
3a 	4.2	2.3	3.2	3.3	0	1.9	9.8	13.5	11.7
3b 	1.4	2.3	1.9	1.1	0	0.6	4.9	0	2.3
4a 	0	0	0	1.1	0	0.6	0	0	0
4b 	0	0	0	1.1	0	0.6	0	3.0	1.6
4c 	5.6	5.8	5.7	0	5.8	2.5	13.1	9.0	10.9
2a—4c 計	21.1	20.9	20.9	8.8	8.7	8.7	34.3	35.8	35.2
5 空白及不適解答	1.4	2.0	1.9	4.6	11.6	7.7	3.4	6.3	4.7

第二表

形態傾向	タイヤル			パイワン			ブヌン		
	男	女	混	男	女	混	男	女	混
	人 71	人 87	人 158	人 90	人 69	人 159	人 61	人 67	人 128

その四　（續き）

總計	% 100	% 100	% 100	% 100	% 100	% 100	% 100	% 100	% 100

その五 

1a 	% 40.8	% 25.3	% 32.3	% 47.8	% 21.7	% 36.5	% 39.3	% 28.4	% 33.6
1b 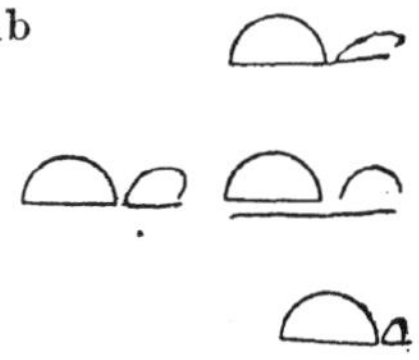	4.2	3.5	3.8	1.1	7.3	3.8	8.2	9.0	8.6
1a—1b 計	45.0	28.8	36.1	48.9	29.0	40.3	47.5	37.4	42.2
2a1 	18.3	33.3	26.9	24.4	24.6	24.5	21.3	32.8	27.3
2a2 	2.8	14.9	9.5	4.4	10.1	6.9	6.6	5.8	6.3
2a3 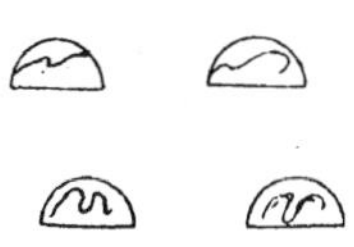	4.2	3.5	3.8	6.7	4.4	5.7	4.9	1.5	3.2

第二表

その五　　（續き）

形態傾向	タイヤル			パイワン			ブヌン		
	男	女	混	男	女	混	男	女	混
	人 71	人 87	人 158	人 90	人 69	人 159	人 61	人 67	人 128
2b 	% 4.2	% 5.8	5.1	% 0	% 2.9	% 1.3	% 0	% 0	% 0
2c 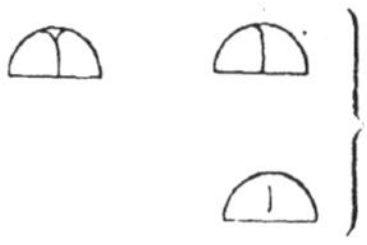	2.8	1.1	1.9	1.1	0	0.6	4.9	3.0	3.9
2a1—2c 計	32.3	58.6	47.2	36.6	42.0	39.0	37.7	43.1	40.7
3 	1.4	0	0.6	2.2	1.5	1.9	4.9	3.0	3.9
4a 	0	2.3	1.3	0	4.4	1.9	0	1.5	0.8
4b 	0	3.5	1.9	1.1	1.5	1.3	0	1.5	0.8
4a—4b 計	0	5.8	3.2	1.1	5.9	3.2	0	3.0	1.6
良 1a+2a1	59.1	58.6	59.2	72.2	46.3	61.0	60.6	61.2	60.9
5 空白及不適解答	21.3	6.8	12.9	11.2	21.6	15.6	9.9	13.5	11.6
總計	100	100	100	100	100	100	100	100	100

第二表

その六 

形態傾向	タイヤル			パイワン			ブヌン		
	男	女	混	男	女	混	男	女	混
	人 71	人 87	人 158	人 90	人 69	人 159	人 61	人 67	人 128
1a 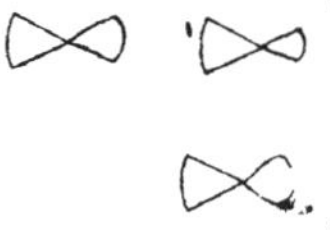	% 18.3	% 14.9	% 16.5	% 27.8	% 11.6	% 20.8	% 24.6	% 11.9	% 18.0
1b 	7.0	4.6	5.7	23.3	18.8	21.4	8.2	7.5	7.8
良 1a–1b 計	25.3	19.5	22.2	51.1	30.4	42.2	32.8	19.4	25.8
1c 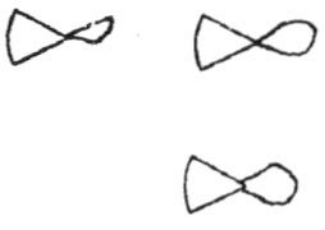	16.9	21.8	19.6	12.2	8.7	10.7	24.6	26.9	25.8
1a—1c 計	42.3	41.4	41.8	63.3	39.1	52.8	57.4	46.3	51.6
2a 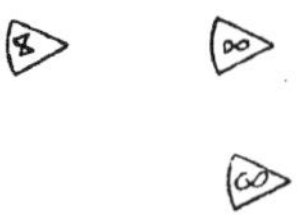	15.5	21.8	19.0	20.0	29.0	23.9	13.1	20.9	17.2
2b 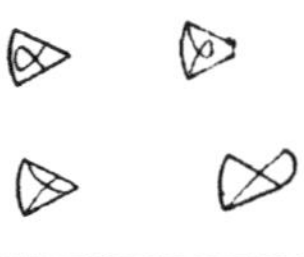	9.9	11.5	10.8	2.2	2.9	2.5	3.3	4.5	3.9
2a—2b 計	25.4	33.3	29.8	22.2	31.9	26.4	16.4	25.4	21.1
2c 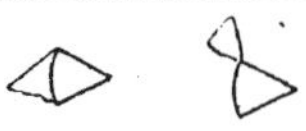									

第二表

形態傾向	タイヤル			パイワン			ブヌン		
	男	女	混	男	女	混	男	女	混
	人 71	人 87	人 158	人 90	人 69	人 159	人 61	人 67	人 128

その六　（續き）

形態傾向	タイヤル 男	タイヤル 女	タイヤル 混	パイワン 男	パイワン 女	パイワン 混	ブヌン 男	ブヌン 女	ブヌン 混
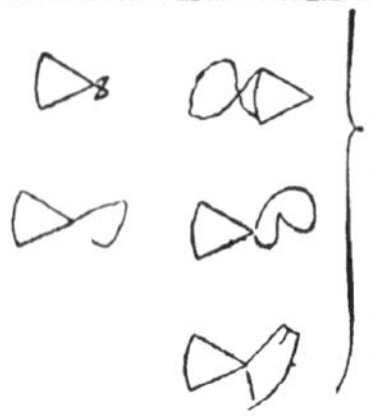	% 4.2	% 4.6	% 4.4	% 3.3	% 4.4	% 3.8	% 9.8	% 10.4	% 10.2
3　空白及不適解答	28.2	20.7	24.0	11.2	24.6	16.9	16.4	17.9	17.1
總　計	100	100	100	100	100	100	100	100	100

その七 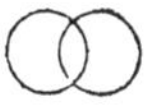

形態傾向	タイヤル 男	タイヤル 女	タイヤル 混	パイワン 男	パイワン 女	パイワン 混	ブヌン 男	ブヌン 女	ブヌン 混
1a 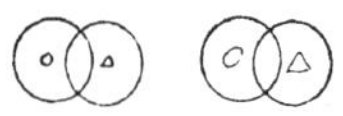	% 81.7	% 66.7	% 73.4	% 61.1	% 39.1	% 51.6	% 55.7	% 52.2	% 53.9
1b 	0	2.3	1.3	24.4	29.0	26.4	0	7.5	3.9
良　1a—1b　計	81.7	69.0	74.7	85.5	68.1	78.0	55.7	59.7	57.8
1c 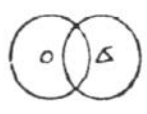	0	0	0	1.1	1.5	1.3	1.6	1.5	1.6
1d 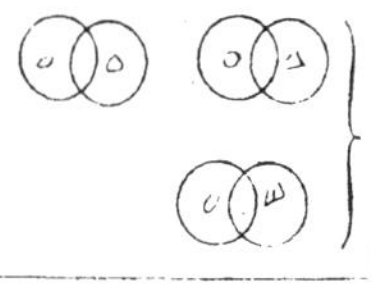	0	9.2	5.1	0	4.4	1.9	8.2	10.4	9.4

第二表

その七　（續き）

形態傾向	タイヤル			パイワン			ブヌン		
	男	女	混	男	女	混	男	女	混
	人 71	人 87	人 158	人 90	人 69	人 159	人 61	人 67	人 128
1a—1d 計	% 81.7	% 78.2	% 79.8	% 86.6	% 74.0	% 81.2	% 65.5	% 71.6	% 68.8
2a 2b 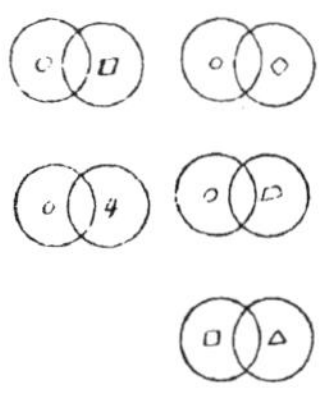	0	12.6	7.0	1.1	8.7	4.4	9.8	10.4	10.2
2c 2d 2e 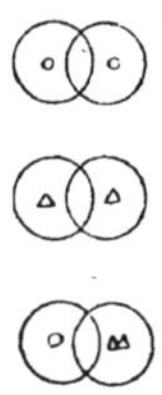	0	1.1	0.6	3.3	1.5	2.5	11.5	3.0	7.0
3a 3b 3c 	5.6	0	5.6	1.1	1.5	1.3	1.6	0	1.6
4a 4b 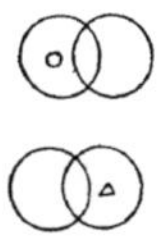	1.4	3.5	5.6	0	0	0	1.6	4.5	5.6
5　空白及不適解答	11.3	4.6	1.4	7.9	14.3	10.6	10.0	10.5	6.8

第二表

形態傾向	タイヤル			パイワン			ブヌン		
	男	女	混	男	女	混	男	女	混
	人 71	人 87	人 158	人 90	人 69	人 159	人 61	人 67	人 128

その七　（續き）

總計	% 100	% 100	% 100	% 100	% 100	% 100	% 100	% 100	% 100

その八 

1a 	% 16.9	% 19.5	% 18.4	% 34.4	% 11.6	% 24.5	% 26.2	% 7.5	% 16.4
1b 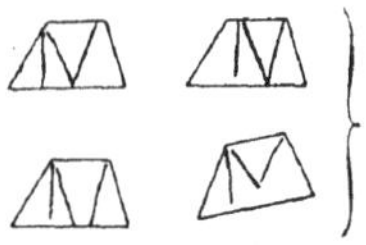	16.9	5.8	10.8	14.4	8.7	11.9	0	0	0
1c 	8.5	14.9	12.0	8.9	8.7	8.8	9.8	17.9	14.1
1d 	0	0	0	2.2	1.5	1.9	3.3	4.5	3.9
良 1a—1d 計	42.3	40.2	41.2	59.9	30.5	47.1	39.3	29.9	34.4
1e 	16.9	17.2	17.5	7.8	13.0	10.1	9.8	7.5	8.6
1a—1e 計	59.2	57.4	58.7	67.7	43.5	57.2	49.2	37.3	43.0
2 	9.9	1.1	5.1	5.6	7.3	6.3	3.3	10.4	7.0
3a 	1.4	5.8	3.8	0	1.5	0.6	3.3	3.0	3.2

第二表

形態傾向	タイヤル			パイワン			ブヌン		
	男	女	混	男	女	混	男	女	混
	人 71	人 87	人 158	人 90	人 69	人 159	人 61	人 67	人 128

その八　（續き）

3b 	2.8	1.1	1.9	2.2	2.9	2.5	1.6	7.5	4.7
2—3b 計	14.1	8.1	10.8	7.8	11.6	9.4	8.2	20.9	14.9
4 	1.4	8.1	5.1	7.8	2.9	5.7	9.8	14.9	12.5
5. 空白及不適解答	25.3	26.4	25.4	16.7	42.0	27.7	32.8	26.9	29.6
總　計	100	100	100	100	100	100	100	100	100

その九 

1a 	% 16.9	% 10.3	% 13.3	% 31.1	% 13.0	% 23.3	% 14.8	% 4.5	% 9.4
1b 	2.8	10.3	7.0	11.1	5.8	8.8	11.5	10.4	10.9
1c 	35.2	33.3	34.2	11.1	13.0	11.9	14.8	11.9	13.3
1d 	11.3	11.5	11.4	5.6	7.3	6.3	11.5	10.4	10.9
1e 	2.8	5.8	4.4	4.4	8.7	6.3	6.6	4.5	5.5
良 1a—1e 計	69.0	71.2	70.3	63.3	47.8	56.6	59.2	41.7	50.0

第二表

その九　（續き）

形態傾向		タイヤル 男	女	混	パイワン 男	女	混	ブヌン 男	女	混
		人 71	人 87	人 158	人 90	人 69	人 159	人 61	人 67	人 128
1f	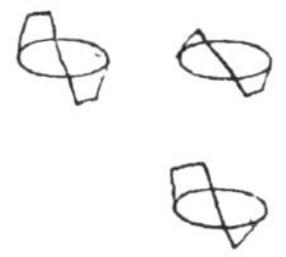	% 0	% 0	% 0	% 4.4	% 2.9	% 3.8	% 3.3	% 1.5	% 2.3
2a		4.2	2.3	3.2	8.9	4.4	6.9	8.2	9.0	8.6
2b	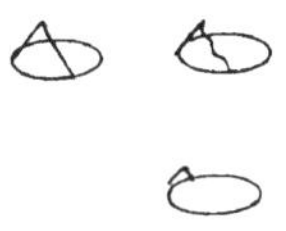	2.8	1.1	1.9	2.2	7.3	4.4	0	1.5	0.8
2c	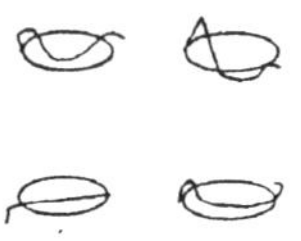	0	2.3	1.3	2.2	7.3	4.4	3.3	0	1.6
2d		1.4	1.1	1.3	2.2	5.8	3.8	3.3	9.0	6.3
2e		2.8	0	1.3	1.1	0	0.6	4.9	0	2.3
1f—2e 計		11.2	6.8	9.0	21.0	27.7	23.9	23.0	21.0	21.9
3 空白及不適解答		19.8	22.0	20.7	15.7	24.5	19.5	17.8	37.3	28.1
總計		100	100	100	100	100	100	100	100	100

第二表

形態傾向	タイヤル			パイワン			ブヌン		
	男	女	混	男	女	混	男	女	混
	人 71	人 87	人 158	人 90	69	人 159	人 61	人 67	人 128

その十 

		%	%	%	%	%	%	%	%	
1a		31.0	29.9	30.4	44.4	24.6	35.8	36.1	37.3	36.7
1b	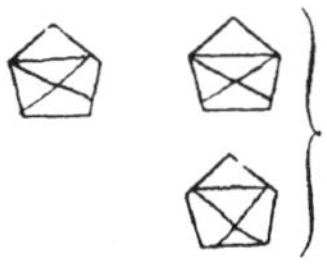	7.0	10.3	8.9	7.8	8.7	8.2	3.3	4.5	3.9
良 1a—1b 計		38.0	40.2	39.3	52.2	33.3	44.0	39.4	41.8	40.6
1c		7.0	7.0	7.0	2.2	7.3	4.4	3.3	5.8	4.7
1d		1.4	2.3	1.9	3.3	8.7	5.7	0	0	0
1e		2.8	1.1	1.9	2.2	1.5	1.9	0	3.0	1.6
1a—1e 計		49.2	50.6	50.1	59.9	50.8	56.0	42.7	50.6	46.9
2a		7.0	4.6	5.7	2.2	2.9	2.5	0	1.5	0.8
2b	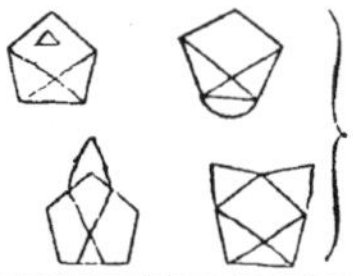	2.8	0	1.3	2.2	2.9	2.5	1.6	1.5	1.6
2c	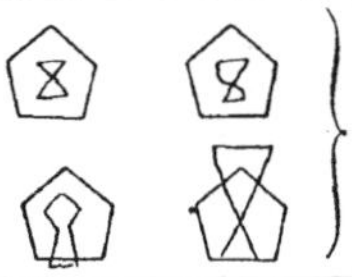	4.2	2.3	3.2	2.2	5.8	3.8	0	3.0	1.6

第二表

その十 （續き）

形態傾向	タイヤル			パイワン			ブヌン		
	男	女	混	男	女	混	男	女	混
	人 71	人 87	人 158	人 90	人 69	人 159	人 61	人 67	人 128
2a—2c 計	% 14.0	% 6.9	% 10.2	% 6.6	% 11.6	% 8.8	% 1.6	% 6.0	% 4.0
3a 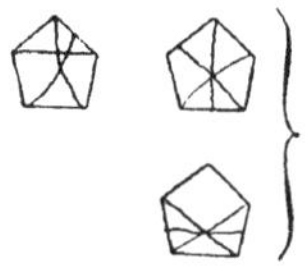	4.2	5.8	5.1	4.4	4.4	4.4	6.6	1.5	3.9
3b 	1.4	7.0	4.4	3.3	0	1.9	4.9	4.5	4.7
3a—3b 計	5.6	12.8	9.5	7.7	4.4	6.3	11.5	6.0	8.6
4a 	7.0	1.1	3.8	10.0	4.4	7.6	3.3	3.0	3.2
4b 	0	0	0	1.1	2.9	1.9	3.3	1.5	2.3
4c 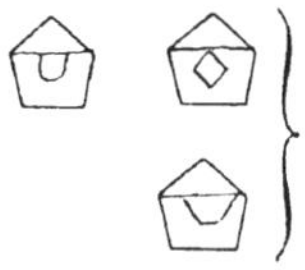	1.4	1.1	1.3	0	1.5	0.6	4.9	1.5	3.2
4d 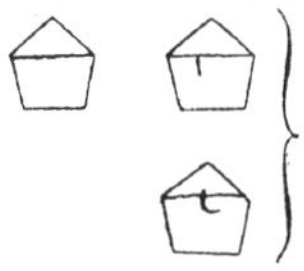	2.8	3.5	3.2	4.4	5.8	5.0	4.9	5.8	5 5
4a—4d 計	11.2	5.7	8.3	15.5	14.6	15.1	16.4	11.8	14.2
5a 	1.4	0	0.6	0	0	0	1.6	0	0.8

第二表

形態傾向	タイヤル			パイワン			ブヌン		
	男	女	混	男	女	混	男	女	混
	人 71	人 87	人 158	人 90	人 69	人 159	人 61	人 67	人 128

その十　（續き）

5b 	% 0	% 3.5	% 1.9	% 0	% 0	% 0	% 0	% 1.5	% 0.8
5c  	0	0	0	0	0	0	0	3.0	1.6
5d  	0	0	0	0	0	0	3.3	3.0	3.2
5a—5d 計	1.4	3.5	2.5	0	0	0	4.9	7.5	6.4
6 空白及不適解答	18.6	20.5	19.4	10.3	18.6	13.8	22.9	18.1	19.9
總計	100	100	100	100	100	100	100	100	100

注意

(1) この表に於て，男，女の次に混とあるは，男女各々のパーセントを加へて二分したものではなく，夫々の形態傾向を表した男女の實數を加へ，それが總人數に對するパーセントを示したものである。以下之に倣ふ。

(2) この表に於て，不適解答といふのは，明に他の原圖に加筆すべきものを或る原圖に加筆したもの，又は原圖に加筆せず，示圖のまゝを用紙の餘白に改めて描いたもの等である。

加筆によつて出來た形態傾向別に分類する。而して各傾向の頻數を數へ、その實數並に百分比を蕃社・性・年齢別と蕃社・性・學年別との二通りに表示する。かくして十組の圖形群に對しては全部で二十部の表を得たがそれはこゝには掲げない。そして主として種族的傾向を見るために右の表を簡約して單に種族・性別の表にしたものを示せば第二表の如くなる。而してそこに現れた顯著な事實の二三を摘出して次節以下に述べようとするのである。

五、直接記憶の優劣

前述の如くして被檢者が描いた圖形の中、示圖と形態の全く同じもの及び近似的なものを「良」とし、各圖形に就てその頻數百分比を種族・性別に計算し（第二表「良」欄參照）、十圖形すべてのそれを平均すれば第三表の如くになる。これによれば、種族的優劣の順位はパイワン、タイヤル、ブヌンとなる。この種族全體としての順位は男だけの種族的順位に等しく、女だけではタイヤル、ブヌン、パイワンの順位となる。パイワンの男と女とでは優劣の種族的順位が逆になつてゐる。

パイワンには、後にも述べるやうに傳承的な彫刻物が豐富にあり、今でも多くの

「良」の頻數百分比（十圖形平均）

タイヤル		パイワン		ブヌン	
男	女	男	女	男	女
55.5	54.4	69.8	49.4	54.8	51.0
54.9		61.0		52.8	

第三表

彫工がゐる。而してその彫工はすべて男である。彫刻は他の二族にもないではないが、高高パイプに刻みつける模様ぐらひのもので、パイワンの如く發達したものではない。

ブヌンには特に擧ぐべき工藝品がない。タイヤルは織物及び衣裳類を尊び多く藏してゐるが、織る者はすべて女である。

われ／＼の一般的觀察によれば、タイヤルの女は進取的であり、ブヌンの女は勞働的であり、パイワンの女は因循、退嬰、裝飾的である。これらの事柄は右の、視覺形態の知覺―記憶―表現の業績の種族別性別の優劣の上に反映してゐるやうに思はれる。

六、種族的特殊形態

前節に於て、示圖に近似的なものとされた形態の中にも亦いくつかの形態傾向の別がある。その中には品等的に良の部に屬することを妨げないが、形態傾向の

各族特殊形態

(1) タイヤル族に於ける特殊形態並にその頻數(%)

形態		タイヤル	パイワン	ブヌン
 (イ)	男	35.2	11.1	14.8
	女	33.3	13.0	11.9
	混	34.2	11.9	13.3
 (ロ)	男	18.3	4.4	8.2
	女	10.3	2.9	4.5
	混	13.9	3.8	6.3
 (ハ)	男	9.9	2.2	3.3
	女	11.5	2.9	4.5
	混	10.8	2.5	3.9
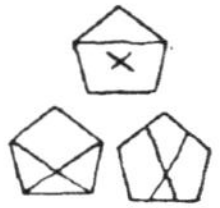 (ニ)	男	15.4	7.7	8.2
	女	18.6	10.2	11.8
	混	17.1	8.8	10.2

(2) パイワン族に於ける特殊形態並にその頻數(%)

形態		タイヤル	パイワン	ブヌン
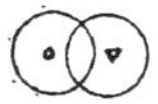 (イ)	男	0	24.4	0
	女	2.3	29.0	7.5
	混	1.3	26.4	3.9
 (ロ)	男	7.0	23.3	8.2
	女	4.6	18.3	7.5
	混	5.7	21.4	7.8
 (ハ)	男	1.4	3.3	0
	女	2.3	8.7	0
	混	1.9	5.7	0
 (ニ)	男	7.0	10.0	3.3
	女	1.1	4.4	3.0
	混	3.8	7.5	3.2

(3) ブヌン族に於ける特殊形態並にその頻數(%)

形態		タイヤル	パイワン	ブヌン
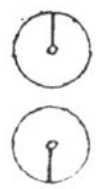 (イ)	男	9.8	3.3	22.9
	女	8.1	5.8	22.5
	混	8.9	4.4	22.6
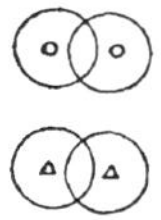 (ロ)	男	0	2.2	11.5
	女	1.1	1.5	3.0
	混	0.6	1.9	7.0
 (ハ)	男	12.6	20.0	32.8
	女	20.6	21.7	31.3
	混	17.1	20.8	32.0
 (ニ)	男	1.4	2.2	3.3
	女	1.1	5.8	9.0
	混	1.3	3.8	6.3

第四表

男	2.8	3.3	0
女	3.5	10.1	1.5
(ホ) 混	3.2	6.3	0.8

稍〻特殊なものもある。近似的形態以下の中にはこの特殊形態が多い。これら特殊形態の中、その出現頻數が何れか一種族に集中するものだけを擧ぐれば第四表の如くになる。

この表は何れか一種族に特に集中する特殊形態(各族(イ)(ロ)、タイヤルは(ハ)まで)、又は稍〻集中する傾きのある特殊形態(各族(ハ)以下、タイヤルは(ニ)だけ)をあるがまゝに皆擧げたものであるが、これによつて、各族に屬せしめられた種族的特殊形態を通覽すれば、一種族の種族的特殊形態にはすべて一つの形態原理が通じてをり、同じ形態性が現れてゐることを指摘することができる。卽ち——

1、タイヤル族に於ては、示圖  に對して 、示圖  に對して 、示圖  に對して  等の種族的特殊形態はすべて動的な所、卽ち交はる所、貫く所、又はその働きが强調され或は鋭化されたものである。

2、パイワン族に於ては示圖、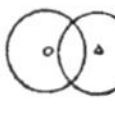に對して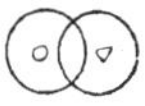示圖に對して等の種族的特殊形態はすべて三角形によつて形づくられたものである。

3、ブヌン族に於ては、示圖に對して又は　示圖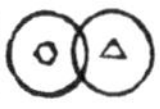に對して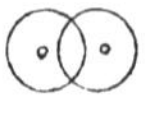又は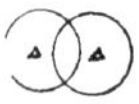等の種族的特殊形態はすべて相稱性を鋭化したものである。

このやうに我々が種族的特殊形態といふ、その種族的は無論その種族だけに現れるといふ意味の種族的ではない。現に他の種族にも現れてゐるもので、人間一般の夫々の圖形に對する見誤りの可能性を示すものではあるが、その出現頻數が或る種族に特に多い特殊形態を假りに種族的と呼んだまでゞある。所が、この視覺圖形の表現形態に就て假りに種族的と呼んだものが、實は偶然的局部的な現象でなくて、各種族の生活全體、又はその重要な部面に現れる大きな種族的特色と調子の合つたものであることが、タイヤルとパイワンとに就ては特にハッキリといへるのである。即ち——

1、タイヤル族は一般に好戰的、武斷的であり、戰闘、狩獵に於て剛毅果斷、武勇絶倫と云つた特色を多分に備へてゐる。このやうな大きな種族的特色が種族的特殊形態の上に反映してゐはしないか。

2、パイワン族中には、前にも述べた通り傳承的な作品をものする彫工が多く現存し、又古くからある所の彫刻物が豐富に存してゐる。後に述べる巨大な人間像は石材をもつてすることも屢々あるが、その他は殆どすべて木材に彫刻したものである。その中特に我々の檢査地のパイワンの蕃社に、社會的意味をもちつゝ特異な景觀を呈してゐるものがある。それは、頭目又はその系統の家のマークとして(かゝる家は一番社に數軒ある)、庇の下に、軒の端から端に亘る幅一尺內外の細長い「軒桁」の彫刻である。そこに彫刻される物には、人間の全身像又はその首、百步蛇、鹿等があるが、最も多く彫刻されるものは人間の全身像又は首の配列、或はそれを主としてこれに百步蛇その他を交錯配置したもので、いづれも稍々圖案化されたものである。而して人間の全身像の配列はすべて、蹠と蹠とを合せて反對の方向に横臥せる裸の男女像の對の配列である。その他、木枕、連杯等の彫刻には、この人間像だけといふのは見かけないが、若干それに他のものを巧に按配してあつて「軒桁」と共通な感じを與へるものが多い。

頭目又はその系統の家には「軒桁」の彫刻の外に、なほ家の內又は外に巨大な人間の彫刻像を飾る特權がある。セパレートな人間像としてこの他になほ木彫の人形もある。

パイワン族の蕃社に於ける、日夕眼に觸れ易いこれら豊富な彫刻物の全體の印象は、我々には極めてエロ・グロ的のものである。即ち百歩蛇とか、露はな人間の性器とかであるが、これら最も印象的なもの丶形態に就て云へば、百歩蛇は全體が三角形の連續であり、女の性器は三角形そのものである。百歩蛇は頭が三角形で、之に續いて、中高な脊梁を共通底邊にもつ三角形の對の連續  が始まりこれが尾まで連つてゐる。この紋様を移したものか否か今ではたゞす由もない  の如き裝飾も盾、食器、蕃刀等に屢〻見出される。

女の性器は彫刻に於ては常に下向き三角形に現されるが、之は彫刻に於てのみならず、彼らの之に對する實際の表象そのものも恐らくは同じやうな三角形であらうと考へられる節がある。百歩蛇その他の紋様に現された三角形に就ては、その物の性質上、上下何れの向きとも云へないが、人間像に現された女の性器の三角形の下向きは一目瞭然である。

今のテストの結果に現はれたパイワンの種族的特殊形態が、單なる三角形により又は特に下向き三角形によつて形づくられてゐるのは、このやうに、大きな種族的特色としての彫刻に於いてそれらの形態が優位を占めてをり、それらの形態がこの種族に特に意味深いものを表現してゐることとの影響と考へられる。（百歩蛇は發生傳說に現れ、且一般に之を殺すことがタブーになつてゐる。）

相交はる二つの圓の一方の圓内の三角形を下に向かせた特殊形態はパイワンの種族的特殊形態の中でも最も注目に價するものであるが、それは、この種族の女の性器に對する彫刻的表現又はその表象の反映と見られるのである。而してこの特殊形態の出現頻數を年齡別性別に出すと第五表の如くなり、年齡の進むにつれて、從つて性的興味の進むにつれて、その出現頻數が漸進的に殖える傾向が現れてゐることは、この特殊形態を性的なものゝ反映と見ることを支持するものであるといはなければならない。

パイワン族 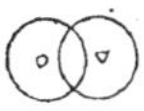 出現頻數

年齡	その人數÷總人數		その百分比	
	男	女	男	女
10		0/3		0
11	1/13	3/10	7.7	30.0
12	2/14	1/8	14.3	12.5
13	7/26	4/17	26.9	23.5
14	8/14	1/5	57.1	20.0
15	0/15	8/19	0	42.1
16–	4/8	3/7	50.0	42.9
計	22/90	20/69	24.4	29.0

第五表

3、ブヌンの種族的特色といへば所

謂お祭りの多いことゝ、これにまつはるタブーの多いことである。我々の檢査中にも、教育所の兒童がそのタブーにしばられて、我々の與へるキヤラメルを食べないといふことが、到る處多數の兒童の上に起つた。相稱性の鋭化されたブヌンの種族的特殊形態と、この大きな種族的特色との間には一見何らの關係もないやうであるが、同じ時季に戸毎に行はれる所謂お祭りに於て、酒宴最中に肉の小片を一つかみづゝ幾度も家族の者に分配して歩く者を見ると、その分配の公平といふことに甚大の注意が拂はれてゐることが明に認められる。酒宴の御馳走を手渡しに分けて歩くといふことは他の種族にはないことで、大低盛り切りであり、勢力のあるものが餘計手を出すといふ風であるが、ブヌンではさうでない。

我々はタイヤル、パイワンと相並んで、この族の種族的特殊形態にも、大きな種族的特色の反映を見ることに興味をもつものであるが、右に擧げた事柄はそれに就て大きな示唆を與へるものである。なほこれに關聯して、「蕃族調査報告書、ブヌン族、前篇」にこの族の中の丹蕃に就て記された次の如き記事は注目に價するものである。

(イ)、出草(首狩)の際、有志だけが夢トと鳥トとによつて、漸く蕃社から五、六丁進んで、第二の小屋掛けをし「其所にて粟餅を作り後より集まり來る者に一箇づゝ分配す。若し餅不足して次ぎ次ぎこ來る者に渡す能はざる時は不吉として歸社す」云々(第五章、鹹首一〇〇頁)

(ロ)、「兩角不同なるか、全く角なきもの或は一本角の鹿を射るは不吉にして死傷者を出す前兆なりとて直ちに歸社す」云々(第四章、宗教七一頁)

七、現實發生的形態過程

十圖形すべてに於て、その形態傾向の差がすべて現實發生《アクツアルゲネーゼ》的の形態過程《ゲシタルトプロツエス》に排列されることも興味あることである。第二圖はその一例である。

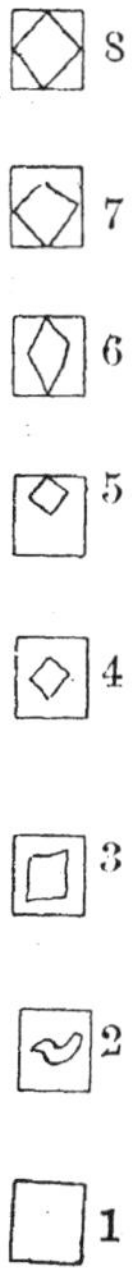

第二圖

これは形態過程中の主な段階だけを取り出したもので、あるが、實際はもつと複雜に且克明にその過程が推移してゐる。

さきに擧げた各族の種族的特殊形態は、この過程中の一段階たるを妨げないと同時に、その一段階であることが、各族の種族的特殊形態であることを妨げはしない。　發生的見方と個別的見方とは兩立して差支ない筈である。

さて此の形態過程を通覽すると、そこに形態記憶といふものの趨異が委しく顯れて居ると思はれる。　元來深山に自然を友として生きて居る彼等の生活上からした何の意味もない純幾何學的圖形は、およそ縁の遠い不可解なものであつたであらう。　從て僅か十秒間許り「よく見て居なさい」といつて見せられただけでは、彼等の過去經驗の何處へ當てはめて整理する事も、恐らく出來なかつたであらう。

中にも形態把握力の乏しい兒童は、示圖が引下げられてしまうと、「サア鉛筆を持つて！　初め！」といはれても「四角な中に何かあつた」といふ樣に思へても、さてそれを筆にすることが出來る程ハッキリした記憶表象がない。　最下段の何も書いてない、ブランク組である。

次に四角な桝形の中に何か確かにあつた、それは少しも疑なき事實であるが、何であつたか明らかに畫く事は出來ない、そこで次に示す樣な

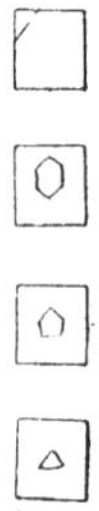

こんな取り止めもない答になつたものである。　それが一歩進むと、ハッキリ四角

なものが四角の中に在つたといふ處まで行くが、さて縁とどんな關係にあつたか、そこになるとどうもハッキリせぬ、それで中の四角の在りやうが縁の在りやうにアウスグライヘンされたものが(3)の段階であり、内部構造の、中央に在るといふ性格、又は内に在り、全體として左右相稱をなしてゐるといふ性格に引きつけられたものが(4)(5)の段階であらう。その上垂直對角線が小四角形を引き伸ばすやうな機能を持つて居て、それに拘束されたものが(6)の段階であり、その内部構造の、内に座つてゐるといふ性格に捉へられたものを(7)と見ることができよう。

とにかく(3)乃至(7)は内部構造の部分形式に拘束されてゐる段階、被檢査者の側から云へば、部分が全體を代理してゐる段階を示し、且その部分の取り入れ方に從て次第に元のものに近づいて行く過程を示すものと見られる。その内部構造の全部が看取され再生されたものが(8)の段階であることは勿論である。

更に觀方を變へて、中の四角形が外の四角形に接する四つの點を要點として觀察して見ると、何かしら四角なものが四角なものの中にあつたといふ(3)から、一歩進んで内の四角は外廓と平行な四角でなく、一點で立つてゐる四角形であつたといふ(4)に進み、又更に少くともその一角は四角の縁に接してゐたといふ(5)、更にそれが二角(6)三角(7)が夫々緣に接してゐたといふものに進み、遂に(8)の完全な記憶、卽ち要點全部の把握再生に至つたといふ風に、配列することもできるのである。而してこの形態過程は、斯樣に考へて來ると必ずしも兒童のみでなく成人の場合にも、記憶作用の趨異を示すものであり、同時に又注意の精細度の趨異を示すものではなからうか。

之を要するに、かゝる趨異を發生的に示す現實發生の段階をモデルとして、われわれの特殊な被檢査者全員の成績を發達的段階に配列することができるのである。卽ち一般に成人も一個人の知覺乃至記憶表象が、その知覺に不利な條件からだん〳〵有利な條件に進むに從つて示す所の發達的段階(現實發生)と右のものが同一過程を取つてゐることは注目に價することであらう。

八、各族共通的特殊形態並に性別的特殊形態

特殊形態(同種形態內で形態性の特殊なもの)の中、種族別のあるものは、既に擧げたが、なほどの種族に集中するといふことのない、又はそれのしかと分らないものがある。その主なるものを取り出して見れば第六表の如くなる。

各族共通的特殊形態並にその出現頻數(%)

			タイヤル	パイワン	ブヌン
イ		男	4.2	1.1	3.3
		女	2.3	0	3.0
		混	3.2	0.6	3.2
ロ		男	4.2	1.1	3.3
		女	2.3	5.8	1.5
		混	3.2	3.1	2.3
ハ		男	11.3	3.3	13.1
		女	8.1	5.8	4.5
		混	9.5	4.4	8.6
ニ		男	32.4	36.7	37.7
		女	58.6	42.0	43.3
		混	46.8	39.0	40.6
ホ		男	0	1.1	0
		女	5.8	5.9	3.0
		混	3.2	3.2	1.6
ヘ		男	15.5	20.0	13.1
		女	21.8	29.0	20.9
		混	19.0	23.9	17.2
ト	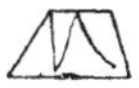	男	9.9	5.6	3.3
		女	1.1	7.3	10.4
		混	5.1	6.3	7.0
チ		男	0	4.4	3.3
		女	0	2.9	1.5
		混	0	3.8	2.3
リ	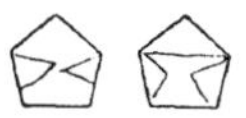	男	2.8	2.2	0
		女	1.1	1.5	3.0
		混	1.9	1.9	1.6
ヌ		男	4.2	2.2	0
		女	2.3	5.8	3.0
		混	3.2	3.8	1.6

第六表

こゝに注目すべきことは、(ニ)(ホ)(ヘ)に於て著しく女の多いことである。而して特に性別のある特殊形態と云へばこの三者のほかにはないが、いづれも皆形態の内向性、跼蹐性を示すもので、又以て女の精神構造の一面を現すものではあるまいか。

（終）

首狩の原理

岡田謙

目次

高砂族に見られる首狩の慣習は、事人命に關するが故に、古くから屢〻問題とされ、領臺後も該族の研究者は何れもこれに就て何等かの説明を試みて居る。ここに二三代表的な研究者の所説を擧げて見れば、

先づ、伊能嘉矩氏は最初清朝時代の文獻から首狩の理由を次の如く分類して居る。

「(一)人を殺す者を以て豪勇と爲すの慣習あるに因る事

(二)多く人頭を有するものは推されて雄長となり得るに因る事

(三)人頭を有するものにあらざれば良婦を娶る能はざるに因る事

(四)又た人頭を有するものの多寡は卽ち其の家の財産の多寡の如き實を爲し之れを子孫に傳ふるの慣習あるに因ること

(五)事を爭ひ勝敗を決するに先づ我種族以外の人類を殺し得るものを勝とするの風あるに因る事

(六)或場合に於て人を殺し頭を獲るは子孫たるものの其追遠の要道なりと認め

らるゝに因る事

(七)要するに殺人の行爲を以て惡視せずして善視するの風あるが故に其同社族たると異社族たると將た支那人たるとを問はず苟くも之れを惡むことあれば直ちに之を殺して己れの利得を增益するの一手段に資るを以て當然の施措と認むるに因る事」(1)。續いて氏は北部臺灣の大嵙崁なる竹頭角社のイヴァン(十七歲)を通して得た資料に基いて次の樣に述べて居る。

「以上列記せる如く北部臺灣の生蕃が人を殺する慣習は其由來實に偶然ならざるものあるを知るべきであります。

(一)彼れ等は人を殺さずんば壯丁の伍に列して同等の地位を占むるを得ず
(二)彼れ等は人を殺さずんば優勝者として尊敬を受くるを得ず
(三)彼れ等は人を殺さずんば妻を娶るを得ず
(四)彼れ等は人を殺さずんば酋長の名譽職に立つことを得ず
(五)彼れ等は人を殺さずんば爭ひに勝つを得ず
(六)彼れ等は人を殺さずんば侮辱を受くるも之れを雪ぐの權なし

生蕃にして人を殺さずんば此六大損失ありて一小利なし彼等が人を殺すを以

て終生の希望究畢の目的とするの念益々强きを致すも適種生存の原則上蓋し自然の敎と申しませうか」(2)更にツォウ族の事例に就いては、

「此の頭顱愛藏の慣習は、勿論人爲淘汰に惰力となり來れる勇健の表章であることは言ふまでもないのであるが之と同時に、一の Womens influence であることも明かである、それにつき、同種族に傳ふる一つの古歌がある、其大意を摘みて言へば

我祖先嘗て他の異族と戰ひ、百鬪百勝、敵の頭顱を獲之を楯にのせ、勇みつゝ歸つて來た、其時敵の頭顱が如何にも恐ろしかつたにも拘らず、婦女子等皆勇みて出迎ひ、之を洗ひ清めて、肉を食はしめた。

といふのである、此口碑的古歌は、彼等の土俗の由來を研究する上に極めて興味あることと思はるる。」(3)と述べ、ツァリセン族に關しては、

「ツァリセン族は、迷信上より、其の敬虔する祖先の靈魂を滿足せしむる目的の爲め、言ひ換ふれば、祭儀に供獻すべき犧牲としても、頭顱狩りを爲せし痕迹あり、此風習は、現時一の遊技に變じつゝあるも、其本原の意義を溯究するに足るべき口碑と特長とを存有せり……(籐又は木皮の圓毬を長槍を以て突く遊技の內容敍述)……此遊技は原と祭祖の儀式の日に異族の頭顱を馘取し、之を槍尖に擲弄し、祗靈を愉悦

せしめし風習に起因し、爾後馘殺の氣風を減衰すると共に、漸く形を一の遊技に變化するに至りし、所謂る告朔の餼羊なりといふ。」(4)と說いて居る。

森丑之助氏は高砂族の首狩を以て「馬來人系統の民として固有の慣習を持續せるものにして其原因は寧ろ先天的のもの」と云ふべく支那人の移住と共に其生存競爭の爲め敵愾心より出でしものにあらざるが如し。」(5)となし、タイヤル族の首狩の理由を次の如く分けて居る。

「(一)壯丁の班に入る爲め卽ち成年の資格を得むとて。
(二)爭議を解決する爲め卽ち嫌疑を解き寃を雪がむとて。
(三)近親の讐に報ずるが爲め又は族長の仇に報ひむとて。
(四)結婚の準備として必要なる外に求婚者相互に競爭して。
(五)惡疫流行の際驅除禁厭或は不吉の出來事を齋祓せむが爲め。
(六)自己の武勇を誇り一般族衆の尊敬を博せん爲め。」(6)

小島由道氏はツォウ族に關して、

「本族ニ於テ出草ヲ行フ目的ハ概シテ左ニ揭グル所ノ如シ　本族ニハ古來爭議ノ理由ヲ決スルガ爲ニ(たいやる族、さいせつと族ハ卽是)出草ヲ行フ慣習ナシ又或人ノ云フガ如キ祭祀ニ要スル首級ヲ得ンガ爲ニトカ惡疫ヲ禳ヒ或ハ穀類ノ豐作ヲ得ンガ爲ニトカト云フ目的ニテ出草ヲ行ヒタル事例ハ未ダ之アルヲ聞カズ

(い)同黨民ノ爲ニ復讐スルコト(說明略)

(ろ)相手ヲシテ或義務ヲ履行セシムル爲ニス

(は)武勇ノ名譽ヲ得ンガ爲ニス」(7)と述べて居る。

臨時臺灣舊慣調查會の調查結果に基いて岡松參太郎博士は

「(一)目的　番族ノ馘首ノ動機ニ付テハ異說頗多ク其是非ヲ判スルニ苦シム、唯世人往々之ヲ以テ番人ノ野性ニ歸シ或ハ何等動機ナク狂犬ノ人ヲ嚙ムニ異ラサルモノトシ、或ハ殺人其モノヲ目的トシ猛獸ノ人ヲ襲フニ等シキモノト爲スハ是其眞想ヲ知ラサルニ坐スルヤ必セリ、又既ニ一言シタルカ如ク馘首ハ元來馬來民族ノ固有ノ風俗ニシテ今其起原ヲ審ニスル能ハスト雖モ臺灣番族ニ於テハ此風俗ハ必シモ食人俗ノ如ク單ニ殺人ノ嗜好ニ出テタルモノニアラサルカ如ク、……略……

(二)種類　然レトモ其目的ノ何タルヤニ至リテハ識者必シモ其見ヲ一ニセス又各族常ニ其俗ヲ同フセサルカ如シ、今從來實際ニ調查セラレタル所ニ依ルニ略ホ

左ノ各項ニ彙類スルヲ得ルカ如シ

(1) 報復ノ爲ニスルモノ　各族ヲ通シテハ此目的ニ出ルヲ最モ多シトスルカ如シ

(2) 決爭ノ爲ニスルモノ　北番ニ於テハ此目的ノ爲ニスルコト最モ多シ

(3) 功名ノ爲ニスルモノ　各族ヲ通シ此目的ノ爲ニスルモノ亦少カラス、而シテ是必シモ武勇ヲ表示スル一片ノ功名ノ爲ノミニアラス社會上ノ資格ヲ得ルカ爲ニ必要ナルコト少シトセス

(4) 迷信ニ出ルモノ　以上ノ外又合理的理由ナク單ニ厭勝的意義ヲ有スルニ過キサル場合亦各族ニ稀ナラサルカ如シ」[8]と論じて居る。

　以上觀て來た樣に此等の説明は多く首狩の理由と見られるものを列記して居るのみでその間の關聯を論じそこに統一した原理を見出さうとしたものは少い。時に適種生存てう原理を説いてもその原理と個々の理由との關聯については何事も言つて居ない。(伊能氏)。社會組織の相違のために南蕃には決爭のための出草(首狩)が稀であるのに反して北蕃には非常に多いといふ樣に一二の理由と社會との關聯を説明することがあつても更に進んで統一的な關係の存在を問題とす

るところが無い。（岡松氏）(9)。

　では首狩に就いては統一的原理を見出すことは不可能であらうか、私はさうとは思はない。首狩が一の社會機能として存在する限り社會との間に一定の關係が存在しなければならない。一定の社會には一定の首狩の原理がある筈であり、様式がある筈である。假令或社會にとつて首狩が傳播によつて行はれる様になつたとしても、それが行はれて居る以上は一定の機能を營んで居る筈である。その機能と社會との間には一定の關係が無ければならない。故に首狩といふ社會機能の持つ意味乃至原理は見出され得ないものでは無い。此方面に問題を少しでも進めて見度いといふのが本論文の目的である。勿論起原の問題までも一擧に解決しようとするものでは無い。北ツォウ族なる一社會について、首狩が社會に對して持つ意味をやゝ精しく調べて見ようとするのである。その問題を解決するための好き暗示として同じくインドネシアンに屬するボルネオ、フイリッピン等の南方諸島住民の首狩についての諸家の說を參照することゝした。これは一々の事例の比較研究をなすためでは無い。社會型の異る社會の慣習をそのまゝ比較することは大きな危險を持つものである。唯、これによつて好き暗示を得、且獨斷に陷らないためである。

註

(1) 伊能嘉矩　生蕃の Head-hunting (臺灣通信第七回)・東京人類學會雜誌一二三號・三九九—三四〇頁・明治二十九年

(2) 伊能嘉矩　北部地方に在る生蕃の Head-hunting (首狩)(臺灣通信第十七回)・同誌一三五號・三四一—三四二頁・明治三十年

(3) 伊能嘉矩　臺灣に於ける蕃族の戰鬪習慣・同誌二二三號・七〇—七一頁・明治三十七年

(4) 伊能嘉矩　臺灣のツァリセン蕃族に行はるる頭顱狩り (Head-hunting) の習慣・同誌二八一號・四二一—四二二頁・明治四十二年

(5)(6) 森丑之助　臺灣蕃族志第一卷・三一五頁・大正六年

(7) 番族慣習調査報告書第四卷・二七八—二七九頁・大正七年

(8) 臺灣番族慣習研究第三卷・三三九—三四〇頁・大正十年

(9) 同書・三四三—三四四頁

二

英領北ボルネオに住むムルト族の首狩に關し、ラター Owen Rutter によれば、首狩は首を取つた個人並にその個人の屬する社會に幸福を與へるために行はれた。例へば個人に關するものでは、青年が大人に成るためには先づ首を馘つて來なければならない。これによつて戰士と認められ最初の入墨をいれることが許される。同様に首を持つて居れば戀人の愛を獲ることが出來、求婚に成功し易い。更に首を取られた本人の魂は首を取つた者の從者となつて彼世へ行くと信せられて居た。從て首を澤山持つて居る者程此世に於ても彼世に於ても仲間から多大の尊敬を受けることとなる。確に酋長が死んだ場合敵の首を取つて來たり奴隷を犧牲に供する習慣の奥には此觀念が横つて居たであらう。次に首狩は社會にとつても一定の利益を齎すものである。病氣や饑饉の際に災害を和げるためには首祭が必要であると考へられて居た。更に首狩と作物の刈入との關聯は非常に密接であつて恐らく穀物靈を慰めるためには人身供犧が必要だとされた古い觀念と密接に結び附いて居るものであらう。此穀物靈を慰めるといふのが首狩の最初の意味であつたことは疑ひ得ない。それが後になつてその意味を失つたものと思はれる。ウーレー氏よりの書信によれば嘗て有名な首狩者であつた二人の酋長は穀物と首狩との間の直接の關係を否定し一般に首狩の宗教的意味を認め無い。彼等は復讐の爲とか勇敢さを示す爲とか從て又女性の歡心を得る爲に首狩を行ふたと言つて居る。首狩は植付けの期間中は企てられず、それが終つから行はれるが其理由は仕事が餘り忙しい爲と畑で働いて居るところを復讐されない爲といふ實際上の必要から來て居るので別に宗教的な關係があるからでは無い。家を新築する場合にもその落成を祝ふために首を取る例は無いと酋長は主張して居た。事實上建築中は首狩は企てられない。併し落成すると首狩りに出掛ける。これは落成祝の重要な一環として行はれるのでは無く仕事が終れば首狩に行く暇が出來るのと復讐に備へる家も出來上つて居るからである。こうして見ると今日では植付や建築等の重要な仕事は首狩の如き一種の娯樂よりも重んぜられて先に行はれ、重要な仕事の最中に復讐をされないことが第一に慮られて居る樣である。(1)

サラワクの諸種族に就いてはロース Henry Ling Roth は諸家の説を引用して首狩の理由として或は勇氣を示す爲、或は穀物獲物の豐饒、女子の多産の爲、或は彼世へ從者を伴つて行く爲等色々の理由の可能なことを認め、更に女子の歡心を買ふことも主なる動機の一つであるとして居る。そして首が婚姻の爲に是非必要であるといふブルックの説をも援用して居る。(2)

同じくサラワクのカヤン族に就いてホーズ並にマクドゥガル Charles Hose and

William McDougall は二つの假說を擧げて居る。一は首狩が敵の頭髮を楯や刀の柄の飾にする目的の爲に行はれると爲すものであつて、必ずしも信じ得られないものでは無い。何となれば楯に畫いた人の顏を一層恐く見せる爲には之に髮を附け加へれば非常に有效だからである。けれども此說には難點がある。ケンヤー族やクレマンタン族では頭髮をこうゆう風に用ふる慣習が見られるがカヤン族にはかゝる慣習は存在して居ない。他の假說は、一般に此等の種族には酋長が死んだ場合に奴隷を殺して酋長の從者として彼世に行き奉仕を行はせる慣習があるが此慣習から首狩が生じたと爲すものである。それは、人間の魂はその人間が死んでも直ちに去るのでは無くしばらくは屍體の側を彷徨ふものであるから從者を派遣するのはそれ程急を要しない。それに奴隷は經濟的に價値の多いものであるからこれを殺すよりも敵を捕へて來て殺す方が得策とされる樣になる。かくて死者の親類は此最後の義務卽ち敵を捕へて來て殺す義務を果さない內は喪を解くことが出來ないと考へる樣になつたと思はれる。次いで敵を捕へて來て殺す代りに一層簡單な而も骨折りの少い方法卽ちその場で殺して首のみを持ち歸るといふ方法が採られる樣になるであらう。かように考へれば首狩及び喪を終る爲には首狩を必要とするといふ傳統的慣習の起原をやゝ正當に說明することが出來る樣に思はれる。カヤン、ケンヤー、クレマンタンの諸族では首を取つて來ると喪の對手である酋長の墓所へ持つて行きその上に懸けるか或は墓の中へ入れて棺の側に置くといふ事實が存在するが此事實は前述の假說を强く支持する樣に思はれる。それは、この目的の爲に用ひられる首は或種の木の葉で厚く覆はれる事實によつても一層裏書される樣である。此葉で覆ふのは最初は首が敵のであるのを隱す爲であつたであらう。家族奴隸の生命を犧牲に供することが最初慣習や信仰によつて要求されて居たのが後に敵のを代用する樣になつた爲これを隱す風習が生じたものであると考へられる。以上二つの假說を擧げたがこゝに說かれる二原因は相互に排斥し合ふものでは無く協力して働くものであると考へる。尙首狩は數世紀前カヤン族がボルネオに渡來した時に彼等によつて傳へられたものの樣である。クレマンタン族其他の種族はカヤン族から此方法を敎へられたものであらう。(3)

フィリピンのルゾン島ボントク地方のイゴロト族に關してはチェンクス Albert Ernest Jenks の說を擧げることが出來る。彼に據ればボントク・イゴロトではボルネオの種族程首狩が熱情的な欲求にはなつて居ない。首狩は戰の附隨的現象である。彼等にあつては首は婚姻に必要では無い。稻の結實收獲その他の農耕儀禮や健康の爲の儀式に於ても首は何等の役割をも占めて居ない。財産觀念にも影響を及ぼさないし、來世の生活にとつても關係は無い。首の主は來世で特殊な尊敬を受けるが取つた者に就いてはそうゆう事は行はれない。では何が故に首狩が存在するかと言へば、それは首狩が戰の一形態であるからである。彼等にとつては戰は普通の狀態であるから首狩は彼等にとつて必要なものとなつて居るのである。恐らく最初は斃れた敵が完全に死んだ事を確實にする最も好い方法として馘首が行はれたと考へるのも不合理な考へ方では無い。首はその種族の仲間に對して自分が「生命の借り」"debt of life"を支拂つて來たことを證據立てる最も好いものである。かくして首狩が行はれる樣になり異種族にも廣がる樣になつたものであらう。ボントクに於ては同樣な意味に於て自らの勇敢さを示すことも首狩の一要因になつて居る。子孫に活氣を與へようとする心持ちも此行爲に或影響を與へて居る。子孫は互に父祖の取つた首の數を誇りにして居て相手側を侮辱するには父親の取つた首數を少く言へば最も效果がある。又疑も無く彼等にあつては活動力の發散として首狩が行はれて居る。ボントクやサモキのイゴロトは首狩を以て危險の多いスポーツと考へて居る樣子がある。要するに首狩は戰の一形態と見るところに眞の意味を知ることが出來る。一般に他のマレー系諸種族にあつても、後に幾多の信仰が生じて首狩行爲を强めて居る間に此生命の借りを支拂ふといふ觀念以上の强い觀念となつて永續する樣になつたものであらうと考へられる。(4)

首狩を何等か統一的原理に結び附け樣と試みるのはハトン及びヴィルケンである。先づ前者ハトン J. H. Hutton は印度の東部アサム地方の慣習に就いて說いて居るのであつてその概略は次の如くである。

ホーズは其著「自然人」に於て首狩に關して二つの原因を擧げて居る。一は刀や衣服の裝飾として頭髮を得るため、二は死者について彼世に行く奴隸を得るためといふのであつてホーズは第二を重要視して居る。成程此種の觀念はアサムに於てはクキ族にも見られ、亦アホム族にも嘗て見ることが出來た。けれどもかゝる信仰の無い種族にも首狩が行はれて居り且その方が多い程である。從て大陸に於ては奴隸をつけてやるといふ觀念以外の原因に基いて居るものであらう。

そして墓に首を供へる慣習は葬儀の際に人身供犠をする民族が首狩族と接觸した結果被つた影響によるものである。首狩は獨立の祭儀の一部であつて血に飢えた結果でも無く彼世へ奴隷をつけてやる觀念とも無關係である。さてナガ・ヒルス地方の宗教は豐饒を祈る祭儀を中心として居る。農業の暦は穀物の成長を促す儀式によつて區劃されて居る。更に個人が社會的地位を得る爲に行ふ饗宴も繁殖を促すための儀式とこの人物の様に穀物や家畜が多くて饗宴を行ふことの出來る個人の繁殖力が村全體に傳はる樣にとてする呪術的儀禮がその中心をなして居る。穀物の豐穣或は家族の繁殖を促すには男根を象徴するものを建てるのであつて此地方でメンヒルを建てるのも起原は男根にある。コノマ族では稻田の中にメンヒルが建てゝある。けれどもこの呪術的男根が多産豐饒を確保する手段であるとしてもそれ自身は豐饒の原因では無い。豐饒の原因は死者の魂にあるとされて居るのである。この點はナガ族の死人に對する行事の内に好く現はれて居る。一般に木像は事實上男根物と同一の意味を持つて居て、この木像が含んで居るもの若くは含んで居ると嘗て信じられてゐたものが卽ち死者の魂であることはコンヤク族の村外れで行ふ儀式によつて明かにされて居る。彼等は死者のために木像を作り家族毎に村外れの小屋の内に入れる。その木像は頭の上に角様の突起物を持つて居るがこの突起物の上に頭蓋を載せ頭蓋の魂が木像に移る様にする。かくして頭蓋を除いて其木像に食物や其他のものを供へるのである。此族の或者は籠式の像や石を用ひその中に頭蓋を一時若くは永久に塡込んで置く習慣を持つて居る。アンガミ族は人が死ぬと穀物は實りが好くなるといふ言ひ傳へを持つて居る。レンマ族では水田用の池を像の前に掘る習慣があつて此池が滿ちると死者の子孫は金持ちになると言はれるのも死者の魂と穀物の豐穰と關係のあることを示すものである。更にカリヨ・ケンユ族では屍體は燻して種蒔を開始する儀式の日まで家の中に藏つて置き當日村中の屍體を集めて骨と肉とを切り離し骨は丁寧に數へて穀倉に藏ひ舟の形をした棺や肉片や屍體を掩た布は村外れの森の中の組末な小屋の中に捨てる。これは魂は燻製の屍體の壞はされるまで屍體の中に留つて居て壞はされると卽ち種蒔の日に土地に入り込んで穀物を豐穰にするのだといふことが十分に察せられる。一方穀倉に骨を置くのはその中の魂が穀物の中に溶け込み安住の場所を見出すことの出來る樣にする爲である。尙マーシャルに據ればブルマのカレン人は人の魂は氣體を含んだ卵若くは一種の蛹になると信じて居る。此蛹が裂けるとその內容は散つて田を豐にしてその穀物を食べた人や動物を通じて身體に入り精液の中に入つて人や動物を繁殖させる。

次に魂は頭に宿る、精しく言へば身體の他の部分よりも多く頭に宿るといふことが重大である。このことはアオ・ナガ族によつてはつきり言はれて居る。彼等は幼兒のおどりこの動きを以て魂の運動と見て居る。チャング・ナガ族によると欠の出るのは魂が夜寢た間に人體から出る、それまで待ち切れなくなつて口の中で踊るからであるといふことである。魂が頭にあるといふことは此地方に於て頭を神聖視する信仰があることからも察することが出來る。トダ族では男の頭髮の脂壺はその妻以外には觸れさせない。コンヤク・ナガ、チャング・ナガ、フォム・ナガ、シイン・チン、時にはクキ族でも頭だけを別に葬る習慣がある。身體は腐るまゝにして置き頭は壺或は石匣に入れるか或は崖の龕に秘かに入れて置く。又アンガミ族では酒を飲む場合に先づ一滴を飲手の魂のために額へ落す習慣があり、豹や虎の皮を楯の覆ひにする時にはその頭を下にする。これは持手の頭より上に動物の頭がある樣にすると持手を蹶かせ轉ばすことになるからである。又アンガミでは艾の葉を額に帖つて異邦人の惡靈或はマナの祟を逃れ様とする。アホム族の間ではヂャバに於ける樣に長上の前に坐る時には長上よりも頭を高く上げない。頭の中に魂が宿つて居ると云ふ觀念は人間の瞳の中に姿が小さく映るのから發生したものであらう。それは兎も角、魂が頭の中に宿つて居るといふ觀念はアサムやブルマには非常に多く見られるものであり、ナガ・ヒルスもその例外では無い。

かように魂は豐饒を促すものであり且それは頭の中に宿つて居る。であるとすれば、豐饒を促す靈質を必要とする場合それを得る方法は首を斬つて家へ持ち歸るといふことになるべきである。首狩の背後に此目的が存在して居ることは種々の例によつて知ることが出來る。例へばキグウェマのアンガミ族は天然痘の流行した時に首を二つ取つて來た。これは天然痘の靈に供犧する積りでなされたものでは無く、氏族の靈質に取つて來た靈質を加へて以て病に抗する力を增加する目的を持つて居たものであらう。それが供犧によつて代られる樣になるのは靈質の考へが失はれてからである。ナガ族の娘が首を取つて來ない若者と結婚することを嫌ふのは他から靈質を取つて來た者に比べれば繁殖力が弱く强い子供を生み得ないといふ考へに基くものであることは確の様である。首と穀物と關係のあることはブルマのワ族では首狩は穀物の芽を出した時に行はれその期間もはつきり決められて居て年中行事となつて居ることによつて知られる。魂が頭にあり又豐饒に關係のあるといふことは首の處理法によつて一層明かにされる。首を取つて來るとその首に向つてその親類を澤山連れて來てそれ等が再た首になる様に願ふ。首を取られた方ではその魂を自分の村の方に呼び戻して今後の危險を避け様とする。一九二三年チエタン族がサンプル族の首を二つ馘つた時にその死者の親類は死者の籠を村外れのチエタンに向いた傾斜地に懸けてサンプルの土地からその籠へ石を投げチエタンに居る魂をして郷里を思ひ出し歸つて來る様に誘ふた事實がある。アンガミ族では取つた首は最後には顏を下にして葬るが最初は村の神聖な石「キプチー」の上に載せ魂がそれに移る様にする。タンクル族では村の石を積み重ねたもの丶上に置く。コンヤク族では立石に縛り付けた竹竿に掲げるか或は石臺の上に置くが何れの場合にも小さな立石を一つづ丶首の爲に置いておく。最後に頭蓋を酋長の家か青年集會所に移す。或村では頭蓋は水牛の角一對で以て飾られるが恐らくこれは豐饒の象徴であらう。

首狩に以上の様な意味のあることは時々起る事件によつて確められる様に思はれる。それは味方の首を敵の手に渡すのを嫌つてそれを斬つて家へ歸る場合である。ナガ・ヒルス地方に起つた一例であるが、チャング族がフェンパク族を襲ふた時三十人の死者が出來た。すると味方の首を斬つて家へ持つて歸つたといふことである。併しボルネオのイバン族では味方の死者の首を斬るけれども少し離れたところへ埋めるといふ。

首狩に關して二三問題となるものがある。その一つは、首狩は穀物の豐穰を促すために靈質を得ることを目的とするものであるが、それが人身供犧に變化し得るといふことである。最初の動機が不明確になり忘れられる様になると人を殺すのは神に供犧するのだといふ觀念が發達して來る。從てナガ族の間に人身供犧の名殘りと見られるものがあつても敢えて驚くに當らない。例へばカチハ・ナガやロータス族には祭の時木像を槍で突く儀式があり、アンガミ族に於て牛や仔犬に人間の性質を與へて置いて殺す儀式がある。パトコイ山脈のブルマ側のコンヤク族では極く一部に尚人身供犧が殘つて居り、アサム側のラングパング・コンヤクでは英國官憲が接觸する樣になるまで殘つて居た。次に首狩の此原理は食人の風を說明すべき原理を暗示して居る。卽ち敵の肉を食ふことはその性質を自分のものにすることになるわけである。ナガ族には食人の風は存在しないが、「少し東の方、あの山を越へた向側にはその風がある」といふ樣な傳說は存在して居る。これと關聯して「敵の齒」と呼ばれる飾りが廣がつて居るのも多少重要視される。その飾りでは齒の代りに寶貝が用ひられて居る樣であるが、古い時代の宣敎師の報告して居るところによるとコンヤク族が實際敵の齒から作つた首飾をして居るのを見た由である。尙一八八〇年にコノマで英國の官吏が殺されてその肉が食はれたことがある。これは白人の肉はどんな味がするか試したといはれるが白人の性質を自己のものにするいふ觀念が果して無かつたであらうか。

以上述べて來た樣にアサムの首狩は一は魂は穀物その他の豐饒を齎すものであること、二には魂は頭に宿つて居るものであること、此二原理によつて說明出來るものであり、此地の首狩はまた東南アジア及びインドネシア更にメラネシア地方との首狩とも關聯するものである。(5)

次にヴィルケン G. A. Wilken は蘭領印度諸島の首狩を頭蓋崇拜及び供犧行爲に

結び付けて説明して居る。それに依れば、印度群島の住民の宗教は人間の眼に見えない而も自由に歩き廻はる多數の靈魂の崇拜から成り立つて居る。それ等の靈魂の中で死者の靈魂の崇拜が第一位にある。ニアス人は人間に三つの靈魂を認めて居るが、その第一のもの卽ちNoso(息)は永續しない、第二のもの卽ち影と同一視されて居るものは冥府卽ち地下の世界へ行つてしまふ、第三の心藏に居るNoso-dodoは地上に留つて蜘蛛の形をして居る。このノソ・ドドに超自然力を認めるのであつて、人の運命を手中に握つて居るので神と見做されて居る。次に死者崇拜の現はれの最も原始的なものは肖像を仲介物として使用する習慣である。先づ人々は木像を作りこの中にノソ・ドドを移し、この靈魂に何か願事のある時には常に此木像に一定の供物をして祈願するのである。死者崇拜の他の方法は身體的遺物を崇拜することである。この習慣は前者よりも一層古い樣にさへ見えるものである。先づ屍體を木乃伊にすることが試みられたがそれが困難なときには遺物を保存する樣になる。此信仰は靈魂の主要な宿り場と見做されて居る頭蓋についても成立する筈である。併し仲介物は靈魂の宿り場所として尊敬されるのでそれ自身・尊敬されるのでは無い。それでニアス人の場合でも木像に裂目が出來ると棄て新しいのを作らなければならないとされて居る。ところがこの仲介物なり遺物の意味が變化して靈魂と交渉する爲の手段ではなくなり自ら神的力を備へたものとされ、幸福を與へ禍を除く力のある呪符として尊敬される樣になる例が各民族に非常に多い。頭蓋についても同樣であつてこゝに頭蓋崇拜 deschedelvereeringが成立するのである。蘭領諸島に於ける此種の事例を見るに、先づニュー・ギネアのヘールフィンクス灣の種族では木像が用ひられるが身體的遺物も用ひられる。ヨビ(ヤペン)島その他ドレ灣の奥地に住む種族では全身を燻して木乃伊にする。恐らく靈魂崇拜の仲介物にしたものであらう。今日はこの方法は行はれず身體の一部特に頭蓋が保存される(全部の人間についてゞ無く長子についてのみ)。そして死後二三ヶ月經つて肉がすつかり落ちてから友人知己が集つて悲歌を歌ひ乍ら特別の木で作つた鼻と耳とを其頭につけ眼窠には圓い木の實の核を塡めて眼とする。それが濟んでから死者の爲に宴を張るがその時死者を代表するのは此頭蓋であつて頭頂には布を卷き顏は煤と石灰で色どられて客間の材木の上に置かれてある。これと同樣な例はモルッケン群島でもティモラウト群島でも見られる。但し後者の場合は靈魂は常に木像や頭蓋の中に居るのでは無く呼ばれた時に來るのであるといふ觀念を持つて居る。この場合の靈魂は死後靈魂の國へ行くものと同一である。更に頭蓋崇拜はブル島でもセラム島でも見られる。ダイヤク族では他の者に比べて死者の靈魂を崇拜する習慣は強くない。けれどもその痕跡は存在する。例へばサラワクのシー・ダイヤクでは勇士の屍體を掘り起してその骨を家へ持ち歸つたり近くの山の端に埋め守護神とする。頭蓋崇拜の行はれて居るものには尚ボルネオの東南バリト河及その支流パタイ河、カラウ河に沿ふて住んで居るオロ・マンヤン族がある。グラノフスキー氏によればシホンの土人はその名高い先祖の頭蓋を保存し護符として居る。オロ・マンヤン族の北及び東に住むオロ・ロアンガンとトゥンジュン・ダヤク族にも頭蓋を保存するる特別の方法がある。後者はそれを壺に入れて爐臺の上に置き、前者も複雜ではあるががほゞ同樣の手段を用ふる。これ等種族に就いては頭蓋崇拜の報告は無いが確に護符やその他として役立つたであらうと思はれる。スマトラのバタク族に就いても同樣なことが言へる。

以上頭蓋崇拜を以て祖先の靈魂崇拜の現はれとして觀て來たが、祖先の靈魂は子孫や友人の保護神となり得ると共に異邦人や敵に對しても保護神となり得るものである。從て頭蓋を獲ることに成功した者はこれに供物をして慰めた後は其靈魂を支配し自己の守護神とすることが出來る。この事實から首狩が說明出來るのである。勿論此觀念はすべてに明白に見られるわけでは無い。此觀念が失はれてしまつて自己の勇氣を示す爲にのみ行はれることがあるのである。首狩には二樣ある。一は始めから其積りで何人かを待伏せして暗打ちするもの、他は戰の時に斃れた者の首を取つて來るもので多くの種族は兩方行ひ極く僅かのものが後者のみを行つて居る。首を護符にするにはどの方法で取つた首でも同じである。ボルネオのダヤク族では前述の首狩の意味が明白に出て居る。ボルネオの東南に居るオロ・ガジュ族ではパンガントホと云ふのは護符を意味し非常に大切にして居る。これは獸骨とか魚骨、木片、石片から作られる外、屢々頭蓋を用ふる。或場合にはそれは血緣の頭蓋であるが、多くの場合グラノフスキー氏が言つて居る樣に首の特徴から見ると殺したものゝ胴から鋭い道具で切り取つた樣に見える。首狩によつて獲た頭蓋を護符に用ふる習慣はサラワクのシー・ダイヤクやランド・ダイヤクにも存する。シー・ダイヤクが海戰から歸つて來ると戰捷者の爲に祝ふと共に敵の首に對しても宴が張られる。首は椰子の葉で包んで壁に掛け數ヶ月間食事のときには祈を捧げ煙草を與へ色々持成す。セント・ジョーン氏に依るとランド・ダイヤクが首狩をする目的は稲が好く實り、森には獸が川には魚が滿ち溢れ、女子は子供を多く生む様にといふ爲である。これ等の目的は首狩と其後に行はれる饗宴によつて達せられると考へられて居る。この理由は容易に理解し得る。新しく得た首は古く得たものよりも守護靈を澤山持つて居る。そして守護靈は饗宴で受けた崇拜によつて氣持を好くして其の持主に幸福を與へるに違ひ無いからである。印度群島の他の住民に於ても此饗宴が見られる。これは首を取られた者の靈を慰めその友達にならうとするために行はれるのである。首を所有すれば其靈魂を支配し自己の守護神にすることが出來るといふ観念がスマトラのバタク族にある。從てバタクでは嘗て首狩が行はれたに違ひ無い。彼等に於て今日首狩に關する信仰の遺物として殘つて居るものは所謂パングルバランに就いての信仰である。これは護符であつて色々な物から作られるが最も大切な要素は首である。その首には戰に死んだ者或は特に護符を作るために殺した者の首が用ひられる。後の場合には七―十才位の親の無い男兒が用ひられる。その男兒を首まで地に埋めて胡椒や其他の刺戟物の粥だけ與へて水を飲ませずに置く。すると精神が非常に興奮して來るから其時に死んだ後は村人の守護神になるといふ約束をさせ、次いで口に鉛を流し込んで殺すのである。自然民族の觀念によれば死の瞬間の氣分が死後の魂の狀態を示すものである。平和に死んだ者の魂は怒りの狀態の中に死んだ者の魂よりも害の少い神靈となり從て又軍神としてはむかない。故に前述の子供を拷問するのは單に約束を強制するための手段では無く守護神として現はれる爲に必要な狀態を示させるためである。

かように頭蓋は護符として役立つ爲に人々は競つて之を獲んとする。併し特にそれを必要とする場合がある。それは新しい家を建てるとか移轉する場合であつて、かかる場合人身供犧をする例は各民族にある。印度群島にも此例はある。以前ミナハサのアルフール族では家を建てる時に大黑柱の下に子供或は前以つて取つて置いた首を埋めた。セラム島のアルフール族では集會所建設の時に新しく獲た首を大黑柱の前の穴に投込んだ。同樣な習慣がアンボン島、ウリアセル諸島ティモラウト諸島でも見られる。更にボルネオの西北部のダイヤク族たるミラナウ族にも、同じくボルネオのクタイ河の流域にも見られ、メンタウェイ島にも存在する。ジャバでもスマトラでも嘗ては此習慣があつたに違ひ無い。今日でもスンダネーゼン族の間では建築中の建物の礎に水牛・山羊或は鷄の頭を埋める。スマトラのランポン州でも頭蓋を埋める習慣のあることが報告されて居る。アンドレー氏によると一般に印度諸島では人の代りに動物を用ふる風習に變つて來たとのことである。前述のスンダネーゼンも其例であり、西北ボルネオのミラナウ族でも同樣の事實を見る。ダイヤク族やティモラウト島の住民に就いても同樣である。けれども、動物の靈魂も人間の靈魂と同樣に守護神となり得ることは注意しなければならない。この意味からミナハサのアルフール族に行はれる犬の供犧は解釋することが出來る。アルフール族自身も犬は非常に勇敢な動物であるから犬を供犧物として選ぶのであると言つて居る。同樣にマカサレンやブギネーゼン族で家を建てる時に犀鳥や鷄の頭を用ふる習慣は首狩には無關係に從て後者の代用としてゞは無く成立して居る樣に思はれないでも無い。この犀鳥は印度群島の住民の信仰生活の中で重要な役割を占めて居る。この鳥は非常に勇敢な鳥であつて多くの種族の間でその首のみならず像が人々特に軍人の護符或は家の守り神として用ひられて居る。

以上人身供犠從て首狩を頭蓋崇拝の現はれとしてのみ觀て來たが、併し乍らそれは嚴密な意味に於ての供犠(奉納)行爲 offerhandeling たり得るものである。例へば死者の埋葬の場合に好く見られる。死後の生活は自然民族の觀念に從へば此世の生活の連續である。死者は生きて居る者と同樣の要求を持つて居る。そこで遺族は死者に惱まされまいと思へば此要求を滿してやらねばならない。この考へから死者への奉納が起つた。先づ第一に人身供犠である。埋葬特に酋長や重要な人物が死んで埋める場合には奴隸を二三人殺して彼世へつけて奉仕をさせる。首狩も屢々こうゆう風な死者供犠となり得るものである。即ち頭蓋の持主はその靈魂を此世でその支配下に置くことが出來ると共に死後も奴隸として用ふることが出來る。オロ・ガジュ族、ボルネオの上部のダヤク族その他に於ては死者に靈魂を與へるためにわざわざ首狩に出掛ける。更にかように死者が彼世に旅立つときに召使となる靈魂をつけてやるためばかりで無く他の靈や神のために首狩が行はれる。故に嚴密な意味での供犠行爲である。例へば病人の代りとして死神に他人の魂を捧げる風習は歐洲の傳説に澤山あるが同樣の事實はフィリピンにもジァバにも存在して居た。ソロル島やバリ島の住民の間では疫病の時に首狩が行はれる。ボルネオのクタイ河流域のダヤク族では子供が生れたり或は水浴をする儀式(四・五才)の際に首狩が行はれる。それは子供は絶えず惡靈の附狙ふところとなるのでその代りとして他の生命を捧げるのである。同樣に成年になつた時結婚の時の首狩を說明することが出來る。彼等は新生涯に入るに當つて人身供犧によつて今後の神の保護を願ふのである。ところがそうゆう意味が忘れられて勇氣を示すとか女の歡心を買ふために行はれる樣になつて居る。要するにこの場合人身供犧從て首狩はそれによつて保護を得、危險を防ぐ手段である。この場合は殺された者の靈魂が守護神になるのではなく、それを神に捧げるのである。人々は其の神の惡い影響を恐れてゐるのであつてかゝる手段によつてその寬容を祈り逆にその助力を求めるわけである。

以上二樣の意味が首狩には見られるが一々の首狩がその內のどの觀念に基いてなされて居るものであるか必ずしも明瞭では無い。[6]

ヴィルケンの說は其後多くの學者によつて採用されて居る樣であるが之に對してフェルテンテン P. Vertenten はニユウ・ギネアのカヤカヤ族に就いて寧ろ前述のチェンクスに近い說を述べて居る。即ち彼に據れば、よく若者が妻を娶るためには首を取らねばならないと言はれるがカヤカヤに關する限りそうゆう事實は存し無い。またクロイトの書を讀んだ人々はカヤカヤ族にも彼のアニミスメの說を當て嵌め樣とする(7)、卽ち首の主の靈質を自己のものとし、その靈質を首の主の名前と共に自己の子供に傳へる爲に首狩に出掛けるとなすのである。併しカヤカヤ族自身は「首がとられるや否や魂は飛んで行つてしまふ。」anim-bake は最早人では無い」と主張して居る。思ふに、この首狩は彼等が絶えず戰爭狀態に在るところから生じたものである。彼等は何れも自己の領土を守らうとする。それには周圍の住民に恐怖を懷かせるより他に方法は無い。絶えず相手に對して攻擊が加へられるわけである。復讐心もそれに對して重要な役目を營んで居る。そして恐らく最初は敵を殺したといふ證據に又戰利品として首を持つて歸つたものであらう。此種族は親しい土地の名前を犬に與へたり、首狩に行つた土地の名前を豚に與へたりするから、首の主の名前を子供に與へるのも同じ意味からである。そうゆう子供の名前は父親の勇敢さを記憶する種となるわけである。この名前が本名となり、この名前を得ることが首狩遠征の主要目的となつたものと考へられる。從つて現在では、新しく獲た首を前にして何故に斬るのかと尋ねても誰でも唯 igiz nango=om name te hebben (名前を得るために)と答へるのみである。カヤカヤ族は幾つかの名前を持つて居て、トテムから得たもの、祭などに叫ばれる叫聲や惡口から得たもの、戰の時の叫聲その他から得たもの等あるが、本名は首の主の名前を用ひて居るのである。(8)

以上インドネシアを中心とする首狩族に就いて諸家の説を述べて來た。今や飜て高砂族の事例に就いて何等かの説明を加へなければならない。私は事例を北ツォウ族に求めることとした。既に數度の調査によつて其社會的背景をやゝ精しく知ることが出來たから首狩を社會的背景と關聯せしめて考察することが幾分でも可能であらうと思はれるからである。

註

(1) Owen Rutter; **The Pagans of North Borneo.** 1929, pp. 182 ff.

(2) Henry Ling Roth; The Natives of Sarawak and British North Borneo. 1896, Vol. II. pp. 140—163.

(3) Charles Hose and William McDougall; The Pagan Tribes of Borneo. 1912, pp. 187—190.

(4) Albert Ernest Jenks; The Bontoc Igorot. 1909, pp. 172—175.

(5) J. H. Hutton; The Significance of Head-Hunting in Assam (The Journal of the Royal Anthropological Institute of Great Britain and Ireland. Vol. LVIII, 1928, July-December, pp. 399-408)

(6) G. A. Wilken; Iets over de Schedelvereering bij de Volken van den Indischen Archipel. (Bijdragen tot de

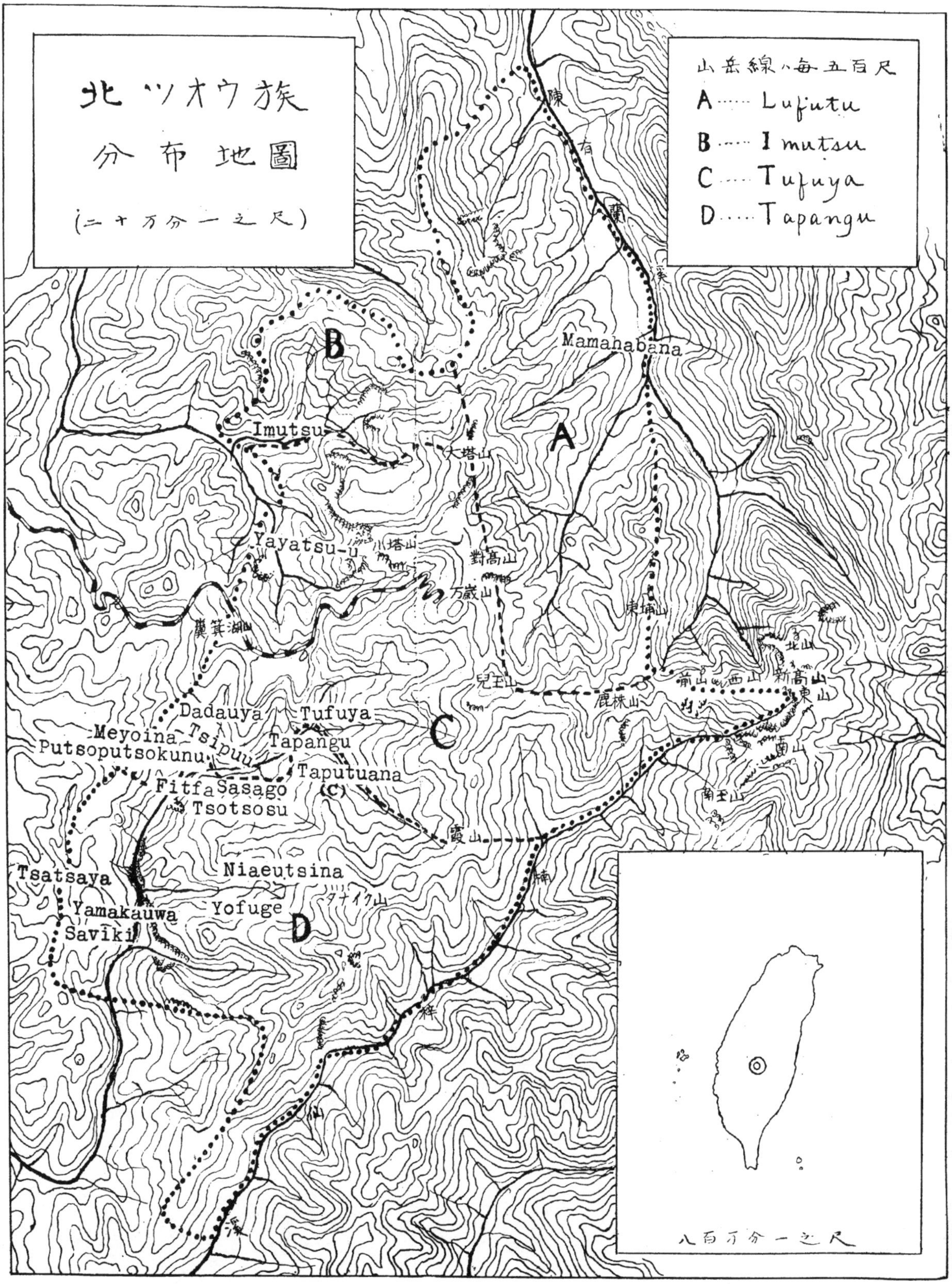

北ツオウ族
分布地圖
(二十万分一之尺)
山岳線ハ毎五百尺
A…… Lufutu
B…… Imutsu
C…… Tufuya
D…… Tapangu
陳
有
蘭
溪
Mamahabana
B
A
Imutsu
大塔山
Yayatsu-u
小塔山
對高山
万歳山
東埔山
北山
新高山
東山
前山
西山
兒玉山
鹿株山
南山
糞箕湖山
Dadauya
Tufuya
C
Meyoina
Tsipuu
Tapangu
Putsoputsokunu
Taputuana
(C)
Fitfa
Sasago
Tsotsosu
霞山
Tsatsaya
Niaeutsina
タナイク山
Yamakauwa
Yofuge
Saviki
D
八百万分一之尺

Taal-, Land- en Volkenkunde van Nederlandsch-Indië. 5e Volgr. IV. Blz. 89—129, 1889)

(7) こゝに言ふ Kruyt の書は Het Animisme in den Indischen Archipel. 1906 を指すに違ひ無い。 Encyclopaedie van Nederlandsch-Indië (Koppensnellen) に依れば Kruyt 自身は首狩に關しては敵を殺した證據に首を持つて歸るのが起原であらうといふ意見を述べて居るからである。そこに引かれて居る彼の首狩に關する論文 Het Koppensnellen der Toradja's van Midden-Celebes en zijne Beteekenis, (Verslagen en Mededeelingen der Kon. Ak. van Wetenschappen, Afd. Letterkunde, 4e Reeks, Deel III. 1899.) は見ることの出來なかつたのが殘念である。

(8) P. Vertenten; Het Koppensnellen in Zuid Nieuw-Guinea (Bijdragen tot de Taal-, Land- en Volkenkunde van Nederlandsch-Indië, Deel 79, 1923, Blz. 45—72.)

三

北ツォウ族はこゝ數年は首狩を行はない。併し現在の壯年男子は多くブヌン族と爭ひ首狩にも出掛けた經驗を持つて居るから普通言はれて居る樣な久しい間この風習を忘れて居る種族では無い。けれども首狩の實際を見もせずまた經驗もしない局外者に取つて此慣習の原理に近づき得る方法は、蕃人自身の說明從てまた口碑傳說を聞き、更に首狩に關係のある祭祀儀禮及信仰を觀察することであらうと思はれる。では彼等は如何なる理由に基いて首狩を行ふのであらうか。

トゥフャ族出身の矢多一生氏は首狩の理由として次のものを擧げて居る。

一、武勇を表はすため。

二、女子から馬鹿にされた際名譽回復の目的を以て。

三、粟の收穫を豐にする爲。

四、敵に對する復讐として。

五、子孫を繁殖させる爲。

六、惡いヒッ(靈)を拂ふ爲。

七、饑饉、流行病のあつた時それから免れる爲に。

八、獵場の爭ひから。

次に同じく首狩の彼等自身による說明である傳說としては如何なるものがあるかと言へば次の二つを擧げることが出來る。

第一のものはトゥフャ族タパグ族何れも殆ど變りは無いが、それによれば世界の大洪水のとき人々は新高山に難を避けて居た。其頃は未だ穀物は無く獸を狩りして食料として居たが或日犬を食はうとして之を殺し其首を斬つて戯れに竹竿の先に銜き刺し地上に建てたところ非常に面白かつた。猿ならば一層愉快であらうと之を殺して首を衝き刺して見るのに前よりも一層面白かつた、そこで八間の首ならばどうであらうかと當時非常に惡戲のひどい子供があつたので其子を殺して首を竹竿に衝き刺して見ると前にも增して興が多い。やがて水は次第に退いて元の世界が現はれて來たので各〻分れて麓に下つたが其時前に子供の首を斬つた面白さを忘れることが出來ず互に他社を犯して首を取る樣になつた。之が馘首の始めであるといふ。

第二の傳說はトゥフャ族から聞いたものであるが、新高山を下りた者の內阿里山の北方に最初に出て來たのはタクブヤナ族である。そこには將軍も多く呪術師も多く非常に戰に强かつた。ところが此種族で或時男の子供が急に行方不明になつたが何處を探しても居ないので遂に忘れるとも無く忘れてしまつた。當時首狩は始まつて居たもの丶果してハモ(天神)が喜んで居られるものかどうかに就いては確信は無かつた。然るに或日ハモからお告げがあつて暫くして汝等のところへ行くから集會所(クバ)で待てとのことだつたので一同御待ちして居ると、集會所の屋根を突き貫いて床板に落ちて來たのが首位の石であつた。次に槍が降つて來た。次には立派な若者が下りて來た。男の後からフィテウ(木斛)とフクオ(芙蓉の皮を赤く染めたもの)を結びつけた胸衣が落ちて來た。胸衣の中には生々しい血のついた首が入つて居た。そこで人々は始めて神は首を好んで居らるると いふことを了解した。そしてその若者は嘗て行方不明になつた男の子の成長したものであつた。それ以來その若者を將軍として愈首狩を激しく行ふ様になつたのである。

以上述べて來たところに據つては未だ何等の推論も下せない。理由として擧げられたものによつて首狩の行はれる個々の場合は知ることが出來る。また傳說では首と神との關係を仄かに暗示されて居る。併し其以上進むことが出來ない。そこで祭の儀式を通じて何者かを摑むことが出來ないであらうか。私は昨年の夏トゥフヤ社の所謂粟祭を直接見ることが出來、また前後の行事を彼等の記憶の新しい内に聞くことが出來た。今こゝに聞き得たところ並に見たところを記して見ることゝする。シモチヨンヌ(後述)までの行事はタパグ族のであり、それ以後はトゥフヤ族のであるが細いところの差異であるから此場合には差支え無いと考へる。

タパグ族では粟の熟した頃、水を汲む夢、肉を食べる夢等の吉夢を見たので(頭目)、その翌日から數へて五日目から祭に入るといふことを定めた。五日目に頭目家では衣類はすべて洗濯し、食器も洗ひ、家の中の煤を拂つて大掃除をした。その翌日は早朝豚を殺しその耳を斬つてこれを籐蔓で縛つて携へ頭目とヤパスヨグ・エ・ペオンシ(十三才の甥であつて、子供を連れて行くのは見習の意味である)の二人が日頃禁忌の杖をついて粟畑に出掛けた。(粟の神は常にかゝる杖をついて歩いて居ると云ふ。祭に入つてからは粟畑に行くときには必ず此杖を携へて轉ばぬ様にする。この際轉ぶことは粟の神を最も怒らせることになる。この杖はスホフ・ノ・ヴァエトンヌ粟の神の杖と名付けられ日頃は手に觸れることを禁じて居る)。粟畑にはポーカヤと言つて一間四方位の祭田に當るものがあり、中に小屋があつてその外側に茅が五六本立ててある。その茅には瓢簞を半分に割つたものを掛けて粟酒が入れてある。ポーカヤに着くと豚の耳を酒に漬けて二本の粟の上で廻はし口を鳴らし(プ・プ・プと唱へるのであつて酒や食物を神に捧げるときに用ふる小屋に來て居る粟の神ヴァエトンヌに一緒に家まで來らんことを求める。次いで粟の穂を二本刈り取つて小屋の中に茅を敷いたもの丶上に置き、粟の穂に附いた葉を一枚削いでそれを結び穂と一緒に置く。それ等を再び集めて籠の中に入れて家路に着いた。家の中には茅の莖を用ひて三尺四方に五寸間隔、高さは屋根までの閣様のものが作つてあるがこれを粟の神の家エモ・ノ・ヴァエトンヌと稱する。その中には長さ五寸幅三寸位に茅を編んで作つた小さな寢臺様のものヒフィ(寢臺のこともヒフィと言ふ)が置いてある。そのヒフィの上に持ち歸つた粟の穗を置き、豚肉と飯と酒とをトピョフ(プ・プ・プと言ふ口鳴らし)しながらエモ・ノ・ヴァエトンヌの側に差し出す。それが濟んでから家族一同酒を飲み豚を食べ(頭目のみ粟の神に捧げた酒を飲み他は別の酒を飲む)更に番社の者を集めて酒を飲んだ。この日の行事をモカヨと言ふ。翌日は何事もせず、その翌日はプカヨと言つて夜明に粟の穗を一本出して搗き家族の者が皆二三粒づゝ食べた。その翌日は粟畑に行つて粟畑の三ケ所から二本づゝ穗を取つて歸つて來た。穗についた葉はやはり結んで置く。取つて來た粟の籠はエモ・ノ・ヴァエトンヌのそばで下ろしその上で豚肉を廻はして後粟はヒフィの上に置く。(この行事もモカヨと言ふそうであるがトゥフヤではエヒオヤポと名付けて居る様である。こうゆう様な名稱は我々で使はれて居る様な抽象的な從て行事全體を表はす名稱では無く行事中の一の事項の普通名詞を言つて居る場合が多いからその點は注意しなければならない。エヒオヤポに就いては拙稿「未開社會に於ける集團諸形態の交錯」社會學第五號、南方土俗第二卷第四號を參照され度い。）その翌日は鹽を食べる日でヴォヌトスユと言ふ。その翌日から五日間は粟刈でタトオズと言はれる。粟刈が濟むと女達は粟を搗き酒作りにかゝつたが頭目家では粟三十把を酒にして大瓶一つを得た。次いでミョカイとて出獵を行ふのであるが、その途中タパグ社の東の山（その場所はスコカヤと呼ばれて居る）にスノイツァヴァとて茅二本をフクオで縛つたものを道の側に立て粟酒を注ぎ餅を載せ、アケマメオイ、ハモ、ポソスフィフィ等の神々を始め山豚や鹿の靈ピーピア（後述）に捧げてから獵に出掛けるのである。獵には主として大氏族（氏族關係に就いては前掲拙稿參照）を中心として分れて各大氏族の獵場に出掛けるのである。當時も大氏族若くは中氏族が中心となつて獵に從つた事實を示すものとして出獵したもの丶氏族關係を左に表として見る。

獵場	小氏族	出獵者	關係	獲物
Seihi 山	Peonsi 家	Tebusugu（同名２人）	中氏族	山羊一頭 猪一頭
		Pasuya （4）		
		Avai		
		Yapasuyogu		
		Wogu （頭目）		
	Niamoyeana 家	Yapusuyogu		
		Avai		
		Moo		
		Pasuya		
Tutuvuhu（水山）	Niauyogaua 家	Yavai （2）		猪一頭
		Voyu （2）		
		Yapusuyogu		
Pasana 山	Utsina 家	Moo （2）	中氏族	獲物なし
		Yusugu （2）		
		Voyu （2）		
		Yapusuyogu		
		Avai		
	Noatsatsiana	Tebusugu		
		Yapusuyogu		
		Pasuya （2）		
		Avai （2）		
		Moo （3）		
Huvoo 山	Yasiugu 家	Yapusuyogu	中氏族	鹿一頭
		Voyu		
		Faei		
		Pasuya		
		Wogu		
	Yasakiei 家	Moo		

山	家	構成員	氏族	獲物
Tooyuwana 山	Tosuku 家	Voyu Pasuya Atai Yapusuyogu Avai Moo	中氏族	鹿三頭
	Yakumaguna 家	Yapusuyogu Pasuya Iusugu Avai Faei		
Seihi 山の裏側	Tapagu (I) 家	Pasuya Moo (2) Yapusuyogu Avai Tebusugu	大氏族	獲物なし
	Tapagu (II) 家	Avai Pasuya Iusugu Voyu Faei Yapusuyogu		
	Yulunana 家	Yapusuyogu (2) Pasuya Voyu Wogu Avai		

頭目副頭目は二晩他は一晩泊つて歸つて來たが其の日は早朝女子が粟酒をスコカヤの地及び西から歸る者にはニアヴァイの地に置いておく。それを男達が歸途其處でスノイツァヴァを立て酒をアケマメオイ(地神)に捧げて自分達も飲んだ。番社に歸ると各自の家の獸骨部屋で其處の神(ヒツ・ノ・トヴォオフスヤ)に酒を捧げ獸の靈(ピーピア)を澤山呼び集めて呉れる樣に祈る。それが濟んで酒となつた。翌日はアアスヴ(畑を作るとき或は建物を建てるとき又は獵に就いて吉凶の夢を見るのを意味する)と言つて、朝、來年作るべき粟畑に茅を三尺位に切つたのを一二本立てゝ其附近の草を少し刈つて歸り其夜夢を見るのである。其前粟畑から歸るとスモカヨとて全社の蕃人が正裝してスコカヨの地に行きスノイツァヴァを立てゝ天神ハモにトピヨフ(酒を捧げる)し更にタパグ家でトピヨフを行ひ歸宅して酒を飲む。夜見る夢の吉凶及びそれによつて粟畑を變更する仕方に就いては此場合省略する。其翌日はミオスズとて各家に一人づゝ川に行き粟を木の葉に包んで茅の先を割つて挾みそれをアケツォエハ(河伯)に捧げる。ミオスズ後一週間經つてシモチヨンヌ(道路祭)であつたがその前にその祭(從て首祭)の食料を得るための獵(ミヤ・シモチヨンヌ)に出掛けた。この時には必ずしも大氏族の間柄の者だけで無く誰と組んでも又好きな處へ出掛けて好い。四晩泊つて來た者が最も長かつたが結果は全社で猪四頭、鹿三頭、山羊四頭の獲物であつた。愈々首祭の當日に入ると最初に行はれるのはシモチョンヌであつて早朝、男女共に獵に行く道を掃除する。それを終えて晝近くから首祭に入る。これから後をトゥフヤ族のを見たのであつて今其順序に從つて述べると、最初正装した男子は集會所に集り、フクオ(芙蓉の皮を赤く染めたもの)を身體、槍、刀に附ける。次にトパナと言つて茅を細く削つた小片二本づゝ持ち、續いて鐘を鳴らす。次には、その朝豫めヤタウユガナ、ペオンシ、ヤイシカナの三軒(嘗て最も强い將軍及び幕僚を出した家柄)が山から取つて來て袋に入れて集會所に藏して置いたフィテウ(木斛)を二本づゝ分配し祭の參加者は身體に着ける。木斛は最も神聖視される木で集會所の屋根の上及び入口の兩側に植えてあつて屋根の上は天神ハモの坐席となるものである。木斛を身體に着けるのは身體の汚を拂ふ意味と此日聖なる世界へ入ることの象徴とを含んで居るものであらう。祭が濟むと木斛はこれを首や首狩のときの祭器を入れる籠の中に指し入れるのである。フィテウの分配が終ると各自集會所の中央の爐で燃してあつた火のついた薪を持つて(大きな薪は數人で持つて)集會所前の庭の中央に積み重ねる。庭を聖化する意味を持つものであらう。火が聖化或は禁忌を解く手段として用ひられて居ることは後に女子が二人踊りに加はる際火を持つて來て中央に置くことによつて男女の禁忌が解けるのを見ても推察出來る。續いて一同槍を持つてヨノ(赤榕)の木の前で待つ内に頭目(同時に將軍)の妻が小豚を持つて來た之を槍で突き殺し血のついた槍をヨノに向けてポソンフィフィ神の降下を祈る。其聲は唸るが如く咆哮するが如く寒氣を覺えさせる聲である。出陣のときの聲と變らないと言ふ。直ちにヨノの木の枝打ちが始まる(寫眞第一圖は枝打ちを見つゝある社衆)。枝打ちの最中一方では小豚を料理して居るが其肉は祭の後老蕃のみが食べると言ふ(第二圖)。續いて男子のみの踊りが始まるが歌つて居るのは凱旋の歌である(第三圖)。踊り終つて茅の小片トパナをヨノの木と集會所に口を鳴らし乍ら刺し込むが第四圖は血をつけたトパナを以て神に祈るところである。マウタテ(幕僚)を出した家卽ちペオンシ、ヤイシ、カナ、トスク、ヤタウユガナ、アクソヤナ(ニヤホサの代り)、ユルナナから酒を集めその酒を首や祭器を入れる籠(スカユ)(スカユは第六圖參照)に捧げ、續いてフィテウを此等の家に分配させその使者の歸るのをヨノの木の側で待つて一同集會所で手を洗ふ。そのとき用ふる水を容れる器は

第　一　圖

第　二　圖

第　三　圖

第　四　圖

第　五　圖

第　六　圖

第　七　圖

第　八　圖

昔から用ひて居る竹筒でバケツ等の移入品は禁忌である。それから一同の家から酒を集めるが酒を持つて來た者が集會所に入らうとするとき薪を持つた二人がそれを薪で叩く眞似をする。今度は去年の祭から今までに生れた男兒を集會所の中に懷き上げる儀式をする。その次が成年式である（ヤスモユスク）。これは、少年達は顏を伏せて眠つた風をして居るのを一方では老蕃を始め一同が一人の音頭に從つて昔からの有名な首狩の物語を歌謠風に繰り返して居る。その最中を老蕃が少年を一人づゝ起して茅の莖で尻を叩いて今後の心構についての訓戒を加へ酒を始めて飮ませる。成年式が終ると一同床板を踏み鳴らし歌を歌つて屋根に來て居るハモ（天神）の昇天を送るのである。それから新しく青年になつた者を加へて踊を始めるがこのときアクワヌ・エ・ペオンシ（頭目の妻）とサユグ・エ・ヤイシカナの二人の女子が茅の炬火を持つて來て踊に加はつた。踊り終れば主として青年が前述のペオンシ、ヤイシカナ、ユルナナ、アクソイヤナ、トスク、ヤタウユガナの家を廻り、入口に出してある粟酒を指につけてトピヨフ（口を鳴し乍ら神に捧げる）する。最後のヤタウユガナの家の庭で各茅を取つて集會所に持ち歸り、集會所の中で東を向いて母方の氏族の者にその茅で身體を祓つてもらひ「愈〻夜が明けた」

と稱する。これで祭の儀式は終つたのであるが、その後は集會所の中では老蕃は青年達の不甲斐なさを足踏しながら奴鳴り、青年はまた老蕃の頑固さを同じく足踏しながら言ひ返す。一年中の惡事殊に女との問題を發かれるのもこのときである。角力（相手の背中を地につけなければ勝で無い）も行はれて居た。これ等は更に夜も行はれ、踊り（男女一同の）と酒に二夜は過ぎるのである。現在は禁じられて居るので行はないが、實際はヨノの木の前には首を置くと云ふことである。

以上の祭儀に於て最も注意すべきは豚を殺してその血をハモ並にポソンフィフィに捧げる行事である。明かにそれは動物供犠である。而も其處に置かれた首も同じく神に捧げられたものである。兩者の間に密接な關係を見ることが出來るであらう。豚の供犠は首狩と同じ意味を現はすものでは無いか、推察が許さるゝならば觀念上では首狩の再現をなして居るものでは無からうか。動物の供犠が首狩と同じ觀念を表現し得ると言ふことを裏書する樣に思はれるのは次の事實である。ツォウ族では殺した人間の頭蓋を大切に保存すると共に狩によつて得た動物の身體の一部、主として頭蓋を特別な場所に保存して居る。タパグ族では家の中の一定の場所（トヴォフスヤと言ふ）、トゥフャ族では住家の側に特別の家（フブと言ふ)を作つて其處に保存し女子には禁忌として居る。動物の保存する個所は猪は頭蓋、熊は顎、猿は下顎、鹿、山羊、羌は角、鳥(主として雉)は足である。更に人間の頭蓋を保存する青年集會所(第五圖タパグ族の集會所參照、第六圖はスカユに入れ屋根に下げたる頭蓋)は本社にのみ置かれるのであるが、支社では獸骨小屋を以て其代用をさせて居る事實は人と獸の頭蓋の間に密接な關係のあることを示すものであらう。第七圖はタパグ族の分社ニヤエウチナ社(地圖參照)の獸骨小屋で集會所の用をなすもの、第八圖は其内部に藏してある獸骨の一部を示すものである。更に狩獵は首狩と殆ど同じ樣に考へられて居る事實も大切である。殊に首祭の前に行ふミヨカイなる狩獵は嘗ては首狩をなしたと何人も言つて居たことから見れば動物を殺すことゝ人を殺すこととは非常に近い且相移動し得る觀念であると言ひ得られる。

首狩をかように供犧とするならば、如何なる意味の供犧であるか。供犧はモースの言ふが如く供犧物を通して聖なる世界と俗なる世界との交通を意味する。俗人は宗教的な力を受けて自己の擴大を感ずるのである。首狩によつて此社會が擴大を感ずることに就てニヤエウチナ社の呪術師ヤプスヨグ・エ・ヤクマガナの言葉は非常に暗示に富むものである。　勿論彼の神の説明には獨斷的な點もあるらしく一般にそう考へられて居るとは言へないが呪術師の解釋が非常に支配的な影響を與へることから言へば相當尊重すべきものであると思はれる。　彼によれば天に住む神即ちハモ、ポンソンフィフィ、イヤファフェオイはすべて親子の關係になつて居る。　ハモは塔山の上天に光り輝く家の中に住み、食物は糯米の香しい湯氣のみを食べて生きて居る。　男女二人で彼等は死ぬことが無く年老いれば脱皮してまた若返る。　その子供がポンソンフィフィであつて、その子供イヤファフェオイと共にハモよりやゝ低い天にフィテウの花に滿ちた住居に住んで居る。　この二神は即ち軍神であつてハモの命に據つて戰についていて行くが個人個人を助けて活動するのはイヤファフェオイである。　人の放つ弓の矢を敵まで持つて行つて胸に突き差すのも、刀を手傳つて敵を斬り斃すのもすべて彼である。　首を取つた場合それを人が下げて居ても實はイヤ、ファフェオイが持つて居るのである。　集會所に首を携へてポソンフィフィに渡し集會所の屋根に來て居るハモに見せるのもイヤファフェオイである。　この神神を見ることの出來ない者にとつては人が集會所に持ち歸りハモに見せて居る樣にしか思へないのである。　かような神々が子供を生む時には蕃社は非常な活氣を呈して來る殊にハモが男の子を生む時には然りである。而も子供の生れる時には人間の方でも將軍の現はれるときであり首狩の行はれんとするときである。最近は首狩が行はれないのでハモは全く子供を生まないと言ふ。天神に子供が殖える時は同時にまた人間の社會でも活氣に滿ち子供は殖え、穀物は實り、狩の獲物は殖える時である。呪術師のこの解釋は反面から見れば首狩は我々人間側の子供を殖やし活氣に滿たさしむると共に同時にそれは神の世界の繁榮を將來する手段である。取つて來た首(殺害を通して)を仲介として「神と人」即ち此社會が神秘的に擴大する狀態は供犧の特質ではあるまいか。首狩は社會の擴大のための供犧である。首を座としてこゝに集められた首の主のピピア(靈)は一方ではハモの食物となり、(首はハモの最も喜ぶ食物である)他方では新しく生れた蕃社の子供を活氣づける。首の主の名前が新しく生れた子供に與へられる例の多いのはそのピピアを子供のピピアに附加する意味である。更に首狩を再現する小豚の供犧によつて得た肉は老人が食べることによつて生命の復活となる。神の木ヨノの枝打ちは新しきものゝ誕生を意味することゝ解し得らるゝであらう。

註　供犧に關しては、既にユベールとモースが印度教の聖典と舊約聖書とに基いて精細に供犧の種々なる型を研究し、供犧を以て「供犧物を仲介として卽ち儀式の最中に破壞される供犧物を仲介として聖なる世界と俗なる世界とが交通することを可能ならしめる手順である」となして居る。俗人が何が故に神、に近くかと言へばそれはそこに生命の源泉を認めるからである。では何が故に直接に近づかずして仲介物を通して近くのであるか、それは、宗教的力が同時に生命力の原理であるとすれば、俗人がそれに直接に觸れることは恐ろしいことである。殊に一定の強度に達すれば宗教力はそれの集中したものをして破壞せねば止まないからである。從て供犧者と神との間に仲介物が存在し、供犧者の身代りとなるのである、これが供犧物である。奉納の場合よりも、より以上の強度を持つた宗教力との交涉に於ては俗の世界に復歸するには仲介物無くしては不可能である。

供犧は社會的事物卽ち聖なる物に關係するが故に社會的機能を營むものである。宗教的觀念は信者にとつては嚴然たる客觀的存在物而も個人の外にある社會的存在物である。供犧の社會的機能には社會的力を增大する方面と個人の受ける便益の方面との二方面が存する。先づ個人又は集團は自己の所有權を放棄することによつて社會的力を增大する。それは社會が供犧の材料となる物品を要求するのでは無く、觀念的意味に於てである。すべての供犧に見られる自己放棄は個人意識をして集團意識の存在を思ひ起こさせる。供犧の種々相たる償ひ、淸め、合一、集團の聖化、町の守護神の創造等は神の姿をとつた集團に對して善良な、强力な、壯嚴な、近より難い性格取りも直さず社會的人格の本質的な特長を附與し或は再生させるものである。他方個人の側からも見ても一定の便益が與へられる。個人は自己及びその近くにある物に社會的力を附與することが出來る。彼等は自己の行爲に社會的權威を附與することが出來るのである。同時に個人は供犧によつて混亂した平衡關係を建直することが出來る。例へば償ひの供犧によつて過失の結果である社會的呪咀を償ひ、社會の中に再び入ることが出來る。更に社會は單に人間のみから成つて居るのでは無く事物や事件からも成つて居るから、供犧は人間生活と自然のリズムに從ひ且それを再生させて行くものである。供犧は自然現象を利用するために週期的となつたり人間の折々の要求と同樣に不定期になつたりする。(1)要するに供犧を以て社會的力の增大の手段と見るところに此説の重點が存在する。

ところが此説の重點の一つとなつて居る殺害破壞が決して供犧の本質をなすものでは無いと主張するのがシュミットの説である。彼によれば、すべて事實を問題とする以上は人種學的事實の年代を決定することが先づ必要である。從來の研究はこの點を怠つて居る。個々の要素を孤立させその原始性の程度を問題とすると言ふ仕方では無く、文化をその全體性に於て把へるためには文化圈を設定しなければならない。從て供犧の人種學的年代を知るためにはその内在的特質を評價するに止つてはならない。その供犧を構成要素とする文化圈が如何なるものであるかを決定しなければならない。かくて供犧の本質や起原を知るために最も重要なことは文化を原始文化と第一次文化とに分つことである。簡單に言へば原始文化とは狩獵、及び植物質蒐集を主とするもの第一次文化圈は牧畜(狩獵の完成)若くは原始的農業を行ふものである。そこで原始文化圈に於ける供犧の特質について考察するに、

一、最も古い文化にも眞の供犧が存する。且死者祭祀の無いところ、又呪術が優盛で無いところ、更にトテミスムの全く存しないところにも存在する。して見ると供犧をトテミスムに結び付けたり、呪術、死者祭祀に結び付けたりする説も、また供犧を以て比較的近代のものと見る説

も共に誤りである。

二、すべてのピグミー圏には供犠としては初穂の供犠しか存在しない(一つの例外を除き)。

三、初穂の供犠の特質は、それが至上神への獻上といふことを示して居る。その獻上はその神の最高支配を認め且神が彼等に生命を與へ生命を維持するための生物を與へてくれたのに對する感謝を示すためである。

四、ピグミー以外の原始文化圏卽ち、アイヌ、ギリアク、チュクチ、コリアクでもやはり最高神を認めこれに供犠を行ふ。けれどもこれがすべて初穂の供犠と言ふわけでは無い。

五、オーストラリアでは供犠が存在して居ないのは奇妙である。これはブーメラン文化と言はれる一層新しい文化が重り合つたためであつて、最高神が氏族の祖先と混同されてしまつて最高神への供犠が全然無くなるか、極めて稀になつたのである。

かく言ふと反問が生ずるであらう。「原始文化圏に於ける初穂の獻上は果して供犠と言へるであらうか、それは單に奉獻では無いか卽ち破壞が伴はないでは無いか」と言ふかも知れない。けれども供犠に破壞は本質的なものでは無い。蒐集經濟の文化圏に於ては自然に生じたものゝ初穂を獻ずるのが主であつて、動物を獻ずる場合でも屠殺は供犠の一部を構成して居ない。狩をすることはあくまで俗的な目的を持つもので本來の供犠は狩で殺された獲物の一部を獻ずるところから始まるのである。若し獻上物が燒かれることがあつてもそれは後にアニミズムの影響を受けて靈を解放して神に達せしめると言ふ觀念が生じたのによる。獻上の前に殺すこと、及び後に共食することはやはり俗的なもので供犠の一部では無い。かく供犠の本質に破壞を認めることは出來ない。供犠と生命の觀念との間に密接な關係のあることを主張する。

原始文化にあつては生物のみを神に捧げる。從て人身供犧の如きものは存在しない。ところが第一次文化になると變化が生じて來た。先づ最も惡い影響はトテム文化である。供犧は元來最高人格に對して爲され尊敬畏敬懇願の精神を以てなされるのに對し、トテミスムの如く呪術の觀念の滲み居るものにあつては呪術は物に向ふのである。卽ち物の神秘力を引き出さうとする。こうゆうところでは奉獻は呪術儀禮といふ仲介によつて行ふ暴力行爲になる。母權文化圈に於ては死人への供犧が優盛となつて居る。彼等は死人にも武器や道具をつけてやるからこゝでは生物以外のものが神への供犧の中に入る樣になつた。遊牧民の文化圈と他の文化圈と交錯するとそこに奴隷制が始まる。そして死人につけてやるために奴隷を供犧する。これは又人身供犧に機會を與へる一原因であつた。他の原因は母權文化圈の內に存する人肉嗜食が卽ちこれである。第三の原因はトテム呪術圈と農耕母權圈との交錯である。それは動物や植物の繁殖の神として人を用ひこれを殺して人や動植物を繁殖せしめる。人身供犧はこれ等のものから出て來るがそれが特に發達するのは遊牧文化圈或はそれの影響の強い地方に於てゞある。初生兒の供犧は後者に於て盛んである。併し人身供犧、初生兒を供犧するのは遊牧圈の發明では無く他との交錯によるものである。何となれば人肉嗜食は彼等にはないからである。(2)

これと同樣に供犧の本質を最高神の存在とこれへの感謝の情の表現に求めるのはヴンデルレである。(3)

尙シュミットは首狩に關しては、インドネシア及び太平洋諸島を含む自由母權文化圈に見る宗敎たる頭蓋崇拜に結び付けて居る。(4) 恐らくヴィルケンに據るものであらう。

かく見て來ると、首狩を供犧となすことには色々な難點がある樣に見える。首狩には人身供犧に見る樣な宗教的力の集中そして解放(モース)といふことが式の進行中には行はれない。けれども殺害といふ事實が時間的に場所的に離れて居る以外には供犧の特質を備へて居るものと思はれる。更にヴィルケン或はハトンの説くが如き頭蓋崇拜を離れては首狩を考へ得ない樣に思はれるが、そして後述する樣に、その形跡は見えるけれども、供犧といふ社會的機能を果すところに首狩の存在理由はあると考へられる。

(1) **H. Hubert et M. Mauss; Essai sur le Nature et la Fonction du Sacrifice** (Mélanges d'Histore des **Religions** pp. 1—130.)

(2) R. P. W. Schmidt; Notions Générales sur le Sacrifice dans les Cycles Culturels (Semaine D'Ethnologie Religieuse IIIe session, 1922, pp. 229—241)

(3) Georg Wunderle; Zur Psychologie des Opfers (〃 pp. 244—258)

(4) W. Schmidt und W. Koppers; Gesellschaft und Wirtschaft der Völker, 1924, SS. 94—95.

四

以上に於て私は首狩を以て供犧の一種而も特殊な型であると見た。その目的とするところは社會の精神的擴大である。社會の擴大は彼等にあつて神、人、動植物の擴大と考へられて居ることは前述の如くである。社會の擴大卽ち集團精神の充實高揚は自然の脅威を絶えず受け周圍の敵に常に備へなければならない彼等にあつては我々以上に必要である。首狩は集團精神擴大の手段である。此見地に立つて見るとき前節に於て述べた首狩に出る個々の場合が說明出來る樣に思はれる。第一の武勇を誇ることは社會に對する奉仕の反面である。首を取つて來ることによつて集團の擴大に資することの出來た者が社會的賞讚を受くるのは當然のことである。第二の女子の嘲笑を受くる場合とは多く婚姻を申込んで首狩をした事の無いのを嘲けらるゝ場合であらう。首狩によつて社會的承認を得、更に新しき家族社會生活が多產によつて惠まれるのを祈る意味も含まれて居ると思はれる。第三の粟の豐穰はハトンの說くが如き靈魂が地下に入るといふ觀念を待たずとも供犧による神人の神秘的擴大によつて到達され得るものであらう。第四の敵に對する復讐は損はれた集團精神の自然的發動である。第五の子孫の繁殖は說明を要しまい。第六の惡い靈は保護靈に活氣を與へることによつて追ひ拂ふことが出來るであらうし、第七の流行病の惡靈を追ひ拂ふのはポソンフィフィの仕事であるから首狩によつてその加護を祈るのである。第八はいはば戰であるから首狩はその結果として現はれるのである。

かくて一應は首狩の原理が明かにされた樣に見える。併しそれは首狩の社會的機能に就てであつて其起原に就いてでは無い。ヴィルケンの說くが如き靈魂が頭を宿り場所とする思想はツォウ族には見られない。ツォウ族に於ては靈魂に二樣あることを認めて居る。一つはフジョーと言ひ身體の中心にあつて身體を離れない。死後は塔山に行くと考へられて居る。他はピーピアと言ひ身體の外部にあつて人を導いて行くがそれは丁度母親が子供の手を引張つて行く樣なもので人の行爲はすべてピーピアの導きによるわけである。ピーピアはまた人の睡眠中彷徨して歩くがそれが夢である。ピーピアは人の死後ヒッとなり蕃社を彷徨する。かように何れの靈も頭を宿り場としない。從て頭蓋崇拜若くは頭蓋の供犧と首狩とを直接に結び付けることは出來ない。併し首狩によつて得るものはピーピアであり、敵のピーピアは首によつて呼び寄せることが出來るといふ觀念や、狩獵によつて得た動物の主として頭蓋を藏すればそれが更に多くのピーピアを呼び集めることが出來ると考へて居るのを見れば靈魂(寧ろ神秘的な力)と頭蓋との間に連絡がありそうに見える。併しそれは推測に留るものである。且、かようなアニミスティックな觀念が前面に出て來ない程人格的神の觀念が强くなつて居る。頭蓋を取ることによつてピーピアを支配するといふ考への前に天神に捧げるといふ觀念が現はれて來る。けれども頭蓋に酒食を供してピーピアを饗應することや、勇敢な首の主の名前を新しく生れた兒の名前にすること等から見れば首と靈魂との關係は全く無視することは出來ない。

要するに起原の問題は性急に解釋さるべき問題では無く今後あらゆる方面から一歩一歩進んで行かねばならないものである。（一九三四・一・九・

挿入した地圖は土俗學教室の西東重義氏に作つて戴いたものである。記して感謝の意を表する次第である。

教育學の課題

近藤壽治

目　次

第一節　教授學の發展

一

人間の存在する所には時の古今、洋の東西を論ぜず教育の事實が行はれて居る。それ故にクリークが「教育は言語、宗教、法律、藝術、經濟等と同じく、人間共同生活の原始的機能であり、精神生活に於ける共同作爲の根源作用である(一)」と言つて居ることは正しい。「若し人類の文化がある段階に於て底止するならば、それは取りも直さず人類の死滅を物語るものであらう。だがしかし人類は現に死滅することなく依然として存續して居る。それは教育及び教授が次代から次代へとこれ等の人類文化を傳達し、增大して須臾も止むことなき爲めである(二)。」

即ち教育は社會の中に不斷に行はれる自然的過程であつて、社會はその無數の姿に於ける生活によつて自然に無意識に作用する(三)」ものであり、それは人間精神の根本機能としての一の事實「Tatsache である(四)。」かの學校教育とか具案的計劃的な教育は、かゝる人間の本質としての機能を基として之を完成するための意識的施設である。

故に學校教育——普通に教育と呼ばれるものは教育作用の根本的な第一の層ではない。そのことは「未開時代の教育史」上にも窺ひ知ることが出來る。人間は學校教育を有つ以前にも矢張り何等かの意味の教育を有つて居たのである(五)。」つまり學校教育はこの根源作用を反省し思索して計畫的に組織し、具案的に教授する教育上の一機關である(六)」

カントが彼の教育學 Über Pädagogik に「人間は教育せられねばならぬ唯一の被造物である(七)」とか「人間は教育によつてのみ人間となり得る(八)」と言つて居るのもこの意味であらう。或はペスタロッチーは「生活は陶冶する(九)」,,das Leben bildet`` とも言つて居る。

而して人間の生活は文化を創造する。教育はかゝる文化を傳達し、發展せしむる作用であるとも言はれる。ヨハンゼンは「文化のある所、そこにのみ教育は存し、同時に教育のあるところ、そこにのみ到る處文化について意味深く語ることが出來る(一〇)」とも言ふ。實に文化と教育とは密接不離の關係にあるものである。

從つて各〻の文化と同樣に教育なる文化領域も人間生活の根源作用であるにも拘らず、人間は永くこの事實を無視して、却つて教育は各〻の文化を發展せしむる爲の技術であると見なし來つたのである。

ギリシャにあつても敎育者 Sophists は當時將に實現せむとする共和政治的思潮に從つて一般市民に對し政治的「德」を敎ふる技術者を以て自ら任じた。プロタゴラスは人間は萬物の尺度なりと言ふ。そのことは眞理の個人的であつて、普遍的客觀的でないことを意味する。從つて市民的德は眞理を語ることでなしに知慧を有つことであり、他人を說服することである。敎育は正に他人を說服して自己の政治壇上に於ける地位を獲得する方法を敎授する一種の技術であつた。

プラトンの敎育意見は彼の對話篇 Dialogue 中の「國家」に於て述べられて居る。その意味する所は敎育の目的は彼の國家哲學によつて與へられたるものと考へたからである。(一一) 蓋しプラトンの國家は正義を目的とする人間の團體である。而して各人は各〻特殊の技能、才智を有するが故にこれに適する職業的訓練を施し、以て國家の目的に從つて人間を陶冶することが敎育なのである。」(一二)

アリストテレスの敎育意見が彼の著 Politika の中に述べられて居るのも同樣な見解である。(一三) 賢者ソクラテスが「自身に關することは一切これを顧みず、多年の間、家事の荒廢を平然傍觀してたゞアテナイ青年のために盡した」(一四)ものは道德的な國家市民を作ることであつた。

彼の敎育敎授は對話法 Dialektikê によつて先づ人々が有する知識の矛盾と撞着とを反省せしめ、普遍なる概念によつて眞知を得さしむる反語法 Eironeia を用ひた。これによつて各自は自覺 Selbstbewusstsein 乃至自己認識 Selbsterkenntnis に達する。故にこれは各自を覺醒せしむる激勵法 Protreptikê でもある。

歸する所は人間を自覺に導き、自覺によつて正しき認識に到達せしめ、知ることによつて行はしめんとするにある。かくてギリシャの敎育——延いてローマの敎育は政治的生活を以て敎育の目的となし、政治團體の一員としての德は敎育なる技術即ち辯論術 Disputierkunst によつて授けられることを信じて居た。而して先づ知ることによつて實行せしめんとしたのである。

プラトンも「善を知るものはこれを實行する。善を行はざるものは善を知らない。即ち善惡に關する正しき見解を有たないからである。德は一つの知識であり、又一種の測量術でもある」と言ひ。(一五) プロタゴラスは「知慧は德の部分でも最も大なるものである」と言ふ。(一六) 從つて「德は敎ふべきものであり、その方法は敎育である」(一七)と見做され、これ以後の敎育に關する研究は專ら敎授術 Didaktik として發達したのである。而もその技術は内に論理的正確を陶冶し、外に雄辯の術を練ることである。

ローマの教育者シセロが「雄辯論」De Oratore を著し、雄辯に付ての研究を發表し、クインチリアーヌスが「雄辯教授論」De institutione Oratoria を著して當時最も重視された雄辯の教授法についてシセロ以來の諸説を組織し大成したのもこの意味に外ならぬ。

要するにギリシヤ、ローマ時代に於ては教育は一種の技術であるとされて居た。然るにアリストテレスは「技術は經驗よりも優つて居るが科學よりも劣つたものである。何となれば科學は事物に對する原因 aitia 卽ち「何故と言ふこと」to dioti を知るに對して技術は之を缺ぐからである」（一八）と言ふ。洵に教育學が科學として自立せんとするならば須らく技術の域を脱して、人間の本源作用である所の教育事實に對する理解と其窮極原因 prōta aitia 及び原理 archai を研究し把捉することでなければならぬ。これこそ私が教育學の課題として試みんとする所のものである。然るに此試みは十九世紀に至るまで敢て企てられなかつたし、今日猶課題として殘されて居る。哲學が時代の子であると同樣に教育學も時代の子であり社會の子である。これが時代と民族とを異にし如何に發展し來つたか、そして我々にあつては如何に組織されねばならぬかの解答に向つて進むことゝする。

(一) Krieck, E. : Erziehungsphilosophie, 1930, S. 18.

(二) Natorp, P. : Philosophie und Pädagogik, 2. Auflage, 1923, S. 1f.

(三) Petersen, P. : Der Ursprung der Pädagogik, 1931, S. 6.

(四) Krieck, E. : Philosophie der Erziehung, 1922, S. 10f.

(五) Vgl. ditto S. 13.

(六) ditto S. 11.

(七) Kant, I.: Über Pädagogik, Taschenausgaben der philosophischen Bibliothek, S. 5.

(八) ditto S. 7.

(九) Pestalozzi, J. F.: -Schwanengesang, Pestalozzis Ausgewählte Werke, herausgegeben von Friebrich Mann, 4. Bd. 1926, S. 201.

(十) Johannsen, H. J.: Kulturbegriff und Erziehuugswissenschaft, 1925, S. 67.

(十一) Rein, Wilh.: Pädagogik in systematischer Darstellung, 3. Auflage, 1927, 1. Bd. S. 48.

(十二) Vgl. Platon's Werke von Schleiermacher, 6. Bd. 1828, S. 153ff.

(十三) *cf.* Aristoteles' Politics, Translated by B. Jowett, Oxford University Press, 1926, P. 300f.

(十四) Platon: Des Sokrates Vertheidigung Platon's Werke Von Schleiermacher, 2. Bd. 1818, S. 212.

(十五) Platon : Protagoras, Platon's Werke von Schleiermacher, I. Bd. 1817, S. 258.

(十六) ditto S. 267.

(十七) ditto S. 258

(十八) *cf.* Aristoteles : Metaphysics, a revised text by W. D. Ross, VoL. I. P. 114.

二

ギリシャの敎育が現世に於ける政治生活を以て目的となし文法、修辭學、論理學、哲學等の學習を以てその陶冶内容としたのに對し中世期に於ける敎育は基督敎の宗敎的敎義によつてその目的を規定した。

中世期全體を通じて基督敎の敎義は人間の原罪說である。(一) 人間は人祖によつて犯せる罪の爲めに現世に墮在する。(二) 人間は自らの自由により神の定め給ひし自由を否定することに依つて却つて自分自身に撥き反され、その結果心身に苦惱を導き入れたのである。

「もし欲しさへするならば何等の困難なしに爲し得た時に」(三)それを善用することを欲しなかつたが爲めにその能力を失ふと言ふことは罪の最も正しき罰である。卽ち何が善であるかを正しく知つて居りながら、それを爲さぬ人は何が善であるかを知る能力を失ふに至る。かくて實に無知と困難とは罪を犯せる凡ゆる魂の二つの罰である。

併しながら神は人間の罪の結果たる惡をもなほその全能の力によつて善に變へることに依つて創造の秩序と美とを示す。(四) かくして自然に於ける惡はそのまま善となるのでなしに、一度は罪の結果として正しく惡と言ふ現實的な否定の措定を受け、この否定を通して人間はこれを罰として受取ることによつて神の善は顯はにされ、より高き立場に於て否定は再び肯定にまで止揚される。この事のためには罪ある人間が神の恩寵によつて義人とされると言ふ信仰がなければならぬ。

「神によつて赦罪され、義と認められたる者のみ、自然に於ける惡が何であるかを知り、これに amen なる承認を與へ得るのである」(五)とする。斯の如き救濟は凡ゆる人間活動の停止であり、凡ゆる人間的努力の彼岸である。若し然らざれば恩寵でなくして功績であり、信仰でなくして業である。しかし人間――罪を負へるものには功績や業を語ることは無知の傲慢でなくて何であらう。(六)

救濟は我が爲めに十字架にかゝり、死して甦り給へる神の獨り子、イエス・キリストを信ずることによつて可能なのである。

信仰とはクリストにありて生きることであり、それは全き生の變革を意味する。古き人 vetus homo は彼の死と共に死し、新らしき人 novus homo が彼の甦りと共に生れ出で、恩寵による第二の創造が行はれ、新らしき人はクリストの中に生長するのである。(七)

それ故に中世にあつては人間の自然的性質より生ずる欲望を卑しみ、「貪欲は凡ゆる惡の根源である」(八)とする。 從つて自然的欲望を離脱することを以て教育の任務と考へたのである。

その子を愛するものは、常にその子を鞭の下に置く、そは彼がその後、子についての喜樂を受けんが爲めなり。(九)

鞭を加へざる者は其の子を憎むなり。 子を愛する者はしきりに之をいましむ。(一〇)

汝の子を懲せ、さらば汝を安からしめ、また汝の心に喜樂を與へん。(一一)

是等の猶太教的教育法がクリスト教にも亦適用せらるゝに至つた。 其結果ギリシヤ、ローマ的教育とは全然反對に雄辯を排し、沈默を尊び體育を拒否して默禱を捧げ、國家生活を卑しみ只管「神を敬ふことは凡ての事に益あり、今生及び來生に係る約束を得る」(一三)とする所謂基督教的完全 Christliche Vollkommenheit に達することを願つたのである。

此に於ては神に從順であり、畏敬すべきことを教へ、一切の教授內容は教會の教義によつて支配せられて居た。宗教改革時代にルターが「獨逸各市の議員に宛て基督教的學校を興すべきことを諭すの書」Sendschreiben an die Ratsherrn und Obligkeiten deutscher Städte, dass sie Schulen einrichten und unterhalten sollen, 1524 を公にし、ツウィングーが「如何にして兒童に基督教的教育を授くべきか Quo pacto ingenui adolescentes formandi sint を著し、或はカルヴィンが「基督教の教育」Christianae Religionis Institutio を發表したるが如き、何れも學問ある信仰者 Pietas literata を養成するにあつたのである。

要するに中世期の教育は宗教によつて目的を規定せられて、宗教的行事を教ふることによつて其任務を達成すべき技術であると考へられた「洗禮の爲めの豫備施設」(三) ,, Organisation der Erziehung als der Vorbereitung zur Taufe.“ に過ぎなかつた。

(一) ロマ書　第七章第十六節――第二十三節　參照
(二) 創世記　第三章　參照
(三) 同上　第一章第二十七節以下第二章　參照

(四) cf. St. Augustine: Confessions, Translated and annotated by J. G. Pilkington, 1927, P. 150f.
(五) ロマ書　第八章第一節 —— 第十節　參照
(六) cf. St. Augustine: Confessions, P. 146.
(七) ロマ書　第六章第十五節 —— 第二十三節　參照
(八) テモテ前書　第二章及第三章　參照
(九) 傳道書　第三十章第一節
(十) 箴言　第十三章第二十四節
(十一) 同上　第三十九章第十七節
(十二) テモテ前書　第四章第八節
(十三) Barth, P.: Geschichte der Erziehung, 5. u. 6. Auflage, 1925, S. 136.

三

文藝復興期に至つて宗教的敎育に反對し、人間を彼岸への敎養から現世への敎養へと叫ぶ人間中心の運動 Humanismus が起り來つたのであるが就中この運動に對して理論的基礎つけを與へ敎育の目的と方法とを明確に示したものはベーコンである。特に彼の著 Advancement of learning と Novum Organum とは新學問の目的と方法とを規定し、近世自然主義の基礎を提唱したことに於て意義深きものである。

この考へ方によれば「人間は自然を知る能力を有するが而もその範圍は自然の中に人間が經驗し得る限りに屬する。故に自然を理解しこれを利用して人間生活を豐富にすること以外には何ごとも行ふことは出來ぬ。(一)」「かくすることによつて Adam が墮落によつて失つた自然を支配する能力を回復することが出來、そして人間が種々なる勞働によつて求むるならば彼等はパンを供給し得らるゝであらう、(二)」とするのである。

而もこの目的を達する爲めには過去の哲學が用ひた自然の豫想 anticipation of Nature を使用してはならぬ。須らく事實から抽出された所の推理、即ち自然の說明 interpretation of Nature を用ふべきである。(三) 蓋しベーコンは「眞理を探求し發見するには唯だ二つの方法がありとし、其一は感覺や特殊事物から最も一般的な公理 most general axiom にまで飛躍し、その眞理は不變不動のものであると假定する。而して是等の原則から中間公理の發見へと進んで行く。此方法こそ今なほ流行中である。他の方法——ベーコンの方法——は感覺と特殊事物から公理を導き出すものであつて、徐々に、連續的に昇つて行く、從つてこの方法は最後に最も一般的な公理に到達するのである。これこそ眞の方法であるが、併し未だ試みられたことがない(四)」とし、感覺と特殊事物から徐々に歸納して一般原理へと進むことを敎へたのであるが、此方法こそ彼以後の敎育者が悉く以て範とした所の敎授の方法なのである(五)。

ベーコンの立場に立つ時は「自然の事物の原因としてはそれらの示現を眞に且つ十分に説明し得るもの以外のものを認めてはならぬ(六)。」故に「同じ自然の結果に對しては我々は出來得るだけ同じ原因に歸すべきである(七)。」例へば人間に於ける及び獸類に於ける呼吸、ヨーロッパに於ける及びアメリカに於ける石の落下、我々の臺所の調利用の火と太陽の光、地球に於ける及び惑星に於ける光の反射の如く、凡ての現象は合理的な因果律の同じレベルの上に立つべきである。天に在るものは完全なるもの、地に於て在るものは不完全なるものとの永き信仰は破却せられねばならぬと論じたのはニュートンである。

かゝる觀點に立つときは「宇宙は物體の粒子が未だ知られざる原因によつて各々他に向つて相互に推し合ふ規則正しき形に凝集するか、或は反撥して互に遠ざからんとする所の運動によつて形成せられる(八)。」人間も亦實にその一粒子atomであり、この粒子こそ不可分の獨立せる存在である。而もこの粒子は自己保存によつて自立性を完ふするが故に教育は方に自己保存の爲めの教養であり(九)、技術である。

故に教育は個人の完成である。Selbstständigkeit des Zöglings od. Selbsttätigkeit des Schülers である。この原理はラトケによつて唱へられコメニユースによつて更に發展し、ルソーは彼の著 Emil に於てこれを最も力説した(一〇)。エミールの教育上の手引となるべき良書は Robinson Crusoe であり(一一)、かゝる孤立的個人の完成こそ契約國家の純粹市民となることなのである。

ザルツマンが教育は兒童の諸能力を發達させ、練習させることであるとし、カントが自己完成の理念を稱へて居るのも同一思想の流れをくむものと言ふことが出來る。而して自己保存の能力を養成する爲の教育は人間をして强健なる動物たらしむる"to be a good animal"ことでもある(一二)。故に教育教授は自然に從はねばならぬ。然るに自然の進行は直觀から概念及び言葉へと進む、而も直觀に於て把へられた全體から部分へと進むのである。ベーコンの思想を始めて教育に應用せるラトケは千六百十七年 Methodus Nova を公にし教授法の基礎を明にし、エラスムスも「自然の法則に從つて凡てを」Omnia juxta methodum naturae! と主張した。

かくてコメニユース、バセドウ、ルソー、ペスタロッチー等の敎授法は悉くこの基礎の上に發展したのである。

自然界を支配し利用する爲めの眞理發見の方法はベーコンによつて唱へられた。そしてこれが適用によつて最も大なる效果を收め得たものは物理學であり、數學であつた。從つて一切の思索の方法は數學的物理學的方法を用ふべきことが一般に信ぜらるゝに至つた。就中デカルトは自己の精神にとつて可能なるべき凡ゆる事物の認識に至る眞の方法 die wahre Methode zu suchen, um zur Erkenntnis aller Dinge zu gelangen, deren mein Geist fähig wäre. を提唱した。(一三) これによつて人間が叡知を完成し、明瞭且つ判然たる認識への途を開き得るとしたのである。

ホッブスも思索は計算によつて行はれると述べ、スピノザが彼の倫理學を幾何學の方法に準據せしめて居ることは周知の事であり、ライブニッツも自己の形而上學は全部數學的であると言つて居る。敎育上に於てもコメニユースはギムナジユームの課程を數學級、物理學級に分けて居た(一四)のである。即ちデカルトの事物認識の方法は彼れ以後の敎育者によつて敎授の方法論 Methodenlehre des Unterrichts として發展し來つたのである。(一五)

惟ふにこの時代の教育は人間――個人の完全性と幸福とを目的とし、この現實に應ずる關聯へと叡知を完成することに於て、明瞭且判明に認識出來るが如くに訓練する技術であるとされた。それ故に精神的生活の內面關聯を觀察と實驗との手段を用ひて數學的、物理學的に研究し、それの因果關係の法則を把握して、これを有意的に教育技術に應用することの可能性を發見した。實に科學的心理學はその任務の爲めに大なる發展を遂げ教育は恰も應用心理學の觀を呈するに至つたのである。

要するに第十九世紀初期に至るまでの教育に對する考へ方は政治、宗教、自己完成等の生活目的を達成する爲めの手段であり、技術であると見做すことであつた。けれども人間生活の目的は政治生活のみによつて規定さるべきものではなく、同時に宗教的、道德的、藝術的經濟的生活等一切の文化活動を追求するものである。

宗教的教育が人間と神との關係を說くことは正しい。何となれば「人間は神を見出し、神に憩ふまでは安らはぬものであるから。」〔一六〕併しこれが爲めに此岸的生活を拒否することは誤りである。神の國に到るにも罪を負へるこの身を緣として、この罪を止揚することによつてのみ甦生の機會もあるではないか。

自然主義教育が自己の完成や自己保存を目的とすることも意義あることであり、現代人の憧憬の的ともなつた。さりとて人間を自然の範圍に於て經驗し、計量し得る限りの平面的機械的、同質的生活にのみ限定することは誤りである。

教育の目的が、人間生活の一面を抽出したものに依て決定せらるゝことは如何にしても正しい見解とは言はれぬ。寧ろ教育の目的こそ人間の全體的生命を創造し、發展せしむる全人的な在り方によつて決定せられ、導き來られねばならぬではあるまいか。舊教育にあつては教育の可能は豫定せられて居る。なるほど教育は可能である。併し何が故に可能なるかの根據の問題と、可能とは全能か、はた限界を有するか、乃至かゝる可能を實現する方法は他の生産と同様な技術であらうか。是等は教育學が果さねばならぬ課題であらう。

プロタゴラスは「徳は生れつきに有るものでもなければ、ひとりでに來るものでもない。寧ろ教へられ得るものである（一七）」と言ひ、ザルッマンは兒童の心は蠟である。汝がそれに印象する通り、如何なる形にも好むが儘に出來上るものであると言ふ。ド・ラ・メトリイは「我等の教育のからくり程簡單なものはない　八ヽが音乃至言葉に還元せられる。言葉は一人の者の口から他の者の耳を通つて腦に達する。この腦は同時に眼を通して物體の形を受け容れる。而して言葉はこの物體の任意の記號なのである。――かくて言葉や法律、科學、藝術等〻が生れて來た。これらのものに依つて我々の精神と言ふ天然自然のダイヤモンドが磨き出されたのである。動物を仕込む如く人間を仕込むことが行はれたのである。勞働者となるものもあり、文學者となるものも出來た。また或幾何學者は極めて困難な證明をしたり、計算をしたりすることを學むだ。けれどもこれは猿が自分の小さな帽子を脫いだり被つたり、それから柔順な犬の背中に乘つたりすることを覺えるのと何の變りもない（一八）」と言つて居る。

實際十八世紀に於ては教育は馴養であり、Education＝Training であると信ぜられて居た。デューキの教育哲學に於てすら「教育は飼養 fostering 養育 nurturing 教養 cultivating の過程である。是等の言葉は凡て成長の條件である。rearing, raising, bringing up, と言ふ言葉はそれ〳〵教育が目指す標準の差等を示したものである。一體教育と言ふ語は leading or bringing up と言ふ作用を意味するのである（一九）」と述べて居る。

かやうな說は根本に於て人間を一種の機械と見るか、或は動植物と同一視して居る獨斷論である。一度教育の實際に携つた經驗を有する何人もがその謬論であることを知り得るであらう。それ故に萬人の中の最も賢き者と言はるゝソクラテスすら「兒童は仔馬でもなければ仔牛でもない。人間なのである。而して調馬師や農業家によつて馴養される如く人間としての德を與へることは出來ぬ。若しかくの如き術を解し、かくの如き巧妙な敎授を與へる事が出來るとすれば、そして若し私がその術を解して居たとすれば私自身は自ら高しとし、自ら誇とするであらう。しかしアテナイ人諸君！　私はこれを解しては居ない」(一〇)と告白して居るではないか。だから彼の敎授法は產婆術なのである。自ら產むのでなしに產ましむるのである。從つて「私は實際何人の師匠にもなりはしなかつた」(一一)と謙遜して居るのである。

カントも人間は敎育によつてのみ人間となり得ると言ひながら而も他方には「敎育は人間に幾分は敎へ得るが他面、たゞ我々自身が發展するものである」(一二)と言つて居る。洵に敎育現象は導く作用と需むる作用との共同作業によつて營まれる社會的根源作用である。從つて敎育は生產 Produktion ではない。生產にはこれを計劃する目論見は個人の思考によつてなるものであるが結果に到る方法及び過程は必ずしも精神作用ではなくして、自然的法則によつて構成せられた機械作用に移す事が出來る。

けれども教育作用は徹頭徹尾機械作用ではなくして全人的作用であり、人と人との共同の上に成立する。目的が人間の全的生命によつて計劃されると共に手段方法も生の本質、即ち全人格に溢れたものでなければならぬ。これに依つて被教育者の全生命を止揚し、昂昇し、目醒めしめて新形成をなさしむるものでなければならぬ。

故に教育に於ては、自己自身を規定する活動は被教育者の内に豫め存するものを自覺せしめ止揚せしむるものであつて自然的機械的のものではない。此に教育の可能と限界とがあり、更に教育作用が一般の生産と異る特殊現象であることが知られる。從つて教育は技術であると見做された域を脱して、獨自な作用を對象とし、その本質を闡明し、それによつて又教育作用に新たなる目的と方法とを與へる「教育學」の建設が要望せらるゝに至つたのである。

（一） Bacon, F.: Novum Organum, Translated by J. E. Creighton, P. 315.

（二） ditto P. 470.

（三） ditto p. 317.

（四） ditto P. 316f.

（五） Vgl. Dilthey, W.: Gesammelte Schriften, 6. Bd. S. 76f.

（六） Newton, sir I.: Philosophia naturalis Principia mathematica, Translated by Andrew Motte, 1803, VoL. I. P. 160.

（七） ditto P. 160.

（八） ditto P. 11.

（九） Hobbes, T.: Leviathan, Everyman's library, P. 66.
auch vgl. Spinoza, B.: Ethik, Spinoza's Sämtliche Werke, herausgegeben von Carl Gebhardt, 1. Bd. S. 190.

（十） Barth, P.: Geschichte der Eerziehumg, S. 444f.

（十一） Rousseau, J. J.: Emil, Everyman's library, P. 147.

（十二） Spencer, H.: Education, The thinker's library, P. 137.

（十三） Descartes, R.: Abhandlung der Methode, Descartes philosophische Werke, Übersetzt u. herausgegeben von Buchenau, 1. Bd. S. 14.

（十四） Barth, P.: Geschichte der Erziehung, S. 432ff.

（十五） Dilthey, W.: Gesammelte Schriften, 6. Bd. S. 56ff.

（十六） St. Augustine,: Confessions, Translated and annotated by J. G. Pilkington, 1927, P. 1.

（十七） Platon: Protagoras, Platon's Werke, von F. Schleiermacher, 2. Bd. 2. Auflage, 1817, S. 253.

（十八） de la Mettrie: L' homme machine, Übersetzt von A. Ritter, 1875, Heimann's Verlag, S. 36.

（十九）Dewey, J.: Democracy and education, 9. Printing, 1926, P. 12.
（二十）Platon: Des Sokrates Vertheidigung, Platon's werke, Von F. Schleiermacher, 2. Bd. S. 194.
（二一）ditto S. 215.
（二二）Kant, I.: Ueber Pädagogik, S. 7.

第二節　教育學組織への二途

一

教育の作用は單なる技術でもなく、生産でもない。實際教育上の活動はたとへそれが一種のTactに屬するとしても而もそれは特殊の技術であつて、その規範や方法は他の科學から求めらるべきでなしに、教育學それ自から導き出さねばならぬ。於是、ヘルバルトは「教育學にして、若しその固有の概念を保持し得て、而して獨立せる思考方法を研究の中心とすることが出來、遠隔の他人から支配せらるゝ危險がなくなれば洵に仕合せである。唯だそれ〳〵の學問が同じ力を以つて皆その獨自の途を進む時に始めて互に利することが出來る」(一)との信念から彼以前の教授學の域を脱して教育學の獨立を宣言した。

然るに教育は理想に依つて指導される所の一種の目的行動であり、倫理的行動

である。けれども一面また教育されるものは生れて死に行く對象としての具體的な人間でもある。それ故に教育の學的組織の解答は自ら二途を辿つて發展し來つた。その一は規範科學を以て學的組織の基礎とするもの、卽ち哲學的教育學と、他は經驗的歸納法による一般科學としての教育學を建設せんとするものである。換言すれば精神科學的教育學と自然科學的教育學との二途に發展した。

先づ前者の跡を見るに教育學を始めて學的體系として組織せんとしたヘルバルトは經驗的知識を以て教育の學的認識を構成することは不可能であるとし、教育學の目的を規定するものは倫理學であり、その方法を規定するものは心理學であるとした。彼の著「教育學綱要」Umriss der pädagogischer Vorlesungen, 1835 には「科學としての教育學は實踐哲學と心理學とに關係し、前者は目的を示し、後者はその方法と過程とを示す」(二)と言つて居る。

彼によれば教育の全問題は道德的陶冶に盡きる。「德」は教育學的目的の全體の爲めの名前である。それ故にヘルバルトは教授によつて die Charakter der Sittlichkeit を陶冶せんとするのである。そのことは先づ教授によつて思想界を陶冶し、その思想の陶冶によつて品性を陶冶せんとするのである。而して實に思想界の陶冶こそ教育活動の一切であるとする。

蓋しヘルバルトにあつては道德的意志を規定する力も表象の力學的關係に基くものであるとして、意志を表象に還元する。故に正しき思考の確立によつて人々は始めて兒童の意志に影響し、兒童の品性を陶冶することが出來る。何となれば品性は意志の合一せる統一體であるからである。故に如何にして思想圈を決定するかは教育者にとつての一切である。

この意味に於てヘルバルトの教育は合理主義であり、主知主義である。蓋し彼の心理學は人間の精神現象を以て凡て表象なる要素の力學的關係から生ずる機械的のものと見る。卽ち彼にあつては表象の機械的關係を明かにし、明瞭なる表象を得て形式的な五道念を陶冶することであるとした(三)。

この考へ方はヘルバルト派の人々によつて高唱せられ長く教育學界を指導した觀念である。

シュライエルマッヘルも亦「教育學は倫理學に關係し、且つ倫理學から導き出された一個の應用科學である(四)」と言ひ、或は倫理學の組織はその組織を實現する方法を必要とするが、教育學はまさにその方法であり、從つて教育學なる科學は倫理學の爲めの實行者であるとも述べて居る。そして敎育學の基礎として倫理學と心理學とを採用して居る。

バルトも其著 Die Elemente der Erziehungs= und Unterrichtslehre, auf Grund der Psychologie und der Philosophie der Gegenwart, に科學としての敎育學は實踐哲學及び心理學に關係を有し、前者は目的を示し、後者は方法及び取扱方を示す、とのヘルバルトの言は自明のことであつて何人も正面よりこれに反對するものはなからう、と言ひ更に心理學と倫理學とは敎育學の第一補助科學である。それに次で稍や劣つた程度に於て論理學及び美學が補助科學である。凡て他の諸科學は學問建設の補助としてゞはなく、對象卽ち敎育敎授の活動に對する材料としてのみ問題となる、とも言つて居る。

倫理學は人間は如何に有るべきかを敎へるが敎育の理想は單なる道德の規範ではない。敎育は一般に人間が如何に行爲せねばならぬかではなくして具體的な人間を形成することである。

然るに規範科學は眞理を寧ろ單なる思惟の世界の內に見出す。思惟の世界に於て見出されたる概念は死せる存在の規定であつて靜止的なる同一性を明かにすることは可能であるとしても教育上の主要問題たる兒童の生成 Werden を――發展 Entwicklung を理解することは出來ぬ。

就中、目的を規定する倫理學と方法を取扱ふ心理學とは如何なる關係に置かるべきであらうか。相對立する二個の學が具體的全一的な生命としての人間形成に如何にして共働し得るか。更に普遍的に道德の規範を論ずる倫理學が歷史と土地とに卽して生活する具體的人間の敎育を規定し得るか。是等に關するヘルバルトの硏究は未解決の儘に殘されて居る。それは結局敎育學の自立的體系の組織ではなしに、諸種の科學を蒐集し利用して人間を作らんとする敎授學の域内にあるものである。換言すれば彼の敎育學は倫理學と心理學との應用學であり、一種の技術學であるに過ぎぬ。

併しながらヘルバルトの言ふ如く敎育敎授が個々の兒童に於ける明瞭な認識の獲得であるとするならば、認識の性質を明かにする諸學は何れも何等かの仕方に於て敎育學の方法とならねばならぬ。蓋し「哲學の本領は諸種の認識内容の最後の學理的統一にある。哲學はこれを若干數のものに分割する時その本領を失ふ。認識の凡ゆる特殊の方向の最後の內面的中心的統一を外にしては哲學本來の職能はなくなる。(五)」從つて「認識の發展を目的とする敎育活動の理論的基礎を明かにせんとする敎育學は哲學から分離した若干數の科學の上に立つべきではなくして全體としての哲學の上に立てられなくてはならない。ヘルバルトが倫理學と心理學とを敎育學の方法としたことは未だ眞に敎育學を基礎付け得る所以ではない(六)」とは新カント學派の敎育學者ナトルプの言である。

ナトルプに從へば(一)敎育の目的を決定するものは單に倫理學のみならず、それにも劣らず本質的職能を盡すものとして、他に論理學と美學とがある。蓋し一般に法則に叶つて生み出されたる人間意識の內容に屬するものは、たとへそれが存在の認識であれ、或は意志であれ、若しくは美的構成であれ、同じく人間陶冶の職能に屬するものである。(二)敎育の手段及び方法の規定は同じくまた、全體としての心理學の任務に屬する。換言すれば現實の世界に指し向けられたる表象や或は美的空想やの心理學の任務に屬するのである。何となれば兒童と同樣に敎育者の陶冶活動は全き心的本質にまで行き亙れるものでなければならぬ。卽ち全き心的本質の凡ての本質的傾向に從ひ、且つそれの諸價値の極めて微妙なる協調に於て陶冶活動を營まねばならぬからである。(七)」

「人間の價値追求は啻に道徳的善のみではなく、學術的眞や、藝術的な美をも求める。而して是等それ〴〵の價値設定に對しては倫理學のみならず他の哲學もこれに關聯する。それと同時に人間陶冶の內容は是等の文化價値に外ならぬが故に全體の哲學はまた陶冶の內容を決定する基礎原理でもある。(八)」何となればこれらの價値財を兒童に教授し傳達するには須らく、それの價値構成の法則に從はねばならぬからである。

於是全體哲學(純粹客觀科學)と心理學との職分の區別は次の如くである。――「教育すべき凡ての主觀(兒童)に適用さるべき、換言すれば個々の人間を人間にまで教育すること die Erziehung des Menschen zum Menschen については一般に有效なるべき一切のものは哲學的基礎を必要とし、之に反して直接に主觀、――個々の兒童の個々の取扱に關しては心理學の決定に俟つべきである(九)」として居る。

ヘルバルトが道徳的陶冶を以て唯だ一つの教育目的とすることを狹隘なりとして更にこれを論理的、美的價値陶冶にまで推し擴め、更に是等三方面の意識內容の調和として宗教的價値體系を以つてしたことは正しい。(一〇)併しながら彼が教育を以つて人間認識の發展作用であるとし、凡ゆる認識の根本原理を説く全體哲學に基礎を置くべしとする說には贊同し難い。何故ならば人間は單に認識的發展のみを求めるものではない。寧ろ「人間の心情は理性の認識し得ざる多くのものを認識する」（一一）

從つてかゝる全體哲學の普遍的抽象原理からのみでは具體的な特殊な人間の教育作用は理解することも指導することも出來ぬ。ナトルプはヘルバルト教育學が倫理學と心理學との應用學なるを難じながら自らの教育學が哲學の應用學に墮し終つて居ることを如何にして救ひ得るであらうか。

一般にかゝる哲學的教育學の缺點とする處は抽象的な理念の設定から形式的に規定して具體的な人間を逸して居ることである。ヘルバルトの教育が die fünf rein formalen sittliehen Ideen を陶冶することであつたと同樣にナトルプも亦「我々はプラトーと共に理念を以つて中心點となし、この中心點から意識の內容が開展すべき種々なる方向が派生するものと思ふ。かくして理念は必然に教育學の中心に入り來らねはならぬ」（一二）と言つて居るのを見ても知られる。

洵に哲學的教育學は唯一最高の Idee から演繹的な思惟によつて凡てを導き出さんとする。從つて教育學的價値契機若くは教育學的形態の具體的な多樣性を看却する。その結果超時間的、普遍的な結論を個々のものに强ゆる傾を有する。シュテルンが其著 Die menschliche Persönlichkeit に於て「理念をある究極のもの、解き難きものとするのは狹義に於ける一切の理想主義的哲學の特徴である。——我々はこの抽象的理想主義に贊成することは出來ない。何等の具體的な存在可能性を有たない或ものが目標であり得ると言ふこと、またそれ自身何等の實在的の定在をも實際の行爲をも表はさないで唯だ概念的抽象にしか過ぎない或ものが妥當すると言ふこと——即ち人間の存在や所爲をば自己に仕へしめると言ふこと——これは十分に考へると矛盾を來す思想である。——そこで結局個々の人間の爲めの目的設定は總て Person からのみ出發し得るものであり、又凡ゆる妥當は結局は自分で妥當を造り出し、また他のものに妥當を課する實際の存在にまで遡らねばならぬ。人格の存在 Das Dasein von Person こそ第一義的のものであり、理想の妥當はこの點から引き出さるべき第二義的のものである。(一三)」と言つて居るのは正しい。

敎育は主觀的、形式的、抽象的な一般、普遍的な理念から出發して具體的個人を壓することでなしに、逆に具體的人間の陶冶であり、「無限なるものを有限なるものとしてゞはなく、却つて有限なるものを有限ならぬものとして、或は有限なるものを無限なるもの丶内へではなく、却つて無限なるものを有限なるもの丶うちへ定立する(一四)」陶冶でなければならぬ。

要するに是等の形而上學的教育學や批判哲學的教育學は教育作用を理性の對象として把へ、理性の推理による most general Axioms を以て最高の目標となし、これを實現するには別途の物理的機械的心理學の方法に依らんとするものであつて眞に動的具體的な教育本質を把捉し、その中から目的と方法とを導き出したものとは言へぬ。

從つて目的の定立と實踐の方法とは各〻異る科學に立脚して居るのみならず、其間の關聯は生命ある統一にまで達して居らぬ。教育にあつては目的は方法の中に常に含まれて居り、方法は目的によつて常に生命ある活動として作用するものでなければならぬ。

„Die Wahrheit existiert nicht im Denken, nicht im Wissen für sich selbst. Die Wahrheit ist nur die Totalität des menschlichen Lebens und Wesens." —— Feuerbach, L.

(一) Herbart, J. F.: Pädagogische Schriften, herausgegeben von Dr. Friedrich Bartholomäi, neu bearbeitet von T.

von Sallwürk, 8. Auflage, 1. Bd. 1922, S. 133.

（二）　〃　: Herbarts' sämtliche Werke, herausgegeben von Karl Kehrbach, 10. Bd. 1906, S. 69.

（三）　Barth, P.: Geschichte der Erziehung, 5. u. 6. Auflage, 1925, S. 630.

（四）　Schleiermacher, F. D. E: Pädagogische Schriften, herausgegeben von Platz, 3. Auflage, 1902, S. 27.

（五）　Natorp, P.: Philosophie und Pädagogik, 2. Auflage, 1923, S. 8.

（六）　ditto S. 6.

（七）　ditto S. 19.

（八）　ditto S. 21.

（九）　ditto S. 22.

（十）　ditto S. 57.

（十一）　Pascal, B.: Pensée, Translated and edited by Chas. S. Jerram, 2. Edition, 1910, P. 117.

（十二）　Natorp, P.: Philosophie und Pädagogik, S. 14.

（十三）　Stern, W.: Die menschliche Persönlichkeit, 2. Bd. 3. Auflage, 1925. S. 51.

（十四）　Feuerbach, L.: Vorläufige Thesen zur Reform der Philosophie, sämmtliche Werke, Verlag von Otto Wigand, 2. Bd. 1846, S. 252.

二

次に第二の途を辿る教育學の建設について一瞥を與へることゝする。蓋しこの途は經驗的歸納的に一般科學としての教育學を建設せんとするものであつて、教育の事實を對象としてこれを經驗的に歸納し、數學及び物理學と同樣な完全な體系としての教育學を組織せむとするものである。モイマンの「實驗教育學」Experimentelle Pädagogik やベルゲマンの「生物學的教育學」Biologische Pädagogik クレッチマーの「教育科學」Erziehungswissenschaft さてはスペンサー、デューキー等の社會學的生物學的基礎に立つ實證主義教育說や實用主義の教育學說がこれに屬する。

モイマンにあつては「教育の對象的事實は兒童の發達と言ふことである。それ故に實驗教育學は兒童の發達に對して精密なる實驗を遂げ、これによつて組織的基礎付をなすべきである」（一）とし、兒童の知識、素質、才能、身體的狀況等を研究し、更に學校課業と兒童の精神活動及び疲勞の關係、學習の經濟等をも檢討した。

要するに實驗教育學にあつては實驗心理學特に兒童心理學 Kinderpsychologie の方法を用ひて自然科學が恰も物理的現象を要素的物質及び機能の因果關係として把捉し、それから自然を支配する技術を導き出すが如く、これと同樣に兒童の心身に於ける刺戟と反應との關係を要素的部分に分ち因果的に決定し、それより適切にして有效なる普遍的法則を導き出さんとして居る。

ベルグマンの教育學は兒童の發達、組織、遺傳、衝動、情緒的傾向等の規定より、更に衝動生活から精神生活への向上に關する。心理學的研究をなし、教育の目的も本質も悉く生物學的に規定せらるゝとする所謂 Biologische Pädagogik である。かゝる思想は十九世紀に於て新興せる生物學的研究による社會觀、人生觀の反映であつてコムト以來この方法によつて起り來つた實證主義の教育思想と言ふことが出來る。

スペンサーにあつても「教育は完全なる生活 Complete living に對する準備である」(二)とし、完全なる生活活動をその重要なる度によつて順次分類し列擧して居る。その中最も重要なるものを「直接に自己を保存する活動」those activities which directly minister to selfpreservation であるとし、これに次ぐものを間接の自己保存の活動であると言ふ。而も "to be a good animal" を人生に於ける成功の第一要件として居る」(三)點は特に生物學的の見解と見ることが出來やう。

實用主義 Pragmatism の教育學者デューキーも彼の主著 Democracy and Education の序文に於て、彼の教育哲學は民主主義の發達と諸科學に於ける經驗的方法の發展、就中生物學上の進化の觀念及び産業組織の改善等とを結合して教育の法を說明せんとしたものである(四)」と語つて居る。

次に、教育學は包括的な哲學によつて基礎付けらるべきものとした哲學的教育學と袂を別たねばならぬとするものにクレッチマーがある。彼は「在來の哲學的教育學が基礎とした形而上學的な『神の意志』(Gottheitwillen に代ふるに個人に與へられた陶冶の需要 Bildungsbedürfnis des Individuums に基く生命の必然性 Notwendigkeit des Lebens を以てし、これを科學的に價値ある認識原理として哲學的教育の代りに精密教育學 Exakte Pädagogik が立てられ得る。而して斯の如き Erziehungswissenschaft は哲學から解放せられて完全なる自立が出來るもの(五)」として居る。

クレッチマーに從へば教育の作用は與へられた事實であり、この事實の研究 Tatsachenforschung から教育の目的も方法も導き出さるべきであるとする。而して教育の事實は個人の生活の必然から起る陶冶の需要である。それ故に教育學はこの個人の陶冶と言ふ事實の內容と根源とを吟味して、これを系統的に組織することによつて歸納的に教育學が打たてられる。教育學は如何に教育すべきやと言ふ規範科學ではなしに、與へられたる教育の事實を基礎つけて、これを評價することを以て任務とする。それ故に陶冶の需要は一切の教育教授の問題を檢討する標準であり、根據である。

歴史的科學的考察の結果、敎育一般の目的は未來の成人の幸福である。卽ち兒童に未來の生活に對する生存競爭の武器を授け、その生活を幸福ならしむるにある。而して敎育は個人の需要から出發するが故に必然に個人主義でなければならぬとして居る。

是等の經驗科學的敎育學は總じて經驗科學——別して生物學及び社會學によつて基礎付けんとするものであり、生物學的法則及び社會學的法則から敎育の目的を規定して「自己保存」Selbsterhaltung 乃至「種族保存」Arterhaltung であるとし、その方法を生物的心理學によるとする」(六)而してかゝる敎育の行はるゝ場所としての社會を認めて居るが、併し斯の如き社會は有機體的生活の法則 die Gesetze des organischen Lebens に擬したものであるか、さもなくば自己保存の衝動に係はる限りの集合としての社會 Gesellschaft である。

彼等の根本豫想は人間を生物と見ることである。なるほど「人間は一本の蘆葦である。自然の中で最も脆弱なものに外ならぬ。だが彼は思考する蘆葦である。全宇宙がこれを破碎せんが爲めには何等の武裝をするの要はない。一騰の水蒸氣、一滴の水でも之を殺すに十分である。併し譬へ宇宙がこれを破碎したとしても、人間はなほ之を殺すもの(宇宙)よりも高貴であつたであらう。何となれば人間は自分の死ぬことと、宇宙が自分に優つた點を有てることゝを知つ居る。然るに宇宙はこれについて何事も知らないからである(七)」

斯の如き人間をたゞ一義的に自然的な生物として見、欲望――衝動の一束と解することは事實に立脚すると稱しながら、實は事實の具體性を抽象した偏見たるを免れぬ。具體性とか事實 wirklich とか言ふことは單に事物を機械的一義的に見ることではない。それの存在の意義と關聯とを理解し、それが顯示せんとする本質をも摑むことである。從つて自然科學によつて敎育の目的を設定することは不可である。

Frischeisen-Köhler, M. は「實驗敎育學の將來は恐らく精神作業の衞生や特殊の堪能に關する技術の方面にあるであらう。――蓋し實驗とはもと自然科學からの所産であるが、人間は單なる自然的の所産ではない。從つて自然科學的考察法によつて把捉することは出來ぬ(八)。」と評して居ることは正當と言はねばならぬ。彼等が用ゆる心理學にしても、その方法は只管自然科學を範とし精神現象を專ら表象、意志、感情等の要素よりなるものとし、就中ヘルバルトにあつては表象をヴントにあつては單一感覺や感情を以て本源的のものとなし、是等要素の因果性を求めんとするものである。ロッチェの「生理的心理學」Medicinische Psychologie od. Physiologie der Seele, 1852. フェヒネルの精神物理學 Elemente der Psychophysik, 1860. ヴントの生理的心理學 Grundzüge der physiologischen Psychologie, 1870. 等は何れもこの目的に向つての勞作の功績である。

けれども要素の結合によつてなるものは自然現象ではあつても精神現象ではない。人間意識の本質はこれを部分に分解することによつて意義を失ふ。意識の特徴はまさにそれの具體的全體性に存する。

シュプランガーは「歐州大戰」以後の獨逸國は窮乏の中にもなほ一脈の希望に燃えて居た。敎育界にあつては國民敎育の理想 Ideal des deutschen Menschen を目標とし學科としては國民科、國民陶冶を重んじ、活氣横溢して居たのであるが、玆に二つの脅威が現れて來た。その第一は唯物主義若くはマルキシズムの擡頭である。これは國民精神の根源力とも言ふべき形而上の信念を滅却せしめ、各個人の生存要求を先として國民全體を結合すべき精神的きづなを切斷したことであり、第二は心理學の方面からである。換言すれば精神分析學 die Psychoanalyse の如き考へ方である。

これは最も深き心理學であると自稱しながら人間をたゞ自然的、性的、欲望的の衝動の一束 Ein Bundel von Trieben bloß naturhafter, sexuell-begehrlicher Art と解し、これを分析することを以て能事終れりとなす學風である。而してかゝる學風が如何に國民の精神的健康を害したことか計り知られざるものがある」(九)と言ふ。

これこそ人間シュプランガーが現時の獨逸國狀を直視して、かゝる現狀に無頓着に只管自己の概念建設に沒頭し、その理論が實踐の世界、現實の世界と相隔つて居り、或はこれが却つて現實を指導することでなしに破壞に導くことであるのに慨して發した言葉であらう。

要するに經驗的に自然科學的に敎育學を建設せんとする企ては哲學的敎育學と同じく、今日なほ未だ其學的組織を完成するの域に達して居ないし將來と雖また困難であらう。結局是等は敎育學を社會學、生物學、心理學の應用と見做して居るに過ぎぬ。殊に人間を動物として或は自然科學的對象として規定して居る。動物界に於ける生成とは正に事實的なる過程であり運動である。一般に自然科學は客觀的自然を個別的なるものから一般的なるものへ、偶然的なるものから必然的なるものへの轉換 Verwandlung 移行 Übergang 諸對立の相互的關聯 der gegenseitige Zusammenhang der Gegensätze と言ふ同一の性質を有するものとして規定して居る。

けれども教育に於ける兒童の發達、生成は低きものから高きものへの單なる連續ではない。寧ろ連續に於て一の飛躍 Sprung 若くは非連續性を含むものである。換言すれば漸進性 Allmählichkeit を中斷 abbrechen することである。故に教育に於ける生成とは自然法則によつて支配されざる飛躍であり、それ故に連續に於ける斷絶 Unterbrechung in Aufeinander の、反對面への轉換 Verwandlung in das Gegenteil の、古きものゝ死と、新たなるものゝ發生との理解に對する方法によらねばならぬ。かくて自然科學的教育學の企ては人間の教育を論ずることでなしに正に動物教育學の組織である。丁度そのことは哲學的教育學が人間の教育學から離れて概念教育學を建設したと同じく唯だ反對の途を進んで行きたものに過ぎない。けれども我々の教育學は人間の教育を主題とするものでなければならぬ。此に我々が教育學研究の方向を轉せねばならぬ契機が存するのである。

（一） Meumann, E.: Abriss der experimentellen Pädagogik, 2. Auflage, Verlag von Wilhelm Engelmann, 1926, S. 10f.
（二） Spencer, H.: Educatien, Thinker's library, P. 7.
（三） ditto P. 137.
（四） Dewey, J.: Democracy and Education, an introduction to the Philogophy of education, Preface
（五） Kretzschmer, J. R.: Das Ende der philosophischen Pädagogik, 1921, S. 53.
（六） Vgl. Frischeisen-Köhler, M.: Bildung und Weltanschanung, 1921, S. 43.
（七） Pascal, B.: Pensée, Translated by Chas. S. Jerram, 2. Edition, 1910, P. 77.
（八） Frischeisen-Köhler, M.: Grenzen der experimentellen Methode, in Dentsche Erziehnng, 1918 Heft. S. 29.
（九） Spranger, E.: April 1933, in: Die Erziehung, marz 1933, S. 1ff.

第三節　文化教育學

一

人間の現實には感性と理性、自然と精神との二極が相對立して居る。この場合に感性を棄てゝ精神に向ふものと、精神を去つて感性を取るものとある。茲に經驗主義、自然主義と哲學的理想主義との對立がある譯である。併しながら是等兩者は何れも人間性の一面的把捉である。何となれば「人間は動物と同樣でもなければ天使と同一でもない。須らくこの兩者を兼ねたものなのである。（一）」故に具體的人間を陶冶する教育作用の原理としての學は哲學的基礎と心理學的基礎、哲學と經驗との止揚される所に成立するものではなからうか。

フリッシュアイゼン、ケラーは「教育學は哲學と經驗との統一的基礎の上に立つべき科學である」(二)と言ふ。然らば「物」としての人間を對象的に自然科學的に把へて、その中に發見する法則によつて教育現象を規定することを止め、他方には現實を離れたIdeeから出發して概念的に展開された論理的法則によつて具體を規制することをも廢し、人間の具體的な「生」そのものの本質を闡明し、そこに人間の文化作用と、その根據とを發見せんとする運動が起り來るのは當然の事と言はねばならぬ。これこそ生哲學 Lebensphilosophie の運動であり、これに立脚して教育學を組織せんとするものを文化教育學 Kulturpädagogik と呼んで居る。併しながら此に言ふ「生」とは生物學的の生命や生活力を指すのではなくして諸〻の價値を追求する力の渾然たる不可抗的前進を言ふ。これは知識や概念以前の總合的な關聯であり、社會的な動力である。

在來の認識論に於ては具體的根源的な Leben の直接行動を知的概念的に捨象抽出して、これによつて眞の人間生命を把へ得たりとする缺點がある。けれども人間は單に知的表象的態度にのみ依つて概念化され、固定化されたものではなしに、生成し流動する生——情意の活動的全人である。

外界の實在に關してもこれを純粹に知的にのみ考察する時は外界は單に我々に感覺或は表象の對象たるに止まるものである。けれども實際には外界は單なる現象に止まらずして我々に對して作用し、我々の意志に反抗し、また我々の快樂や苦痛の感情的對象ともなるものである。

それ故に我々の知的表象的認識の背後に自他對立の情意的要素が精神生活の最も理解し難き核心として留まることを認めねばならぬ。換言すれば認識はその根源を人間の生ける生命 Lebendigkeit に求めねばならぬ。

而してこの生命自體を明かにする方法を精神科學的心理學 Geisteswissenschaftliche Psychologie と呼ぶ。この心理學は過去の心理學の如くに精神作用を分折して各要素の機械的運動と見做して自然科學的に說明するのでなしに、精神の構造 Struktur を理解するにある。故にまた Strukturpsychologie でもある。

精神科學的心理學は我々の體驗に於て直接與へられたる精神生活を如實に記述することを任とする。故にまた記述的心理學 Beschreibende Psychologie でもある。

歸する所「生の所與」から出發して、それの構造を如實に記述して、その本質を理解することであるとする。

然らば生の構造とは何であらうか。シュプランガーは精神の構造を定義して「我々は所謂精神そのものを價値實現のことに從ふ生命の姿 ein Lebensgebilde として直觀する外はない。廣義に於けるかゝる姿を呼んで Struktur と言ふ。(三)」要するに個人の精神は種々なる價値傾向が自我の意識に統一されて互に相關係せる諸機能の意味的關聯 ein sinnvoller Zusammenhag von Funktionen として考へられざるを得ない(四)」とするのである。

精神の構造が體驗並に表現の多樣性に於ける統一的の機能であるとすれば、これを明かにし、記述する方法は理解 verstehen に依るの外はない。理解とは精神的關聯の目的、若くは意味を把捉することであつて、新心理學の特有なる理解の働きは我々の精神の內的關係に沈潛することによつて意味 Sinn を把へることである。

然らば Sinn とは何であるか。意味とは一個の價値が全體の中にそれの構成的成員としての位置を占め得る所以のものであり、從つて價値全體に關聯し價値全體の形成を助ける關聯の謂である。換言すれば個々の意識が全體的な價値に有

する關聯であり、「客觀的な合價値性の實現を意味する作用の關聯である」(五)

然るに「從來の教育學は是等の命題に於て書き現はされた精神生活の目的論的關聯及びその關聯に於ける感情及び衝動の中心的意味を未だ認識し得なかつた。」(六)而して斯の如き精神構造の中に我々は個人的精神生活の一般的普遍的法則の存することを見出し得るが、これはやがて我々の精神生活が一方に於ては衝動と感情とによつて發動しながら他方に價値の實現に向ふ事を指示して居るのである。

從つてこれはまた、我々の精神生活が文化社會と自然的環境とに關係を有するものであることを示す。然るに教育學の課題は具體的な個々人が文化社會と自然的環境との中に於て生長することを計劃的具案的に助成する作用であるから、精神構造に宿る普遍的な法則性に從つて教育の具案的計劃を立てねばならぬ。

こゝに於てシュプランガーは「私がこゝに述べたやうな途を推し進まねばならぬ理由は唯だその途によつてのみ科學的陶冶論 eine wissenschaftliche Bildungstheorie の前提への通路を見出し得ると觀ずるからである」(七)と言ひ、ディルタイは「精神生活のこの目的論的關聯からして自然の秩序に比して精神的世界がもつ特殊的性格をなす徴表が導き出される。

是等の Merkmale は敎育の理解及び科學的敎育學の構成に對する基礎的概念を作るものである。精神的の事實の在る所に合目的性 Zweckmäßigkeit と完全性 Vollkommenheit とが現はれて來る。そして是等は規範に從はされ、個人及び人類に於て、これを包含する生活過程が發展し來るのである(八)」と言ふ。

「敎育の諸規則は生命の目的に依つて規定されなければならぬ。何となれば敎育の仕事はそれ自身目的ではなしに心意生活の發展 Entfaltung des Seelenlebens に對する手段であるからである。——然るに生命の目的に關する凡ゆる普遍妥當的命題若くは行爲の凡ゆる普遍妥當的規則が、結局それの表現でなければならぬ所の目的論 Teleologie は、唯だ心意生活そのものゝ中にのみ求められなくてはならない。——目的論を心意生活そのものゝ中に、あるべき世界をある世界に求めねばならぬ。

我々は今、一切の感覺し、動き得る下等の生物も自己の存在及びその類の保存否、向上の爲めに適するが如く、卽ち合目的的に生命の維持と發展とに忠實な生活を營んで居るのを見る。

生物の營む合目的性の特徵は先づ自己の有機體と外界との間の因果關聯を自

ら洞見する所にあるが、人間にあつてはそれが主として感情と衝動とによつて營まれる。感情と衝動とによつて營まれるこの統制はまた一個の目的論的特徴を有つて居る。此目的論的特徴を有する關聯こそ人間生活に於ける、社會及び歴史に於ける凡ての合目的的諸活動の根源である。かくして動物的存在の最も低き段階から最も高き人類に達するまでの種々なる心意生活の構造若くは類型に就て語ることが出來る。

人類の心意生活の類型にあつては諸種の感情や衝動を動機として意志過程が展開する。然るに此目的論的關聯の中に於て感情や衝動の機能の中には多くの解き難き謎が秘められて居る。我々はこの謎をとくことによつて始めて人類の心意生活の目的論的關聯を明かにすることが出來る。我々の自己保存への努力は感情や衝動から分離することは出來ぬ。我々の心意生活に於ける合成された諸狀態の中には根源的の感情が含まれて居る。

かゝる意味深き感情は人間が世界に於て如何に感じ、また世界を如何に取扱ふかの方法を規定する。而もこの感情や衝動が人間の性格の基礎をなすものである。そこでは人間本性の根源的なるものや、矛盾に充ちたもの若くは非合理的なものがより高き調和へと登り行かんと努力する。人間は是等のものによつて彼が幸福追究の通常の經過に於て決して爲し得ざるものを實現する。個人及び人類の多難な勞作に對する衝動力があり、此に人間の地上性 Erdnähe と崇高性 Erhabenheit とが同時に打据ゑられて居り、心深きパスカルに取つては位を奪はれたる國王 entthronter König としての、また觀察力の鋭きカントに取つては感情的にして同時に理性的な存在としての人間本性の二重相 das Doppelantlitz der Menschennatur があるのである[九]。」

精神科學的心理學はかくして人間の精神構造を記述し、分析し、これによつて意味若くは價値を把へんとする心理學にして同時に一種の文化哲學である。これによつて教育學に於ける客觀的方面と主觀的方面若くは價値と存在との兩者を綜合して Frischeisen-Köhler が所謂教育學は哲學と經驗との統一的基礎の上に立つべき科學としての建設を許らんとするものである。

シュテルンも「抽象的な理想主義と具體的個人主義との矛盾の解決は唯だ人格主義的世界觀 Personalistische Weltanschauung が代表する具體的理想主義 Konkreter Idealismus の中にのみ存在する[一〇]」と言ふ。彼の所謂「人格 Person とは諸部分の多様性にも拘らず獨特な且つ固有の價値を有する實在的な統一を形作る存在、而も部分的機能の多樣性にも拘らず一の統一的な目標追求的自己活動性を完成する存在[二]である。

斯の如き人格主義の心理學やエーンシュの Eidetik マックス・セラーの Philosophische Anthropologie 等々は共に教育的思惟に於ける存在と當爲との內的關聯を明かにする基礎的原理として考へらるゝに至つた。

（一） Pascal, B.: Pensée, Translated by Jerram, P. 77.
（二） Frischeisen-Köller, M.: Philosophie und Pädagogik, Kleine pädagogische Texte, Heft. 20, S 83.
（三） Spranger, E.: Psychologie des Jugendalters, 9. Auflage, 1927, S. 9.
（四） 〃 : Lebensformen, 7. Auflage, 1930, S. 17.
（五） ditto S. 18.
（六） Dilthey. W.: Ueber die Möglichkeit einer allgemeingiltigen pädagogischen Wissenschaft, Gesammelte Schriften, 6. Bd. S. 66.
（七） Spranger, E.: Lebensformen, Vorwort zur 2. Auflage, S. X.
（八） Dilthey, W.: Gesammelte Schriften, 6. Bd. S. 66.
（九） ditto S. 63ff.
（十） Stern, W.: Die menschliche Persönlichkeit, 2. Bd. 3. Auflage, 1925, S. 52.

（十一）ditto S. 4f.

二

惟ふに精神科學的心理學や人格的心理學の唱へる構造や人格の諸概念は教育學の基礎付けに對して有力なる一示唆を與へるものであることは拒み得ない所であらう。

ディルタイは自然科學的方法による人間理解は肉體的個人としての自然的人間の把捉であり、論理的形而上的人間學は人間の一般性の理解であつて、人間は斯の如き抽象的な一面的の立場によつては具體的全面的の豐かなる本質を捉へることは不可能である。——寧ろ凡ての理論の灰色の幕の背後にこそ生ける人間が活躍して居ると言ふ。然らば果して精神科學的心理學がこの具體的な人間を把捉し得たであらうか。

惟ふに精神構造を記載し分析することは人間の一種の見ることを見返る働きである。この場合諸〻の經驗科學の如くに單なる經驗的所與の存在法則を求めることによつて活動の主體としての人間が把捉し得らるゝであらうか。

否、寧ろ生哲學者達も矢張り一種の反省的哲學の立場から超越することが出來ず、從つてこの心理學が普遍的精神法則と稱するものも必竟個人の精神を記述し、分析して得た主觀的法則以外のなにものでもない。

生哲學に於ては精神構造を目的的活動と見るのであるが而もその目的とは結局自己保存 Selbsterhaltung か乃至は自己展開である(一)けれども自己保存の立場は生物學的人生觀であつて、眞に人間の生命を明かにし得る立場ではない。我々は生物學的生命から自己を解放して、より高次なる精神的價値を求めんとする。

ディルタイも精神的事實のある所に Zweckmäßigkeit や Vollkommenheit が發達し來ることを述べて居る。けれどもこれとて第十八世紀の敎育者達が敎育の目的として掲げ出した所のものであつて、主觀精神の作用を抽象して得た Idee である。

精神科學的心理學に基礎を置く文化敎育學はあまりに價値活動を重視する。認識や價値活動を重視する立場は人間を理性的本質に於て見る合理主義哲學の遺孽であつて、必ずしも人間の全體的把捉ではない。文化敎育學の人間の解釋に於ては存在者としての生はその體驗と表現の了解との構造關聯以外に内容を有せざる目的追求の抽象的連續觀に終つて居る。

シュプランガーは我々の情意生活は客觀的な合價値性の實現を意味する作用であると言ふ。然らばかゝる客觀的合價値性 objektives Wertgemäß とは何であらうか。

彼等の所謂客觀的精神 Gemeinsamkeit od. ganz Lebenszusammenhang des objektiven Geistes と呼ばれるものは個人精神を生かし、活動せしむるものではない。――「我々はこの存在中に或は世界内に投げ入れられて居る所のものではない。寧ろ逆に個人精神の關心の場として考へられた精神であり Idee である。(二)」

それ故にシュテルンも「國民性 die Nationalität とは個々の人間にとつて超個體的な價値と客觀的な妥當とを有する理念である」(三)とも言つて居る。實に價値哲學者の客觀的精神や歴史なる概念はストア哲學やクリスト教の普遍的人間同胞 allgemeine Menschenbrüderschaft やカントの kategorischer Imperativ 乃至啓蒙時代の Humanitäts und Gleichheitsideal と同一の抽象的な反省された理念に過ぎない。

反省された理念は具體的に生ける人間の全體的本質ではあり得ず、まして情意的生命ではあり得ない。之に對してスツルムは唯だ當爲にのみ方向付けられた凡ての教育學は空想教育學 Lustschlosspädagogik として曝露せなければならぬと言つて居るのは正しい。

精神科學的心理學が有する特殊の作用たる表現の了解を通して歴史的に發展する存在論的自覺は、表現の媒介たる他者を存在者として豫定し、それに於て自己の不可測なる全體的存在者としての無限性が反映せられ、而も他者を了解することに由り、他者は却つて自己となり、自己の存在の自覺がこれによつて內容を得るのである。從つて自我と同樣に全體の中に存在しながら獨立的なる他者を定立することが出來ない。從つて我と汝との――教育者と被教育者との――共同によつて起る所の一が他の生命を發展せしむる事の助成作用である教育學の基礎としては人間意識の記述と分析とを任とする精神科學的心理學によることは不可能である。

マックス・アドラーは「斯の如き文化への上品な迂廻は教育思想の無氣力を立證すればとて、それの實踐力を決して立證するものではない。文化なる痲醉藥に自ら醉ひしびれて教育の社會性を去勢し去らんとする一切の教育思想！　これこそ善意に基く禍根そのものである(四)。」と言つて居るのは理想主義觀念論的教育學の直觀的觀想性、非實踐性の缺點に對する頂門の一針である。

扨て、文化教育學が生の全體的了解の下にその目的を求め、精神構造を記述し分析して生そのもの丶法則に從つて組織することによつて教育學として獨自なる體系にまで昇り來つたものであると言ふ。

このことは一應首肯せらる丶が如くにも思はれる。けれども事實は決してこの期待に添ふものではない。彼等の「生」は所與の生であり、對象としての生である。それの構造を說明する心理學は例へ自然科學的心理學と異るものであると言ひながら而も結局何等かの意味に於て精神力學的な目的追求の抽象的連續的なものである。故に如何なる意味に於ても心理學は人間本質を把捉する方法學たり得ないし、これによつて教育學が組織せらる丶ことは不可能であらう。

我々は斯の如き人間具體から隔りにある主觀的觀想的教育學に滿足しては居られぬ。何よりも先づ人間を形成することの學は人間の本質を具體的に全體に於て把捉することでなければならぬ。全體に於て把捉することは我々が單に主觀としてのみならずMitseinとして流動せる實在そのものに飛び込むことであり、それは流動的な生の在り方を摑むと共に、か丶る流動的存在そのものと自覺的に合一する思惟的にして且つ實踐的な融合である。

それは認識すると共に存在に合一することである。否、前以て我々が存在中に或は世界の内に投げ入れられて共に在ることを自覺することである。此に我々の思惟は存在と共に生命を持ち來すのである。

かゝる生きた知識と實踐とは共に統一を有つ存在論的の立場に立つことによつて始めて生命ある人間の敎育作用の意義が理解され闡明されるではあるまいか。恐らく敎育學の建設とは單に顯はにされたるものゝ形相とそれの目的とを規定することではなく更に又同樣に運動し生成することの原因を把捉し、それぞれの本來の根據から說明し、これに生命と熱とを與へるものでなければならぬ。

此に於て我々は文化敎育學が所與の生の構造を說明し、目的の關聯によつて敎育作用の意味を捕へんとする心理學的過程から去つて人間そのもの――全體人間――の在り方に基き、その中に敎育の目的と方法とを見出す人間學的研究に移らねばならぬ。

„Wahrheit ist weder der Materialismus, noch der Idealismus, weder die Physiologie, noch die Psychologie; Wahrheit ist nur die Anthropologie." —— Feuerbach, L.

(一) Vgl. Stern, W.: Die menschliche Persönlichkeit, 2. Bd. S. 19.

(二) Marx u. Engels: Die Thesen über Feuerbach, Archiv von Rjazanov, 1. Bd S. 229.
(三) Stern, W.: Die menschliche Persönlichkeit, 2. Bd. S. 52.
(四) Adler, M.: Neue Menschen, 2. Auflage, 1926, S. 130.

第四節　課題への答

一

人間を對象的に把へ、自然科學的法則によつて教育現象を規定することを止め、更に現實を離れた理念から出發して概念的な法則によつて教育學を建設せんとする試みの不當を攻め、人間の具體的な生 Leben そのもの、本質を把握してその構造の法則に從つて新たなる教育學を打ち建てるべき企てに付て述べ來つたのであるが、而もその根抵とする Leben は果して具體的な全人的なものであつたであらうか。

惟ふに生哲學の研究もカント的な認識地盤を去つて居ないものであると言ふことが出來る。彼等は先づ經驗的に與へられた所謂、所與現象の記述と分析とから出發したのである。けれども所與的現象は我々の主觀に——卽ち認識論的主觀によつて繼ぎ止めたる存在である。ヘーゲルの語を以てすれば斯の如き現存在 Dasein は我々にとつての存在であつて、從つてそれは對自的存在 Fürsichsein である。

精神科學的心理學の志すものはこの對自的存在を認識し記述せんとするものである。これやがて主觀的なる認識方法の一であつて、見ることを見返る態度を脱却して居らぬ。我々は對自的存在としての「生」から更に「生そのもの」を與へる所の、而してそれ自は與へられて居らない所の或もの、卽ち卽自的存在 Ansichsein をも認めねばならぬ。このあらしめてあらざるものは「無」である。

故に實在せる人間は精神構造としての對自的存在のみならず、當に卽自的全體をも自らに含む卽自且對自的存在 Anundfürsichsein でなければならぬ。現實的 wirklich な人間とは單に經驗的な現象 Seiende としての人間ではない。

個人的經驗的なものでありながら全體としての他に係はり、全體に於て自ら生命的に結合せるものである。具體とは正に此意味なのである。經驗的自然的對象としてのみ人間を把捉する時はそれの生命を逸して居る。これこそ生命を脫脂した空虛な物 Sache である。

具體的の人間とはいのちのある生ける人間の謂である。故に具體的人間の概念とは生命ある人間の wirklich な概念であり、生存せる活動せる概念である。從つてかゝる人間は又對自的に把へられた人間ではない。生の了解によつて記述され分析された人間以上のものである。故にまた對自的人間は人間ではないとも言へる。

けれども事實、人間は肉體を有する個々の人間なのである。此個々の肉體を有するものが全體としての人間に結合し融合する卽自且對自的な人間を具體的人間と呼ぶことが出來る。斯くて人間は矛盾せる對立の綜合する所に眞の生命を有する人間概念が成立する。この全體 an sich との合一を認識する所に自覺が發生する。故に人間はまた自覺的存在なのである。何となれば人間は概念以前に於て全體と合一して存するからである。

人間は我と全體との綜合に於て具體的存在を維持する卽ち實存的な存在である。換言すれば存在論的である。けれども更に我は汝と對立しながら一體である Mitsein である。人間こそ億兆一心であり得る、そして國民社會は單なる孤立せる個々人の集合ではない。我と汝とが同一の全體を場として切磋琢磨する相互限定によつて全體存在 Anundfürsichsein にまで到達するのである。それ故に全體は個人を個人として限定すると共に社會的なる同胞は互ひに限定し合ふことによつて全體の把捉を可能ならしむるのである。故に人間は存在論的 ontologisch であると共に存在的 ontisch である。此に於て人間には終りに來るものは始めに在り、生成は無限の遠心的前進にあらずして、自覺の巡環 versteigen である。

斯の如き生成は全體と個體との連續的發展力によるのではなしに他我との對立や共同の限定によつて行はれる具體的辨證的である。從つて具體的人間の在り方を決定する方法は論理學や心理學の法則によるのでなしに存在論的存在的な辨證法によらねばならぬ。

かくて現代が要求するものは「生」ではなくして寧ろ人間なのである。この具體的の人間の在り方に基いて教育學を建設することが——而してこれが眞に教育學の學的組織に對する課題の解答であると確信する。

我々の要求する教育學は正に主觀的、認識論的なものから具體的存在論的なものへの要求に答へんとするものである。セラーは「人間なる對象を問題とする一切の學に對して哲學的基礎を與へるものは人間學である」(一)とし彼の人間學を哲學的人間學と呼んで居る。

その課題とする所は Was ist der Mensch, und was ist seine Stellung im Sein? である(二)。それは人間の本質及び本質構造の學であり、自然の諸々の領域――非有機的なるもの――と萬物の基礎とに對して人間の有する關係人間の形而上學的起原及び生理的心理的且つ精神的起原等に就いて研究するものである。

換言すれば人間とは何ぞやなる問に對して人間と他の存在との區別、その特殊性を明かにし、人間の在り方に於て如何なる關係にあるかを研究したものであつて、フッサールの現象學的地盤或は領域を對象として人間の固定的本質概念を規定したものである。即ち人間の本質を靜的に把捉せんとしたものである。

然らば人間を一全體として統一的にその存在の構造と、その特殊な位置とを正しく把捉する新たなる原理は何であらうか。彼は現象學的方法に基く先驗的推理法 Transzendentale Schlußweise を用ひて所與の人格 Person なる概念から出發し、その本質を直觀することゝした。

蓋し彼の「人間なる概念の特殊性は「生」に存するのでなしに精神である」(三)。而して精神とは作用の全領域の總稱であり、その作用の中心を人格と言ふ。「人間の精神的人格は實體的の事物ではなく、對象の形式を持つ存在でもない。人間は唯だ彼の人格に對してのみ能動的に自らを集中することが出來る　何故ならば人格は精神的作用の整調された構造であり、この構造は常に一つの而して同一の無限の精神の一回的個性的自己集中であり、その中にはまた客觀的世界の本質構造が根ざして居る(四)。」

然るに之と同様に根源的に人間はまた衝動的存在乃至生物として――同様の意味に於て――神に於ける自然の神的迫力 Gotthafter Drang の中に根ざして居る(五)。即ち人間は一方に於ては精神的人格を有し、これは無限なるものに根ぎして居る。從つて最早や圍界 Umwelt に束縛されるものではない。圍界から自由 Umweltfrei なもの、世界の開かれたるもの Weltoffen である(六)。

動物が圍界に忘我的に沒入して生きて居るに對して精神は又自意識を有する。人間は圍界を「世界」存在の次元に擴張し、抵抗又は抗象を對象化することが出來。更に自己の生理的、心理的な性質及び個々の心的體驗に對しても對象化的態度をとることが出來る。かくて人間は自己自身と世界とを超越する存在者である(七)。

人間は最早や世界の一部であり、世界によつて圍まれて居るものではない。何となれば人間の精神的及び人格の作用的存在は、空間及び時間に於ける此世界の存在の諸〻の形式を超越するものであるからである。かくて人間は此轉向に於て無 Nichts に觀入する。人間はこの觀點に立つとき絶對無の可能性を發見する。而して自意識、世界意識、神の意識は共に人間の本質に屬する。(八)と言ふのである。

斯の如く人間の一面には神に通じ萬物を自己に於て對象化する精神として見ることが出來ると共に他面には衝動的乃至生物的の迫力を倶有する矛盾の存在である。かゝる矛盾の存在を如何にして自己に於て統一し得るか。――かゝる内面的の矛盾と外面的なる我と自然との對立は如何にして解消し融合し得るか。

セラーの人間學は現象學的に本質を直觀しこれを記述したものに過ぎぬ。この矛盾を止揚し、統一する存在論的方法に缺ぐる所がある。從つて矛盾の統一は唯だ僅かに人間の同情 Sympathie と愛 Liebe と宇宙的同一感 kosmische Einfühlung との心理學的連續によつて理解せんとしたのである。

彼は其著「哲學的世界觀」 Phiolophische Weltanschauung に於て「凡ゆる人間、否凡ゆる生物が神的迫力の中に根ざして居ると言ふこの統一を我々は同情、愛、及び宇宙的同一感の凡ゆる形式の偉大な運動に於て經驗する。これが神へのディオニソス的通路である」(九)と言ふ所以である。

けれども全體と我との對立と統一、精神と肉體との矛盾、人格と圍界との對抗を愛の心理學的、物理的運動によつて解釋することは結局、人間を「人間なるもの」Vorhandenes として對象とする觀念論ではあつても存在論的ではない。從つてセラーの人間は生ける存在者 Dasein ではない。唯だ現象學的に人間なるものを觀照した形相に過ぎぬ。

斯の如き人間が假令世界を超越したと呼んでも、それは觀念的超越であつて、具體的に超越したものではない。此に我々が現象學的形相人間學に止まり得ざる理由が存する。何となれば人間は生きて居り、肉體を有すると共に精神を有し、我と汝との共存に於て存在する存在論的のものであり相即不二の實存的であるからである。然らば存在論としての人間學は如何に發展し、組織さるべきものであらうか。我々は次にハイデッガーの人間學を一瞥して論旨を進めることゝする。

(一) Scheler, M.: Philosophische Weltanschauung, 1929, S. 10f.
(二) 〃 Die Stellung des Menschen im Kosmos, O. Reichl Verlag, 1930, S. 9.

(三) ditto S. 46f.
(四) 〃 : Philosophische Weltanschauung, S. 13.
(五) ditto S. 13.
(六) 〃 Die Stellung des Menschen im Kosmos, S. 47
(七) ditto S. 57.
(八) ditto S. 106.
(九) 〃 : Philosophische Weltanschauung, S. 13.

二

扨て一般に存在する現象は我々の知り得るもの、主觀に關するもの für uns である。人間主觀ならぬ他の主觀に存在が如何に現象するかは我々人間の知り得ざる所である。從つて存在の理解は生存せるもの Dasein の存在規定である。(一)

然らば存在するものを研究する存在論は存在者の存在の學であり、やがて人間學 Anthropologie である譯である。ハイデッガーはこれを基礎的存在論 Fundamentalontologie と呼んで居る。(二) 彼の基礎的存在論は人間學である。而して彼の言ふ「一切の存在の基礎を明かにする」存在論たる人間學は人間を如何に理解したであらうか。

ハイデッガーの人間學の方法は現象學的直觀による所謂、存在了解の方法である。唯だ彼にあつてはセラーと異り、人間の固定的概念を規定することでなしに、動的意義を了解せんとするものである。而してハイデッガーが課題とする所は單に經驗的にのみ規定せられた人間に就ての問題でなくして、經驗的に存在する人間の存在性、人間自體の本質、換言すれば經驗的なるものを常に超越しつゝある人間の超越性を問題とするものである。

事實的な事物としての人間のみでなしに生ける關係に於て理解する人間なのである。故に彼は「現存在は他の存在事物 Seiende のもとに現はれるのみのものではない」(二)と言つて居る。その意味する所は人間は存在事物として個別的に現はれて居るが、併し單にそれのみではない。二重義的のものである。人間は働くものでありながら個別的に他の存在事物の如く在り得るのである。

人間は生存する者 Dasein である。生存なる存在者は自己と自己以外の存在者との存在理解をもつ存在者であり、自覺的に存在するもの卽ち覺存 existieren するものである。生存なる存在者は又常に「私のもの」 Jemeinigkeit なる性格を有して

居る。(四)

かゝる存在者は更に世界內存在 In=der=Welt=Sein なる存在規定をもつ。(五) 之に反して存在事物は自覺を有せず且つ世界に屬し weltgehörig 世界內存的 inner-weltlich であり、やがて無世界的 weltlos である。

人間は正にかゝる矛盾の統一である。否かかる矛盾の故に人間が生成であり可能的であり、又有限でありながら超越するものなのである。そこにハイデッガーの人間概念が固定的形相的なものでなしに具體的な生ける概念であることを示す手懸りがある。

ハイデッガーはかゝる矛盾の人間概念の把捉を人間の有限なる事實の上に求めた。卽ち人間を自然から理解するのでもなく、また神から理解するのでもなく、人間自體から解決せんとしたのである。

人間にとつては存在するもの一般が有限である。人間自身の諸性狀も有限的に現象するものである。けれども之は要するに人間的存在が有限性であることに起因する。實に人間は生と死とを有する暫有的のものである。而もかゝる有限が人間の本質であるとは如何なる意味であらうか。

それは人間本質が自己に於て開示して行くこと――被開示性 Erschlossenheit であるからである。開示されるものは消滅され、限定されるものである。かくすることによつて自らの爲めに動くのである。此ことこそ自ら超越することであり、登り行くことである。故に又凡ゆる行動は超越の内に根ざして居る。(六)

かゝる限定の本質は「無」Nichts である。「無」は有をその中に止揚させる絶對無である。このやうな無は否定 nichten の根源的生起である。而して否定し、限定することは超越すること、上り行くことであるが故に「超越こそは存在の根本狀態である」。(七)

故に生ける存在は現實體であると同時に開示性を有つ可能態である。かゝる可能態としての現存在が現實態としての現存在へ上り行くことに依つて多種多樣な差別界が規定される。故に世界は決して在るのでなしに生成である。生成は時間性 Zeitlichkeit の形式によつて措定される。從つてまた歷史性も空間性も凡ゆる經驗的實在形式は此根源的生成に據る對自的存在の形式である。それ故に人間の有限性の自覺は無限なるものに於て統一せることの存在論的止揚である。

　ハイデッガーは斯くして有限性そのものゝ中にそれの無限をも、超越をも把捉し得たのである。このことは凡ゆる存在者が還り行くべき始源への行であり、人間は之に歸り行くことに於て始めてその安息を見出すことが出來る。かくして「人間は實存する超越者として諸〻の可能性の中に飛躍しつゝ彼岸的遠さの本質 ein Wesen der Ferne である。人間が自らの超越に於て、凡ゆる存在者に對して自ら形成する根源的なる遠さに依つてのみ、凡ゆる事物に對する眞實なる近さ die wahre Nähe zu den Dingen が人間の內に高潮し來るのである[八]」と言つて居る。此に於ては認識は卽ち存在と一致する。換言すれば彼の人間概念は生そのものゝ把捉であり、實在せる概念把捉であるとする。

　ハイデッガーがセラーの形相的な人間學から——卽ち意識としての人間の概念から進んで存在の現象學に上り行き Fürsichsein としての人間を越えて絶對無の存在解釋にまで進み an und für sich な人間の概念に到達したことは人間の理解に於ける一段の進展であることは何人も等しく認むる所である。

　けれども斯くして得た卽自且對自的人間に對して凡ゆる存在は自己の內存的なものとして解されなくてはならぬ結果となる。換言すれば自己に於て一切を解消するものとなり、やがては絶對的な全體存在までも自己の主觀の超越的解釋たるに過ぎぬことゝなる。

もとより彼は存在それ自體の開示的な展開は言ふまでもなく、存在と共同的に存在する人間意識の展開である――個々の意識即ち個人の存在は、全體的存在そのものたる現存在に融合して考へては居るやうであるが而もかゝる理解は抽象的な推理であつて、從つて客觀的な存在、共同的存在の展開を理解することは出來ぬ。故にこれによつては我と汝とを對立させつゝ統一する所の客觀的規定性は失はれてしまう。

要するにハイデッガーは自己の超越的起原に對する動的現實的な人間理解に對しては正に基礎的な人間學を築き得たりとするも而もこれは自己に於ける有限と無限との矛盾を止揚したるに過ぎずして一方、我と汝との客觀的對立の止揚は遺棄されて居る。

西田幾太郎先生が「ハイデッガーの現象學がフッサールの內在的意識の立場を脫し、解釋學的立場に立つことによつて叡知的自己の自己限定に近づきたるに拘らず、依然として自己自身の自覺的內容を除去し、抽象的立場であることに於て現象學の制限を脱せず、客観的眞理を樹立することが出來ぬ」(九)と言はれ、田邊元博士が「ハイデッガーの現象學的存在論が重要なる制限否不當なる抽象を免れて居ないことを認める。その根抵に置かれた存在が、道具としての物に交渉し、死の覺悟に於て自立性を獲得する個人的存在であることはこの存在論をしてその志向に反し、眞に歴史的なる社會的存在を解釋する途を失はしめた。

道具としての交渉に於てゞなしに同じ生命に融通する統一として宗教的に體驗せらるべき世界との交渉を缺ぐ爲めに個人の有限存在が原子論的に宙に浮ぶ缺點がある」(一〇)と評されて居るのは我々に對する大なる敎示を含むものである。

(一) Heidegger, M.: Sein und Zeit, 1927, S. 12.
(二) ditto S. 13.
(三) ditto S. 12.
(四) Vgl. ditto S. 42.
(五) ditto S. 53.
(六) Heidegger, M.: Vom Wesen des Grundes, 1929, S. 31.
(七) Vgl. ditto S. 10.
(八) ditto S. 40.
(九) 西田幾太郎博士著　一般者の自覺的體系　四五九頁

三

人間學は人間が他の存在と異る特殊な現れを對象とするのでなしに、全體人間の在り方とその構造とを對象とすべきである。セラーは人格は物ではなく作用性であり、對象の形式を持たぬ存在であると言ひ、此作用性はハイデッガーにあつては一切を世界內存的として我に有つことが出來ると說く。

併しながら「人間と人間との共同社會は飽くまで自我に所屬するものとして解釋することを許さゞる存在者でなければならぬ。自我は一の個體的人格として他の個體的人格たる汝に對立し、而してかゝる我と汝とをその內に對立せしむることによつて之を相互に媒介する人格の共同體こそ如何にしても世界內存在として解釋することを許さゞる存在者である。

自我も此存在者の否定的限定として成立する存在に外ならない。物としての世界內存在は凡ての自覺的存在者に內在的として解釋せられる。けれども眞に實在的超越としての內在化する能はざる超越的の存在者は我の關心的に交涉

する物ではなく、我を包み、我と汝とを其内に於て成立せしむる共同體でなければならぬ」(一)

アリストテレスが「人間は社會的動物なり」(二)と言ふ意も蓋し斯の如き共同體と人間との係りを意味したものであらう。然るに此社會を孤立的にして自由な人間が自己の自由を確保する爲めの契約によつて成るものと考へ(三)、物理學的原子としての個人が自己保存の衝動によつて結合する有機的の團體であるとする見解は永く社會學上の優位を占むるに至つた。

けれども「孤立する個人を以て人間の共同社會の本質とすることは誤りである。孤立する個人とは物理學上の抽象概念である。人間は本來社會的なものとして始めて理解し得る」(四)とする社會的教育學者ナトルプの言は正しい。

然るに孤立的個人を想定することが物理學上の抽象的類推であるが如くナトルプの社會 Gemeinschaft も批判的理性哲學の立場から構成された概念である。

かゝる社會概念は現實なる人間の生を、我と汝との生命活動を成立せしむるものではない。何となれば Theoria の世界は平面的であり、無生命的靜的であるに對して人間は生命的であり、動的であり、立體的であり、實踐的存在であり、Praxis の世界に屬するからである。

たとへ生哲學に於て「生」を無限の價値創造の目的追求的關聯と見、その過程を歴史と呼び關心の場として社會を說くとしても、それは正に我の對自的存在の精神分析によつて得られた形相としての社會に過ぎぬ。

記述され、分析されて措定した概念としての社會や歴史は脈々として流れ、生々として創造し開示する人間の具體的歴史でもなければ血と淚とによつて統一されて居る社會でもない。日々に新たなる生成としての、人間本質としての社會は人間の生活と共にある Lebensgemeinschaft であり、その社會成員は選擇によつて集合せる gesellen ではなしに入るにも出るにも、喜びにも悲しみにも全生命を之に捧げ、更に各個人はこの社會に屬することを名譽とし、誇とする全人格を以て結合する運命社會 Sicksalgemeinschaft である。(五)

斯の如き運命社會は國民 Nation を外にしては存しない。日本人にとつて三千年來繼續し來つた日本國民を外にして——この國體を離れて何れに運命社會を見出し得やうぞ。我等は日本國の爲めに全生命を捧ぐるのみならず、又この國民によつて言語、風俗、習慣、宗教、道德、法律、經濟等を規定せられて居る。

されば「この血と生命とを與へる日本國民を離れて人類社會を說き觀念的な歷史概念を弄ぶものこそ眞に抽象の翼に架して地上を飛翔するものか、さもなくば頭で逆立したる輕業師である。(六)」

クリークは「家庭の言語、風俗、習慣、道德、宗教、法律等」は國民なる共同社會の中に規定せらるゝものである。それ故に家庭の淨福はまた國民精神に依つてその本源を見出す。實に國民は彼に屬する成員を人格的完成にまで敎育するものである」(七)と言ふ。

然り、國民的存在は如何にしても個人的主觀に解消し盡されざる絕對的人格である。「個人的人格に對する全體的人格こそ眞の超越的存在者と言はるべきものである。我と汝とはこの超越的全體的人格の否定的限定として相對立しながら而も同一全體の限定として同一性を自覺するものでなければならぬ。全體的共同體は我に對する汝を媒介としてのみ我に現れる。而も我はこの他我たる個體を通して自我と他我とを限定として成立せしむる全體我を如何にしても自我に內在化し盡す能はざる、自我の制約者としての超越的存在として對立的に定立するものである」(八)。

之は我にして我にあらざる國民に於ける我と汝との同時定立としての正に辨證法的定立である。我の存在は本來如何にするも自我に屬するものとして解釋することを許さゞる全體我の超越的存在と辨證法的關係に立つものとしてのみ成立するのである。

斯の如き意味の人間學は一切を世界內存在として我に所屬するものと解釋する自覺的存在論と區別せられねばならぬ。「自覺的存在論は人間學の方法として必要なる條件をなすが、それは個體的人間存在を孤立せしめて、唯だその關心的交涉のみを解釋するに止まり、斯かる個體的人間そのものゝ辨證法的存在性を無視する結果全體的共同體の制約、之を媒介とする個體的人間の我と汝との對立共存を了解することが出來ない。これ等は如何にするも自我に所屬するものとして內在化する能はざる絕對的超越存在者の、自我の存在に對する根抵たり、限定的制約たることを辨證法的に信憑して、其媒介により、自覺的存在論的解釋を具體化するのでなければ了解せらるゝものではない。

而して絕對的超越存在者の永遠性が現在の瞬間に於て、過去未來の相互轉入の超時間的媒介たると共に、過去未來の分裂の岐機 Krisis たるにより、時間性に於ける永遠の實現としての歷史性が成立する。所謂歷史的社會的存在者としての人間の辨證法的存在の自覺にして始めて人間學を立するに十分なる立場となるのである」(九)

この人間學の立場から見た人間は單に自覺的に存在する存在の根據を明かにするのみならず、自覺的自我に解消すべからざる外的他我の對立を歷史的社會的存在としての——國民社會と對立しながら統一し得る辨證法的方法に於て把捉するものである。

之こそ自我に於ける生命の原始的衝動の基底としての肉體と神的直觀能力としての精神との統合をも理解し得らるゝと共に自己と絕對的存在との對立も、之を媒介として他我との共同も自覺し得らるゝ辨證的過程である。

フォイエルバッハも Grundsätze der Philosophie der Zukunft に於て「人間の本質は唯だ、共同社會 Gemeinschaft に、人間と人間との統一にのみ包攝せられて居る。——その統一は、併し唯だ、我と汝との區別の實在性にのみ依據して居る所の一つの統一である。」(一〇)と言つて居る。

併しながらフォイエルバッハは我と汝との共同存在を人間の具體的な在り方とし

ながら、か丶る共同性の根抵となるべき全體を認めて居ない。唯だ個人的人間から抽象した Gemeinschaft や Einheit を以て人間の媒介とする結果は自ら排する抽象的思惟への逆轉を辿るに至つたのである。(一一)

故に具體的な人間の在り方の理解には客觀的な歴史的國民を認め、この限定として自己を理解せねばならぬのである。歴史的國民こそ人間の個人的存在の根源であるのみならず、一切文化の母胎である。

Kunst, Religion, Philosophie oder Wissenschaft sind nur die Erscheinungen oder Offenbarungen des wahren menschlichen Wesens. — Fenerbach, L.

それ故にペスタロッチも

國民精神の裡に於ける親心と子心とは

諸〻の純なる國民淨福の源泉である(一二)

と言つて居る。

人間は國民の一にして且つ一切なるものである。國民精神は人間的本質の實現され、完成され、顯はにされた總體である。之を我々は古來「和」(一三)と呼ぶ。和《わ》は總體でもあるが、我《が》でもある。それ故に「我」は「和」に於て始めて其本源を見出すのである。

然るに西洋の哲學者や敎育學者達によつて之が十分に把捉せられなかつたことは、社會の本質は一つの他の、人間的ならぬ彼等の本質とする基督敎的神學の影響である。

（一）田邊元博士　人間學の立場、人間學、理想社版　一三頁
（二）Aristoteles: Politikê, translated by Jowett, B., Oxford University Press, 1926, P. 28.
（三）Rousseau, J. J.: Contract Social, Everyman's library, P. 5.
（四）Natorp, P.: Sozialpädagogik, 6. Auflage, 1925, S. 84.
（五）拙著　人間學と國民敎育　第二章　參照
（六）Vgl. Marx, K.: Das Kapital, herausgegeben von K. Kautsky, 8. Auflage, I. Bd. S. XLVII.
（七）Krieck, E.: Erziehungsphilosophie, 1930, S. 45.
（八）田邊元博士　人間學の立場、理想社版　一三頁
（九）同前　一四頁
（十）Feuerbach, L.: Sämmtliche Werke, II. Bd. Verlag von Otto Wigand, 1846, S. 330.
（十一）Marx u. Engels: Die Thesen über Feuerbach, Archiv von D. Rjazanov, I. Bd. S. 229.
（十二）Pestalozzi, J. F.: Abendstunde eines Einsiedlers, Pestalozzi's Ausgewählte Werke, herausgegeben von F. Mann. 5. Auflage, 3. Bd. S. 19.
（十三）日本書紀　巻二十二　推古天皇十二年春正月條　參照
國史大系本　日本書紀　四四九頁

同　卷廿五、孝德天皇大化三年夏四月條參照　國史大系本　五二九頁

或は「中《なか》」とも言ふ古事記に天地初發之時。於高天原成神名。天之御中主神。次高御產巢日神。次神產巢日神。此三柱神者。並獨神成坐而。隱身也

人間が概念以前に於て結びつき、係はりに於てある存在的存在論的な在り方を「中の神」と言ふ、實に „Mensch mit Mensch — die Einheit von Ich unh Du ist Gott," である。これこそ我が國體の本質であり、日本人の在り方である。（拙著人間學と國民教育參照）

四

將來の教育學は其對象が人間の教育である以上、人間の概念から出立すべきであることは當然の事であり、而も人間の概念は單なる觀念的抽象的のものではなく具體的全人的であり、心身の統一體としての本質構造とその全體としての在り方とを對象とする人間學の人間の概念から出發すべきである。

然るに從來の教育學は大概ね各個人を歷史的な凡ゆる束縛から解放して、各個人の素質を發展せしむることであるとした。從つて彼等は家庭、社會、國民が本來人間性に基くものと解することが出來なかつた。

このことは一方には物理學や生物學が不當にも人間性を規定して要素的な關

係と見た——心理學も同樣に——結果であり、他方には觀念的な理性哲學が神學の彼岸を此岸とし、その代りに現實的な世界の此岸を彼岸としてしまつた結果である。(一)

爲めに敎育の過程を生活の諸〻の關係から斷ち切り、極めて單純なる形式に於て卽ち敎師——敎育過程——兒童の圖式に於て、或は敎師と兒童とを現實の生活具體から切り離して敎育の過程は敎師が生徒に加へる反省的な且つまた合目的的な技術活動であるとした。其期する所は抽象的な「人間性の理念」Idee der Menscheit の完成にあるとする。(二)

從つて彼等は現實的な社會生活、國家生活を以て寧ろ彼等が思考せる理想的敎育にとつては有害なるものとする。カントは「敎育の理想的狀態に達する二個の障害として(一)兩親は一般に子女の現世に榮えることをのみ案じ、(二)王侯は人民を自己の目的の道具に外ならぬものと見做す。兩親は我が家を想ひ、王侯は自國を想ふ。二者共に世界の福利と完全性とを——それらは人間性の目的であり、又人間はそれらに對する素質を具有する——終極の目的とはしない。然し敎育的考案の建設は世界的でなければならぬ。(三)」と述べて居る。

「彼れ以後の教育者は何等かの形に於て此觀念を踏襲して居るものと言はねばならぬ。即ち批判的教育學者が教育は兒童を現在ならで將來に於て可能なるよりよき人類の狀態へ „dem zukünftig möglich bessern Zustande des menschlichen Geschlechts.“ 導くことであるとし、文化教育學者は教育を以て被教育者の内界に文化創造の意識を搖り動かし、目醒まし、助長するにある」(四)と言ふが如きは皆その揆を一にするものと言ふことが出來る。

なるほど「人間の現存在はそれ自體として、未だ存在せざるものに生成せなければならぬ」(五)。從つて教育の仕事は常に理想的なるものとして將にあるべくして未だあらざる所の理想に向ふ形成の活動である。併しながら觀念的理性的教育學に於ては將にあるべくして未だあらざる所の理想に向ふ形成活動とは時間と空間とを超越し、唯だ、無上命法の規範に當て嵌まることであるとする。即ち無内容のものである。

之に對してマックス・アドラーが「普遍的なる人類の世界を建設せんと希ふが如き教育は恰も空氣なき空間に於ける教育に外ならぬ」(六)と言へるは蓋し適評である。

斯の如き抽象的形式的な教育學は何等の内容と生命とをもたぬものであつて、

人間の根源作用としての敎育を理解すべくもない。ディルタイは「偉大なる敎育學的諸大系は敎育の目的、敎材の價値、敎授の方法を、普遍妥當的に從つて全く異れる國民及び時代に對して妥當するやうに規定することを要求する。ヘルバルトとシュライエルマッヘル、スペンサー、ベネケとヴァイッは此點に於て一致して居る。體系の斯の如き要求は國民の差異及び國家の要求に顧慮することなくして、同型の理想を現存の學校制度に押し付けんとする根本的傾向を促進せざるを得ない。かくて敎育學的理論に於ては誤謬は、我々の學校制度に對する危險となる。

國家生活の舞臺上に於て十八世紀に演ぜられたことが學校のより狹き、より靜かなる領域に於て現代繰り返されて居る。普遍妥當性への誤れる要求を以て現れる抽象理論は社會の歷史的秩序に對して破壞的革命的な作用を及ぼす」(七)と論じて居るのは現代敎育學の弱點を曝露して餘す所がない。

人間の本質が抽象的一般的に於てゞはなく、具體的全體と、の對立と融合との辨證的存在に於て把捉せられるとすれば我々の敎育問題の考察も當然歷史的具體的全體として我々の言語、風俗、宗敎、道德、法律、經濟等々の根源としての國民に基礎を求めねばならぬ。

故に教育とは國民の生成發展を内容とする文化財の攝取によつて國民各自が一定の典型的な意識、情緒、意欲若くは行動に對する同一傾向を獲得する爲めの計劃的、具案的助成作用であると言ふは正しい。

ウィネケンが「教育とは個人意識を人類の總體意識へと參加せしめるべく能力つけることであり、狹義の教育は個別的意志を社會的意志へと聯結することである」（八）と言ひ、ナトルプが Erziehung zur Gemeinschaft durch Gemeinschaft と言ふが如き（九）は共に抽象的普遍的な立場を離れざるものと言はねばならぬ。

否！　教育は具體的人間の生成であり、新人の形成である。けれども或存在としての個人が如何にして他の個人を形成し得ることが出來るであらうか。個人を形成することは個人自ら生成することであるとも言ふ。果して個人は自ら生成することが可能であらうか。個人を形成するとは個人を超越しながら個人を規定する客觀的な力によらねばならぬではなからうか。ペスタロッチーも「人間の本質は自己に宿る神性の閃光 Göttliche Funken であり、之によつて始めて人間は如何なる向上もなし得るし、赦罪も遂げられ得る。而も之は人間の内にある人間以上の力、神性によつて可能なのである」（一〇）と言ふ。一切を絶對精神の表現と見るへーゲル哲學に於てすら猶且つ絶對精神なるものは客觀的神性の表現に外ならぬ。それ故に彼は「哲學はその對象を先づ何よりも宗敎と共有して居る。兩者は眞理を以てその對象として居るのであり、それも最高の意味に於ける所の――卽ち神が眞理であり、神のみが眞理であると言ふが如き意味に於ける眞理を以てその對象として居るのである。兩者はなほそれ以上に有限的なるもの丶領域たる自然と人間的精神、その相互間の關係、又それ等のものの眞理としての神に對するそれ等のもの丶關係を取扱ふ」と言つて居る。(二)

彼等西洋の學者は眞の意味の創造者としての人間主體として基督敎的神性を認め、この超個人的力が個人を限定する時に形成なる作用が營まる丶と見るのである。併しながら我々には此客觀的主體を超越的な神と見ることでなしに、抽象的普遍性に認めることでなしに却つて國民精神としての具體的歷史的なものと見る。これこそ日本精神の唯一の而して根本的な特徵である。

一切皆空を論じ徃生極樂を說く佛敎すら我が國民にあつてはこの常樂涅槃こそ歷史に於ける使命の遂行によつて、死して生きることによつて立正安國、鎭護國家の中に於て見出し得るとしたのである。此に國民精神のもつ敎育原理なるものがそれ〴〵の歴史的社會的規定によつて異る根本の理由がある。　然るに古き敎育學はディルタイも言ふやうに「個々の國民の風俗から生じた敎育制度の偉大なる歴史的諸形態」を非難し、而して眞にあるものゝ意味深き構造や歴史的意味に對して盲目であつた(二二)。」

要するに敎育作用の領域たる形成の作用は如何にしても主觀の發展ではない。主觀なるものゝ漸進性を客觀的なるものによつて abbrechen することであり、個人的移行を國民的なる歴史性に於て飛躍することである。　故に客觀性の具體化なき所には敎育作用は起りやうもない。

「人間の意識が彼等の存在を規定するのではなく、却つて逆に人間の社會的存在が彼等の意識を規定する(二三)」„Es ist nicht das Bewusstsein der Menschen, das ihr Sein, sondern umgekehrt ihr gesellschaftliches Sein, das ihr Bewusstsein bestimmt.“ と説き、この階級社會の實在こそ我々を規定すると説くマルクス主義は在來の抽象的にして觀念的無内容なる敎育、何等の創造主體をも認めなかつた論理的敎育學に對する一大鐵槌であつた。

マルキシズムの暴風が意外に強力に世界の隅々までも吹き捲つたこと——殊

にこれがために教育界が多大な混亂を演じたこと、そして今なほ演じつゝあることは舊き教育學が人間の創造作用に對する主體者を見失つて居た爲めであらう。それをマルキストは明確に階級的經濟組織の具體性に於て認めたことは哲學上の一大發見である。けれどもかゝる階級の基礎たるものは物質的經濟的の社會であつた。エンゲルスは Anti-Dühring の中に「世界の現實的なる統一性はそれの物質性の内にある。(一四)」 ,,Die wirkliche Einheit der Welt besteht in ihrer Materialität." と言ふ。

けれども若し世界の現實なる統一を物質であるとするならばそれから精神的なものは何物も出で來らぬではないか。かくては教育は單に階級鬪爭の具となり、人間は道德なき野獸となり終るであらう。

教育は人間が我と汝とが限定し會ひながら全體なるものに關はる――客觀的具體的存在に交流する所に其本領とする生成の作用を見出し得るものであるとすれば、その具體的全體なるものこそ國民なる歷史的存在でなければならぬ。此に於てまた教育は各個人が國民の歷史的具體的の場に於て我と汝と交渉し接觸して我を限定することによつて絕對的全體卽ち國民精神へと復歸する作用であり復初の行であるとも云はれる。

從つて教育學は我と汝とに共通なる本源的の同胞心を獲んとする決意から起る國民同胞の學 die Lehre von der Brüderschaft である。その意味に於て「教育は社會的生起であるとも言はれる(一五)。」而して「具案的教育 planmässige Erziehung 卽ち教授 Unterricht は何時も唯だ本源機能としての教育及び發展の既に開いた道を完成し、特殊化するに過ぎぬ(一六)」とも言へるであらう。

そこで又教育とは時代の歴史的變化の中に於て國民の精神的自己發展を企圖することであり、若き世代を傳統の中に入らせることであり、又既成の秩序と關聯させつゝ生長する人間をして自己實現を營ましむることであるとも言へるであらう。

けれども之は過去の教育學者達が論ずるやうな單なる數學的、物理學的乃至論理的機械的交渉によつて行はれるのではない。教育こそ人間の本質的な存在の仕方に於て存在論的存在的な辨證法によつて飛躍し發展して自ら新人となる作用なのである。

(一) Feuerbach, L.: Sämmtliche Werke, Verlag von Otto Wigand, 1846, 2. Bd. S. 307.

（二）Kant, I.: Ueber Pädagogik, Taschenausgaben der philosophischen Bibliothek, S. 9.

（三）ditto S. 11f.

（四）Spranger. E.: Lebensformen, 7. Auflage, 1930, S. 380.

（五）Heidegger, M.: Sein und Zeit, S. 243.

（六）Adler, M.: Neue Menschen, 2. Auflage, 1926, S. 45.

（七）Dilthey, W.: Gesammelte Schriften, 6. Bd. S. 56.

（八）Wyneken, G.: Schule und Jugendalter, 1919, S. 56.

（九）Natorp, P.: Vorlesungen über praktische Philosophie, 1925, S. 506.

（十）Pestalozzi, J. F. :Meine Nachforschungen über den Gang der Natur in der Entwicklung des Menschengeschlechts, Sämtliche Werke, herausgegeben von Seyffarth, 7. Bd. 1901, S. 416.

（十一）Hegel, G. W. F.: System der Philosophie. Erster Teil, Die Logik, Sämtliche Werke, herausgegeben von Hermann Glockner, 8. Bd. 1929, S. 41.

（十二）Dilthey, W.: Gesammelte Schriften, 6. Bd. S. 61f.

（十三）Marx, K.: Zur Kritik der politischen Ökonomie, herausgegeben von Karl Kautsky, Verlag von Dietz Nachfolger G. m. b. H. 1930, S. LV. Auch vgl. Marx-Engels: Ueber historischen Materialismus, Teil I, International-Verlag, 1930, S. 60.

これには „Nicht das Bewusstsein bestimmt das Leben, sondern das Leben bestimmt das Bewusstsein," として居る。これはフオイエルバツハが彼の Vorläufige Thesen zur Reform der Philosophie, 1842. に於て „Das wahre Verhältniss vom Denken zum Sein ist nur dieses: das Sein ist Sudjekt, das Denken Prädicat. Das

Denken ist aus dem Sein, ater das Sein nicht aus dem Denken. "として居るものから一歩を進めて具體的にGesellschaftとして規定した所に實踐的な力強さがあるのである。併し此社會を生産階級のそれであり、人間の生産に關するものと限定した所に哲學上の難點がある。寧ろこれはクノーの言ふ如く,, Eeine solche Gemeinschaft ist auch die Naton " —Cunow, H.: Die Marxsche Geschichts—, Gesellschafts—und Staatstheorie, 2. Bd. 1921, S. 10. と言ふべきである。

（十四） Engels, F.: Herrn Eugen Dührings Umwälzung der Wissenschaft, 11. Auflage, Verlag von Dietz Nachfolger G. m. b. H. 1928, S. 31.

（十五） Petersen, P.: Der Ursprung der Pädagogik, 1931, S. 5 ff.

（十六） Krieck, E.: Philosophie der Erziehung, 1925, S. 13.

五

ディルタイは「我々は精神生活に於ける諸過程及び其結合の完全性を樹立すべく努める一切の活動を陶冶と言ふ。従つてかくして達成せられた完全性を教養 Bildung と名ける（一）」と言ひ、シュプランガーは「陶冶は精神力の生命ある關聯 Zusammenhang der Seelenkraft である。それ故に若し陶冶が材料を科學に取るとすれば其科學は認識活動の背後に藝術的形相衝動 künstlerischer Formtrieb にも比すべき何物かゞ作用して居る精神化された科學 beseelte Wissenschaft とならねばならぬ。

故に陶冶は生成自展する形相である」(二)。と言ひ、リットは陶冶は自我と客觀的文化との間斷なき交錯であると言ふ。

即ち彼等にあつては陶冶の作用は精神の自展とか、文化との交互作用としての力學的乃至論理的交渉に於て理解する。然るに之は正しく陶冶の機械的了解であつて、僅かに對自的人間に於ける現象としての教育を物理數學的心理學的に規定したものであつて、教育作用が根源に於て人間の an sich との係はりに於て起る我の飛躍である存在論的意義を看却して居る。

朱子は「大學」の卷頭に註して學習を論じ

學之爲言效也。人性皆善而覺有先後。後覺者必效先覺。所爲乃可以明善而復其初也。――習鳥數飛也。學之不已。如鳥數飛也。

と言つて居る。後覺者が先覺者に就て倣ふ所がなければならぬが而もそれは鳥の飛翔するが如くに自己の中に一大飛躍を爲すことによつて我を止揚することこそ學習の根本作用であり、特質である。

教育陶冶は苟《マコト》に日新、日日新、又日新(三)にある。それ故に大學には大學之道、在明明德在親民とも言ふ。親《あらた》にするとは生の變革と飛躍とを意味する。古き人 vetus homo は死し、死する所に新らしき人 novus homo の甦りがある。陶冶は實に新人の甦生である。新らしき人の甦りとは對自的な我が先覺者と接觸し、その指導によつて自己を限定し、敎育財を moment として即自且對自的なものへの übersteigen である。詳言すれば概念以前的な絕對的存在者――國民精神――を自己に於て把捉し、我の本源に復することである。故に陶冶は復初の作用である。從つて對自的我の無限なる力學的發展とか論理的進行によつては理解すべくもない。

在來の敎育學に於ては敎師と兒童との交涉、――敎育作用の最も特殊なる領域に於てすら我と汝との交涉關係は僅かに理念的なる共通精神を認め、之を關心の場として行はるゝ力學的心理的作用とするが故に敎育活動の背後に潛む根源力は藝術的形相衝動とか乃至は敎育愛によつて說明する。

シュプランガーは「敎育は他人の心に對する賦與的愛によつて把持せられた意志であつて、他人の心から全體的價値受容性並に價値形成能力を開發せんとするものである。(四)」と言ひ、ペスタロッチーは親心と子心とを以て敎の由つて生ずる所とする。長田博士も其近業「敎育學」に於て「親は子を思ひ、子は親を慕ふと言ふ情愛の交流あつて玆に敎化の世界が成立する。唯だ此の親子相愛し相慕ふ情愛の交流が永劫普遍の文化への思慕に於て行はれる所に人類は凡て他の生類と區別する所以の教育活動が發展する」(五)と言はれ、セラーも亦愛を以て宇宙に於ける人間の地位を理解する唯一の手懸として「凡ゆる人間否、凡ゆる生物が神的迫力の中に根ざして居ると言ふこの統一を我々は同情、愛、及び宇宙的同一感の凡ゆる形式の偉大なる運動に於て經驗する」(六)と言ふ。

フォイエルバッハすら客觀的にと同樣に、主觀的にも亦、愛は存在 Sein の規準――眞理と現實性の規準である。何等の愛の存しない所には又何等の眞理も存しない。そして唯だ、或物を愛する、その人のみが或物である。――何ものでもあらぬ、と何ものをも愛さないとは同一である」(七)とすら言つて居る。

性愛を以て人間と人間との關係を説かんとしたものは生物學的自然主義哲學の發見である。彼等は孤立的な人間が他と係はる關係を唯だ、僅かに性愛と衝動とに於て求めた。

然るに今や觀念論の哲學者や教育學者達は我と汝との關係を愛の中に、就中價値愛の中に認めたのである。併しながら人間と人間との關係を衝動的心理的な愛によつて説明することは何等かの意味に於て――例へそれが構造心理學の如きものにしても——心理學的方法を以て人間關係、別して教育事實を說明せんとする力學的迫力說に立脚するものと言はねばならぬ。

教育の愛は心理學的の愛ではない。親心と子心とは時に衝動的の愛でもある。けれども教育愛はこれに似て非なるものであつて、それの存在が汝に歡びを、それの存在せざることが汝に苦痛を齎らす所のもの、客觀と主觀、存在と非存在、當爲と現實との對立——一の苦痛なと同時に喜ばしき對立止揚の根源的な愛である。從つてそれは又 Sorge でもある。

後花園天皇が東宮(後土御門天皇)に送らせ給ふた御消息に(八)

あはれしれ今はよはひも老の鶴の

雲井にたえす子をおもふこゝろ

また伊勢貞親教訓にある(九)

子をおもふ親の心の闇はれて

いさむる道にまよはすもかな

と言ふが如きは何れも教育愛の特色が顯示されて居る。

されば教育愛は往々鞭ともなり罰ともなつて現はれる。教育の活動に於て人間の關係を一元的、衝動力學的に見る人々は「愉快に、樂しく」を motto とする、けれども眞の敎育愛は吉田松陰先生が示された

死而後已之四字、言簡而義廣、賢忍果決、確乎不可拔者、舍是無術也

士規七則

に盡きて居る。

何となれば人間は我と汝と對立する存在的であると共に客觀的國民精神に係はる存在論的で、あり、全體性によつて限定され、この限定を限定して全體へと上り行く übersteigen する所の可能態であり、生成である。(一〇) この現實を越え行く所に個體的欲望が全體の爲めに犧牲にせられ、個體が限定せられる苦腦と、その犧牲によつて全體の中に復活する歡びとが敎育の思慕である。それ故に死而生れる人間の辯證法的發展が敎育陶冶の根本でなければならぬ。

斯くして兒童と敎師とが對立しながら而も兩者が一であり、師弟が對立し限定し合ひながら互ひに全體へ復初せんとする敎育作用の理解や方法は心理學や論理學であつてはならぬ。却つて我の肉體と精神との、無限と有限との、個人と全體との對立を內的にも外的にも止揚し得る具體的な辯證法によらねばならず、その

統一媒介をなす限定者は具體的な、歴史的な國民精神でなければならぬ。

（一）Dilthey, W.: Gesammelte Schriften, 6. Bd. S. 70.
（二）Spranger, E.: Gedanken über Lehrerbildung, 1920, S. 3.
（三）大學　親民篇
（四）Spranger, E.: Lebensformen, 7. Auflage, S. 381.
（五）長田新博士著　敎育學　一九七頁
（六）Scheler, M.: Philosophische Weltanschauung, S. 13.
（七）Feuerbach, L.: Sämmtliche Werke, Verlag von Otto Wigand, 2. Bd. S. 325.
（八）日本敎育文庫　家庭篇　五三頁
（九）同前　一五一頁
（十）Hegel, G. W. F.: Phänomenologie, herausgegeben von Georg Lasson, 3. Auflage, S. 26ff

六

パウルゼンは「敎育とは先立つ世代が後るゝ世代に理念的文化財を傳達することである」（一）と言ひ、ウイルマンは「敎育とは精神財を後裔に讓り渡すことである」（二）とし、バルトが敎育とは社會の生殖的傳達であると定義し、シュプランガーが「敎育を文化傳達である」（三）とするが如きは何れも敎育の機械觀であり敎授の機械主義、心理主義に立脚して居るものである。これこそ十八世紀以來なべての教育學者の傳統的な病である。

近世教育學の教授法に關する基礎付けは一般にベーコンとデカルトとによつて與へられたものである。ベーコンの方法は彼の眞理を發見し、探究する方法として唱導したものであつてSensesとParticularsとから出發し歸納して徐々にaxiomsに至り、最後にmost general axiomsに達する方法である。(四)

デカルトによつて與へられたるものは彼の哲學研究上の規制として用ひた方法である。デカルトは之を以て自己の精神にとつて可能なるべき凡ゆる事物の認識に至る眞の方法die wahre Methode zu suchen, um zur Erkenntnis aller Dinge zu gelangen, deren mein Geist fähig wäreであるとした。その掲ぐる所は

第一規制　如何なる事物と雖、自己が明證的に眞であると認めざる限り、決して眞であると承認せざること。即ち輕卒と偏見とを注意して避けること、及び如何なるものと雖、疑を容るゝ餘地なき程自己の心中に明確にまた判然と現はるゝもの以外には最早や自己の判斷に含ましめざること。

第二規制　自己の檢討せんとする各〻の難點を出來る限り、又必要なるだけ小部

分に分ち、而して之を最もよく分解すること

第三規制　自己の思想を秩序的に導くこと、斯くして先づ第一に認識するには最も單純にして而も容易なる對象より始め、次に徐々として段階的に最も複雜なる對象の認識にまで上り、而して自然的に互に繼次的關係に立たざる事物の間に秩序を創造すること。

第四規制　到る所に於て、何物をも除外することなしと信ぜらるゝ程に全體的なる列擧及び一般的な概念を作ること。(五)

である。この方法は彼以後の哲學者によつて其研究法として採用されたと同時に敎育者によつても亦彼等の敎授法として一般に準據すべきものとされた。

之に對してディルタイは「今日の敎育學は第十七世紀及び十八世紀に生じたものであつて、當時自然法、自然宗敎、又は自然科學、普遍妥當的な道德、美學、政治學、經濟學として發展した所の自然的體系の一部である。――自然科學の增大と世俗的君主政體との完成がヨーロッパの敎育理想を變革し、今や新たなる宮廷的自然科學的フランス文化が、凡ての才能ある人々を、その魔術によつて惹き付けた時代に、學習の材料の增大に對して、兒童の生活及び頭の中に、より簡單なる方法によつて取り

入れる餘地が作られねばならなかつた。

さて同時にベーコン、デカルト及びその仲間の新らしき方法論に於て教授學Didaktik を教授の方法論 Methodenlehre des Unterrichts として建設すべき補助手段が作られた。かくして十七世紀の普遍妥當的教授學 die allgemeingültige Didaktik は生じたのである。その根本思想は次の如くであつた。

即ち教授による我々の叡智の完成の自然的發達と完全性とは今や此基礎の上に、この世紀に對して教育全體の目標及び原理となつた。

トラップ、シュツルツ、ニーマイエル等は第一に此基礎の上に正規の教育體系を作り上げた。(六)」と言ふ。

けれども此事は十九世紀以後にも依然として繼續せられて居る。抑もデカルトの方法論は論理學や幾何學及び其他の數學等々の中から學術研究の方法として無用有害なるものを排除して、それ等の利益を含み、缺點を除ける認識的方法であると言ふ。(七)

故に之に基く凡ての教育は認識發展の助成作用であると見、教授を以て專ら知識を獲得する技術であるとする機械主義、論理主義である。ペスタロッチすら其教授は物理的機械的法則に從ひ、直觀より出發して之を分析し、數、形、言葉の三要素を發見し、この三要素に對する練習を機械的に反覆した。

それ故に、汝は敎育を機械化することを欲する」,, Vous voulez mécaniser L'éducation." と批評され彼自身も之を承認して居る。(八) 併しながら機械的な反覆によつて彼が企圖する自然人 Naturzustand を社會人 bürgerliche Bildung や道德人 Sittlichkeit にまで進めることは不可能である。それ故に此感性的な自然 sinnliche Natur を大膽なる放れ業によつて飛躍し、死によつて再生することによつて達せられるとするに至つた。 ,, Nenne es Abtötung, nenne es Wiedergeburt, dieses kühne Wagstück deiner Natur, diesen salto martale ausser dich selbst, insofern du nur sinnliche Natur bist." — Pestalozzis sämtliche Werke, von Seyffarth, 7. Bd. S. 413/414.

ヘルバルトの敎授法の段階が如何に機械的、力學的のものであるかは周知の事柄である。(九) 然るに最近デューキは其著 Human nature and conduct に於てこの機械的習慣反覆を以て敎授の全部にあらざることを說き「凡ての習慣は機械化することを含んで居るが併し機械化は必ずしも習慣の凡てゞはないと言ひ、ケルセンシュタナーは習慣を機械的 mechanische と「魂ある習慣」beseelte Gewohnheit とに分ち、前者は機械的習慣であり、後者は洞察力ある、魂ある、價値同化的習慣であるとし、機械的習慣は新らしき習慣に無頓着に同一形式を反覆して熟練にまで達するものであるが魂ある習慣は絶えず新らしき境遇に順應せんとする藝術的習慣である(一〇)」とする。

之によつて見る時、彼等の機械的教授法が人間と人間との交渉、限定によつて成立する教授作用なるものを理解することに於て全く行き詰れる結果「魂ある習慣」てふ神秘性を取り入れ來つた窮餘の策である。

ナトルプが人間性を衝動 Trieb, 意志 Wille im engern Sinne 理性 Vernunftwille の三段階に分ち、衝動より意志へ、意志より理性へ高める所に教育教授の本領がある(一一)」とする。けれども是等の三領域が物理的連續に於てあるとすれば衝動から理性への轉換は不可能となるではあるまいか。於是か彼は晩年の著たる Sozialidealismus に於ては此三段階の進行が數學的量的進行の法則によつては說き得ざることを認め數學的方法は量的關係の理解には役立ち得るが質的變化は了解し得べくもない。寧ろ此作用は „an sich" への自覺としての限定作用と見ねばならぬ(一二)と言ふに至つた。

要するに我々の立場から見た教授なる作用は單なる認識の發展でもなければ文化の攝取でもなく、或は文化の創造でもない。感性的現實的なものゝ中に無限なものを、――感性的な卽ち現實的な事物から立ち去ること――事實から抽象へ、經驗から概念へ――でなしに却つてこのものに立ち向ふこと――對象を思想や表象に轉化することではなくて、却つて通常の眼に見得ないものを見得るものに――卽ち對象にすることである。此にシュプランガーが所謂「眼を開き態度を生かすこと Öffnung der Augen, Belebung der Einstellung が起り、ケルセンシュタイナーの魂ある習慣が發生するのではあるまいか。

之は物理的數學的論理的方法によつて得らるゝものでなしに死而後已底の辯證的對立と限定との實踐の世界にのみ可能であつて人間本質の特殊なる作用である。

故にディルタイはまた「教育學は他方に於て十七、十八世紀の方法論及び人間學から個體の教育に對する規則、卽ち發展の法則は直觀から概念へ、事實から抽象へ、と進まなければならぬと言ふ規則を受けとつた。併しこの規則は、その無規定性の爲めに、より深き教育問題の解決に對しては十分ではない」（二三）とも言つて居る。

併しながら教育の作用が辯證的であると言ふことは非論理的であることを承認することでもなければ心理學的研究の無用を叫ぶことでもない。人間は存在的なる限り論理的一義的に定立することも心理學的に分析することも必要である。併しながら同時に存在論的であり一者と他者との批判的峻別とその相關關係を見るのみに止まらず、それ以上に兩者の具體的統一、絶對的同一を説かねばならぬ。然らざれば人間の形成作用としての教育は理解すべくもない。教育は或場所に於て或時に生存する人間の形成作用である。それ故にその精神構造の分析的説明や論理的定立のみでは生成の把捉とはなり得ない。蓋し論理學や心理學は生命を與へられたるものとして見るノエマ的のもの、一義的のものであるに對して辯證法はノエシス的であり生ける、活動せる、發展し行く概念の把捉であつて論理的心理的なものをも含み且つそれ以上のものである。

要するに是等の觀念論的教授法は孤獨な思索家の用ひた自己自身の獨白 Monologを適用したものである。けれども我々人間の眞の教育教授は身を以て我と汝とが對話する Dialog の中に、共同勞作の間に發展し實現する新民獲得の作用である。對話こそは人間を教育し、そして感化する爲めに、人間を自己思惟へと動かす爲めに、その疑惑を解決する爲めに、その理解を喚びさまし、そして導く爲めに、彼等の道德的缺陷の感情とそれに對する課題とを力づける爲めに最も適切なる手續であり、而も同時に我と汝との限定によつて全體者への轉入に缺くべからざる方法である。

蓋し「敎育する erziehen とは引き出すことであり、形成 bilden することである。形成するとは主觀的なるものを客觀的に表現すると見るべきではない。寧ろ規範とか自己とかを離れて客觀的なる歷史的な國民精神が自己自身を形成することである。我々は歷史的國民的存在として此土に於て死すべく生れ、生るべく死するのである。斯く我々は絕對的の存在を——客觀的な根源を媒介として汝に於て自己を見る所に眞の形成作用が考へられ得る。自己を越えて自己を限定するものと考へられる現在の內容が具體的人間を形成する敎育の Idee である。從つてかゝる國民精神の歷史的限定が敎育作用であり、而して我と汝との對立と其限定によつて我を越えたるものを實現し形成する所に具體的人格が見出される。

故に廣義の敎育とは人間の形成作用であり、狹義には此形成の作用に對する具案的計劃的な助成作用であると言ふことが出來る。此に「敎育學が單なる自然的經驗科學と異り規範的精神科學と相違する獨自な科學として成立することが出來る(一四)。」實に敎育學は人間形成の學である。シュライエルマッヘルが敎育學を以て價値科學と存在科學との中間を縫ふ一種獨自の科學であると言ふ所以は恐らくこれを指示して居るものであらう。

敎育學は正に人間の存在的な存在論的在り方によつて其原理を理解せられた。從つて其方法も亦存在者が存在論的なるものとして飛躍し、發展する具體的な生成の法則 die Wissenschaft von den allgemeinen Gesetzen der Bewegung としての辯證法によるべきであつて生物學や心理學や乃至數學や論理學によるべきでないことが示された。

併しながら私の言ふ敎育辯證法は存在する所のものを凡て概念化 begreifen することを以て任とするヘーゲルの辯證法(一五)でもなければ、マルクス・エンゲルスの自然界に於ける發展の法則としての自然辯證法(一六) die Wissenschaft von den allgemeinen Bewegungs= und Entwicklungsgesetzen der Natur, der Menschengesellschaft und des Denkens でもない。

寧ろ我々の本源としての「中」或は「和」の自己限定としての形成作用を把捉する歷

史的論理學 die Logik der Geschichte であり、我と汝との國民精神を本據としての同異自在、倶存無礙への具體的辯證法である。

玆に於ては敎育の目的と方法とは合一して居る。人間の在り方に基く敎育學はそれ自の中に方法論を含み、眞に技術としての敎育學から人間生命の發展に對する助成作用としての敎育學が成立する譯である。それ故に此の敎育學に於ては眞理と存在との一致、生と理念との合一が完成する。

それは理論の品位と獨立性とを損ふことなく、確かにそれとの最も密接な協和に於て、本質的に一つの實踐的な而かも最高の意味に於て實踐的な傾向を有するそれは宗敎に代つて現れ、それは宗敎の本質を含み、それは眞實にそれ自身宗敎でもある所のものである。かくて敎育學の課題は答へ得られた。

（一） Paulsen, F.: Pädagogik, 6. u. 7. Auflage, 1921, S. 6f.
（二） Willmann, O.: Didaktik als Bildungslehre, 4. Auflage, 1923, S. 607.
（三） Spranger, E.: Lebensformen, S. 380.
（四） Bacon, F.: Novum Organum, The world's greatest literature, P. 317.
（五） Descartes, R.: Abhandlung der Methode, übersetzt u. herausgegeben von Buchenau, Philosophische Werke, I. Bd. S. 15.

（六） Dilthey, W.: Gesammelte Schriften, 6. Bd. S. 56f.

（七） Descartes, R.: Abhandlung der Methode, Philosophische Werke, 1. Bd. S. 14.

（八） Pestalozzi, J. F.: Wie Gertrud ihre Kinder lehrt, Ausgewählte Werke, herausgegeben von Friedrich Mann, 3. Bd. 5. Auflage. 1906, S. 136.

（九） Vgl. Herbart, F.: Allgemeine Pädagogik, Pädagogische Schriften, herausgegeben von F. Barthlomäi, neu bearbeitet von T. von Sallwürk, 1. Bd. S. 172ff.

（十） Kerschensteiner, G.: Theorie der Bildung, 1926, S. 30f.

（十一） Vgl. Natorp, P.: Sozialpädagogik, S. 54ff.

（十二） 〃 : Sozial-idealismus, 2. Auflage, 1922, S. 206ff.

（十三） Dilthey, W.: Gesammelte Schriften, 6. Bd. S. 60.

（十四） 西田幾太郎博士 哲學と教育學 教育講座第十八册 五頁參照

（十五） Hegel, G. W. F.: Phänomenologie des Geistes, herausgegeben von Georg Lasson, 3. Auflage, 1928, S. 185ff.

（十六） Engels, F.: Herrn Eugen Dührings Umwälzung der Wissenschaft, Verlag von Dietz Nachfolger G. m. b. H. 1928, S. 144.

二律背反論

淡野安太郎

此の論文は、歴史的なる材料を多く用ひたのと、問題が廣汎に亘つたために、おのづから、可なり長い註釋を諸所に挿入することを余義なくされた。論旨を把握し難きものたらしめないために、先づ本文のみを通讀して頂くことを希望する。

一

吾々人間は、無限なる宇宙の中に、一個の有限なるものとして生活する。その所謂「有限なるもの」が單に —— blosse Negation としての —— "Schranke" を有するものたるにとどまる限りその眼は専ら此岸にのみ向けられるが故に、人は容易に安價な此岸的生活を享樂し得るであらう(その場合、人はせいぜい最も利口な動物以上の何ものでもない)。しかし、ひとたびその限界が、實は —— つねに自らを踏み越えて彼岸を指し示すところの —— "Grenze" に他ならぬことが自覺せられるや否や、人は、此岸への執着と彼岸への憧憬との矛盾(二律背反※)といふ深い惱みの淵に陷る(しかし、それと共に、人がその本來の人間性を實現し得べき途が開かれる)。而して、此の限界が Schranke ではなくして Grenze であることを自覺せしめるものが理性※※であるとすれば、理性批判の仕事を生涯の努力の目標としたカントによつて、二律背反の問題がはじめて最も根本的にとり上げられたことは、けだし尤もであると云はねばならぬ。茲に於て私は、カントの二律背反論を手懸りとして、吾々人間がいかにしてその有限性を超克し得るかを考へてみたいと思ふ。

※　カントは「この〔二律背反の〕矛盾に於ける理性の關心について」と題する節に於て、二律背反を Empirismus と Dogmatismus との對立として觀て居る(Kr. d. r. V. B. S. 494.)

※※　理性とは、カントに依れば「その本性の傾向に驅られて經驗的使用を超越し、純粹使用に於て單なる理念を借りて、敢て一切認識の極限外へ出ようとする」ものである(B. S. 825.)

カントが(一)世界には時間的、空間的に起始(限界)がある〔定立〕、世界は時間的、空間的に無限である〔反定立〕、(二)世界に於ける一切は單純なるものより成る〔定立〕、世界には單純なるものは一つもなく、凡てのものは複合的である〔反定立〕、(三)世界には自由による原因がある〔定立〕、自由なるものはなく、一切は自然である〔反定立〕、(四)世界原因の系列に於て何等かの必然的存在體がある〔定立〕、此の系列に於ては何ものも必然的ではなく、凡てのものは偶然的である〔反定立〕、といふ四對の二律背反を掲げ(Proleg. § 51.)、前二者を數學的二律背反と名づけるのに對して後二者を力學的二律背反と呼び、前者に於ては定立も反定立も共に誤謬であるけれども、後者に於ては二つの相反する主張が何れも眞でありうるとなし、かくして理論的領域の嚴密性を毫も毀損することなくして、みのり豐かな實踐的領域を救護しようとしたことは周知の通りである(Proleg. § 52 c, § 53; Kr. d. r. V. B. S. 559 f.)。しかもカントは他方に於て「世界が起始を有すること、私の思惟的自我が單純的、從つて不朽的本性を有すること〔數學的二律背反の定立〕それが同時にかれの任意的行爲に於て自由で自然の强制に超然たること、最後に世界を構成する諸物の全秩序が一つの根源的存在體から由來し、凡てのものはそれからその統一と合目的的連結とを得來るといふこと〔力學的二律背反の定立〕——斯の如きは、まさしく道德及び宗教の礎石 (Grundsteine)である。反定立はこれら一切の支柱を吾々から奪ふ、否少くとも奪ふかの如く見える」(B. S. 494.)と述べ、道德及び宗教の領域が確立されんがためには、數學的二律背反の定立も力學的二律背反の定立と同樣、その眞理性が保證せられなければならない、といふやうな考へを暗に仄めかせて居るのである。而して、元來、二律背反を構成する二つの命題は、——一方が眞であれば他方は僞であるといふ——單なる analytische Opposition の關係に立つものではなく、カントの所謂 dialektische Opposition※の關係に立つものであるから、假りに數學的二律背反の定立が眞であるとされる場合、反定立は必ずしも僞であるとは限らず、むしろ「反定立の諸主張間には思考法の完全なる同形性、格率の徹底的單一性（純粹經驗論の原理）が認められる」（B. S. 493 f.）が故に、數學的二律背反の反定立も――經驗論といふ全く同じ原理にもとづくものとして――力學的二律背反の反定立と同樣、眞と考へらるべきであり、かくして――カント自身の立場に於ても――力學的二律背反に對してなされた解決と全く同じ形の解決が、數學的二律背反に對しても要求せられることとなるであらう。約言すれば、數學的二律背反も力學的二律背反と同樣、二つの相反する主張が何れも眞であるとされ得るやうな解決の途が、見出されなければならないのである。それは、いかにして可能であらうか。

※　カントは「理性の宇宙論的自己矛盾の批判的解決」と題する節に於ては、主として、相反する二つの判斷が何れも僞たり得ることを明かにせんがために、分析的對當と辯證的對當との區分を說いて居るのであるが（vgl. B. S. 532.）、辯證的對當そのものは、いふまでもなく、兩命題が共に僞たる場合にのみ限らるべきものではなく、むしろ、――分析的對當とは異つて――眞・僞なる形式論理的矛盾關係に立たないところの・一層具體的な對當關係を、一般に特色づける觀念として解せられねばならぬ。

二

いつたい二律背反卽ちアンチノミアとは、ノモス相互間の背反である。而してノモスの原語ネメインとは「分配する」或は「わけまへとして持つ」といふ意味であり、原始時代に於てはそれが主として土地について云はれたために「一定の場所に居住する」といふ意味に轉じ、更に牧畜民族に於ては「牧草を與へる」或は「放牧する」といふ意味になつた。從つてノモスとは、原義的には「牧場」を意味し、それがやがて「領土」となり、最後にその領土に生れた「慣習」又は之に基いて成立せる「法律」を意味することとなつた。かくして、ノモスとは「一定の領土に成立せる法律」に他ならぬ。從つて、ノモス相互間に背反がある場合、それぞれのノモスの成立せる領土が明かにせられるならば、一見しか見えたるが如き背反關係は解消して、兩方のノモスは共にそれぞれの領土に於てその妥當性を主張し得るであらう。ノモスといふ言葉の歷史は、吾々に、アンチノミアのかくの如き解決可能の暗示を與へるのである。事實、また、カントが力學的二律背反に對して與へた解決は、かかる解決の仕方に他ならぬ。而して若し、此の解決の仕方が單に力學的二律背反にのみ限られずして、數學的二律背反にも適用され得るものとすれば、四對の二律背反を「數學的」と「力學的」とに分つことの意味は、重大なる變化を免れることは出來ないであらう。何者、第一と第二の二律背反が數學的二律背反と呼ばれ、第三と第四の二律背反が力學的二律背反と名づけられる所以は、前者に於ては、その「根底に存する悟性概念が單に同種的なるものの綜合 (Synthesis des Gleichartigen) をふくむ」のに對して、後者に於ては「異種的なるものの綜合 (Synthesis des Ungleichartigen) をふくむ」からであるが(B. S. 558)、若し、第一と第二の二律背反をも、それぞれ異る領域に於て妥當するものとして定立反定立共に眞である、といふやうな仕方で解決しようと思ふならば、そこに異種的なる二つの領域を認めねばならず、かくては、右に述べた樣な意味に於て「數學的」と呼ばれるにはふさわしくないからである。 しかし、その故に「數學的」及び「力學的」なる區別が一般に全く無意味である、として簡單に無視し去ることも出來ぬ。といふのは、元來「數學的」及び「力學的」なる兩概念は、カントがその哲學的思索と殆んど同時に用ひはじめた區別であり、又所謂批判期に入つて後もつねに好んで併用した對概念であつて、かかる區別の背後には何等かカント的なるものがひそんで居るのではないか、と思はしめるからである。 茲に於て、吾々は先づカントの哲學思想發展史を辿ることによつて「數學的」及び「力學的」なる區別が、カントの考へ方に對していかなる役目を果して居るかを明かにしなければならぬ。

先づ第一に、カントの處女作であり大學卒業論文であるところの「活力測定考」(1747)は、f=mvであると主張するデカルト派と、f=mv²であると主張するテイプニッツ派との當時歐洲の學界に於ける有名な論爭に對して、若きカントが軒昂たる意氣を以て之が解決を試みたものとして、しかも此の論文が内容そのものよりも、その解決の仕方が既に後に所謂批判的方法の萌芽を藏するものとして、特に注目に値することは周知の通りであるが、カントはその第二章の冒頭に於て彼が「つねに眞理の研究にあたつて Regel として用ひた」根本方針を次の樣に述べて居る。「若し聰明な判斷力を具へた人達が……お互に全く反する意見を主張する樣なことがあるならば、兩方の側に或る程度の正當性を認める(beiden Parteien in gewisser Masse Recht lassen)樣な何等かの Mittelsatz を見出すべく主として注意を向けるのが Logik der Wahrscheinlichkeiten にかなつたことである」(§ 20) かくしてカントは、デカルト派とライプニッツ派との相容れない二つの主張にそれぞれ或る程度の正當性を認めるべく、先づ凡ゆる運動を、例へば手で靜かに押される彈丸の如く他から加はる力が止むと同時に消失する運動と、對之、例へば發射されたる彈丸の如く障礙がない限りは夫自身無限につゞく運動とに分ち(§ 15)、此の二種の運動の有する力を測定するにあたつて、それぞれその運動をとめるに要する Widerstand の量を以てする時、$f=mv$ 及び $f=mv^2$ なる兩方の主張が共にその固有の範圍内に於て承認されなければならないことを示さうとした。即ち、手で靜かに押される彈丸は、單に手をひくことによつて運動を停止するが故に、その力は die einfache Geschwindigkeit 即ち單なる v を以て測ることが出來るけれども、發射されたる彈丸は、夫自身その運動狀態を維持しようとするものであるが故に、之をとめようとする Widerstand は、單にその速力に拮抗する力のみならず、なほその外に、運動狀態を維持しようとする Bestrebung をも破壞する力を持たねばならぬ。從つてその場合に於ける Widerstand の總量は、Geschwindigkeit と、Bestrebung を破壞する力との積によつて、——しかも兩者は畢竟等しきものであるが故に—— v^2 によつて、測られなければならないであらう(§ 18)。而してカントは、前者の如く動體自身に根ざさない (nicht eingewurzelt, § 18)力を死力 todte Kraft と名づけるのに對して、後者の如く内部より自由に(innerlich-frei, § 18) 動く力を活力 lebendige Kraft と呼び、死力を有する物體を mathematischer Körper od. Körper der Mathematik※、活力を有する物體を natürlicher Körper od. Körper der Natur なる名を以てそれぞれ區別し、デカルト派の主張は Mechanik の原則として數學的物體に妥當し(§ 115)、ライプニッツ派の主張は wahre Dynamik の原則として自然的物體に妥當するもの(§ 124, 125)と考へた。※※ かくして當時全歐洲を風靡した大論爭も、實は、事柄自體に關するものではなく、全く單なる modus cegnoscendi の相異に他ならぬ(§ 50)ことが明かにされ、所謂批判的に解決せらるることとなつた。ここに、やがてカントの名を不朽ならしめた批判的精神の萌芽を認めることは、あながち無理ではないであらう。しかも、此の批判的解決を可能ならしめたものは「數學」及び「力學」なる名によつて、二つの異なる領域を區別したことだつたのである。此の場合、數學的領域とは、全く他のものによつて外から規定せられる――外的規定性の・死せる世界であり、對之、力學的領域とは、自己の規定根據を自らの中に有する――內的規定性の・生ける世界である、として特色づけることも出來るであらう。この區別は、後にカントの二律背反論の問題を考へるにあたつて、重要なる意味を有する。

※ 數學とはカントに依れば「その〔對象となる〕物體が――運動の外的原因たる――〔他の〕物體によつて全く惹き起されなかつた樣な力をもつことを許さない」ものである(§ 115)。

※※ カントは§ 125の冒頭に於て、彼の所謂新しい測定を「デカルト及びライプニッツの測定に代る

い、ものとして、眞の力學の基礎とする」といふ樣なことを述べて居るのであるが、その Neue Schätzung der Kräfte といふのは、§ 124 に依れば「その速度を、自由なる運動〔卽ち內部よりの運動〕に於て無限に・減ぜずに保持するところの物體は、活力 —— 卽ち速度の自乘によつて測られる樣な力を有する」といふのであつて、實は何等新らしいものではなく、ただライプニッツが「デカルトの法則を absolut und ohne Einschlärnkung に否定し、その代りに直ちに彼の法則を置き換へた」(§ 22)のに對して、カントはそれを「デカルトの法則にもやはりいくらかの場所を許容する樣な・或る條件の下に於てのみ」(nur unter gewissen Bedingungen, die der vorigen〔Regel des Cartes〕annoch einigen Platz verstatten, § 22)適用しようとしたものに過ぎないであらう。

三

次に、一七五五年の「天體の一般自然史及び理說」が哲學的に興味を惹く點は、それがニュートンの機械觀とライプニッツの目的觀とを調和しようと試みたものとして、その調和の仕方がさきの卒業論文と同樣、所謂批判的方法を暗示する點にあると云はれて居るのであるが、更に考へ方の發展として注目すべきは、さきの論文に於ては、同じく Körper の世界に、死せる數學的領域と生ける力學的領域とが區別せられたのに對して、此の論文に於ては、外的規定性を主張する機械觀は普く Natur を支配するものとして承認せられ、これに對して內的規定性を主張する目的觀は自然を超えた——後に所謂 intelligibel な——世界に妥當するものとして、自然界と目的界なる二つの世界がはつきりと自覺的に定立せられた點に存する。かくして、カントは一方に於ては、先づ「全世界の物質が凡て散亂狀態〔卽ち混沌《カーオス》〕にあるものと想定し、……〔それから〕全く引力の法則に從つて元素が形成せられ、撥返しによつてその運動を變ずるのを見、少しも勝手な空想の助けを借ることなくして、全く運動の法則の誘因の下に秩序正しい全體がつくり出されるのを見て滿足を感ずる」(phil. Bibl. Bd. 48a, S. 12) ばかりでなく、大膽にも「余に物質を與へよ、余はそれより世界を構成せん！」(S. 17) と自然科學に對する絕對の信賴を吐露しながら、しかも他方に於ては「種々なる性質をもつた物がお互に結びついて、かくまで立派な調和と美しさとを實現しようと (bewirken trachten) して居ること、否しかのみならず、謂はゞ死せる物質の範圍外にあるもの卽ち人間と動物とのためにさへならうとして居るといふ樣なことは、若し共通の根源といふものを認めないならば、卽ち——その中に於て凡ゆるものの固有の諸性質が相關聯して立案せられた樣な——無限的悟性を認めないならばいつたい如何にして可能であらうか」(S. 12) と「世界組織」の美しさと完全なる秩序とから最も賢明なる創始者〔の存在〕を確認しようとする證明の

全價値を認め」(S. 8)て居るのである。※

此の所謂自然神學的證明といふべきものに、カントは終生愛着を禁じ得なかつたものと思はれる。それは、カントが機會ある毎に之を繰返して述べてゐること、殊に「純粹理性批判」の辯證論に於て、吾々の有限なる悟性に對してかくの如き證明が不可能であることを徹底的に批判するにあたつても「此の證明はつねに敬意を以てその名を擧げられるにねうちする」といひ、また「此の證明の名望を傷けんとするが如きは、たゞに不愉快であるばかりでなく全然無益であらう」(Kr. d. r. V. B. S. 651; S. 652)とわざわざことわり、結局、それを――悟性の世界を理性の立場から理解しようとする――反省的判斷力の領域に移すことによつて、eine physische Teleologie として確立しようと試み、此の「自然的目的論は吾々の理論的反省的判斷力に對して、悟性的世界原因の存在を認むべき充分なる證明根據を與へる」(Kr. d. U. S 418.) と明言して居るのを見てもわかる。而してかくの如き愛着が、カントが「決して忘れないであらう」といつた母の深い影響によることは云ふ迄もない。實際、カントの母は彼を「屢々街の外へ連れて行つて神のわざに眼を向けしめ「敬虔なる恍惚の中に神の全能と知慧と善き心とについて物悟り、そして萬物の創り主に對する深い崇敬の念を〔カントの心〕に印せしめた」のである。しかも、その母は同時に「善の最初の萌芽を〔彼の心に〕植えつけてそれを育てた」のである(Immanuel Kant, geschildert in Briefen an einen Freund von Reinhold Bernhard Jachmann, S. 69)。かくして、カントにとつては「わが上なる星の輝ける空とわが内なる道德律」とは「それを考へること屢々にして且つ長ければ長い程、つねに新たにして増し來る感歎と崇敬とを以て心をみたす二つのもの」となつた(Kr. d. p. V. Beschluss)。吾々は玆に、カントが神を求めた二つの道を認めねばならないであらう。即ち、宇宙《コスモス》の觀想と道德の實踐と。しかし、果して單なる宇宙の觀想によつて吾々と活ける神に接することが出來るであらうか。また、單なる實踐の立場に於ては、神の存在は畢竟道德の要請以上のものとはなり得ないのではあるまいか。私は、宗教の立場は實踐卽觀想の立場でなければならない、と考へる。このことは最後に到つて明かにせられるであらう。

かくの如く、最初「數學」及び「力學」なる名によつて特色づけられた外的規定性と内的規定性の區別は、先づ Körper について死せる領域と生ける領域、との二つの異なる領域を發見し、次に普く機械觀の支配する自然界のほかに、美しい調和を實現する目的界を認めることとなつたのであるが、更に「形而上學的認識第一原理新釋」(1755) に到つて、外的規定性と内的規定性の兩者が所謂「必然と自由」なる形に於て現はれて居ることは、考へ方の内容上著しい發展であると云はねばならぬ。卽ち、カントは「新釋」に於て、當時の Schulphilosophie であつたライプニッツ・ウォルフ哲學の根本原理の一つであるところの・充足理由の原理の主張する “zureichender Grund” といふ觀念は「その理由がどこまで充分であるか曖昧であるが故に」それに代ふるに bestimmender Grund なる名を以てすべきであるとして、更に之を voraufgehend-bestimmender G. と nachfolgendbestimmender G. とに區別し (Prop. IV)、後者は單に眞理を說明するに過ぎないものであるが (Prop. V)、前者は凡て生起するものの前提となつて居るものであつて(Prop. IV)しかも「Grund の中になかつたところのものは何ものも Begründetes の中にはない」から、此の世界に存在するものの總量には變りがないといふことになり(Prop. X)、若し精神も物體と同樣、此の法則に從ふといふことになれば、ここに、自由と道德の基礎を搖り動かす樣な・可なり大きな危險が背後から迫つて來る、とカントは云ふ。　といふのは、「若し凡て生起するものは、たゞ voraufgehend-bestimmender Grund を有する場合にのみ生起することが出來るものとすれば、生起しない凡てのものはまた生起し得ないこととなり、……或る一つの出來事——或は自由なる行爲——の反對を欲する者は、不可能なることを要求する」こととなるからである。　しかし、此の世界の出來事の系列が神を創始者としてはじまり、その無限の必然的進行を神が豫知して居たものとすれば、「神はいかにして罪人をその行ひについて責めることが出來るであらうか」(Prop. IX)。　カントに依れば、宛も神の世界創造のはたらきが微動だにも搖がず嚴密に規定せられて居るのにも拘らず、それが神の全智にもとづく動機によつて規定せられて居るものであるの故に自由である樣に、「人間の自由なる行爲に於ても亦、それが規定せられたるものとして見られる限りは、その反對は除外せられるけれども、それは——人間が自己の意志に反して一種不可避的な必然性によつてその行爲の實行を强制せられるといふ風に――本人の意欲と自發性との外なる諸理由によつて除外せられるのではなく、その行爲は、意欲の傾向が表象※の誘ひに喜んで從ふ限りは、確たる法則に從つて全く固定せる。しかも自由なる結合によつて規定せられるからである。自然法に從ふ行爲と道德的自由をたのしむ行爲との相異は、――宛も後者のみが將來の實現が疑はれ、そして諸理由の連關から解放せられることによつて、その發生の不確定なる理由を享有するかの如く――結合と確實性との相異に存するのではない。といふのは、若しさうであるとすれば、自由なる行爲はたいして理性的存在者の長所といふ程のこともないであらうから。寧ろ、その確實性がその諸理由によつて如何に規定せられるかといふ規定のされ方のみが、自由の特徴を形づくる。即ち、此の〔自由なる〕行爲が、たゞ意志に齎された悟性の動機によつてのみ誘ひ出されるのに對して――〔ここに道德的責任が成立つ〕――沒理性的な自然的機械的な行爲に於ては、凡ては外的刺戟と誘因とによつて、何等自由なる意志の動向もなしに、必然的に惹き起されるのである」(Prop IX, Confutatio dubiorum)※※。吾々はここに、はつきりと、必然と自由が外的規定性と內的規定性との關係に立つものとして把握され、しかもかく把握されることに於て、カントの所謂 die allbekannte Frage が解決されて居るのを見出すであらう。

※ ここで單に「表象」と云つて居るのは、おそらく他の箇所に於て「最善の表象」と云つて居るのと同じ意味であらうと思はれる。…… spontaneitas est actio a principio interno profecta. Duando haec *repraesentationi optimi* conformiter determinatur, dicitur libertas. (Kants Werke, hrg. v. Cassirer, Bd. I, S. 409)

※※ 此の「新釋」の自由論は、云ふ迄もなく、批判期に於けるカントの思想と嚴密に一致するものではない。しかし、その故を以てクーノー・フィッシェルの如く、兩者の間に非常なる距離がある (soweit …… entfernt; Gesch. d. neueren Phil. Bd. 4, S. 201) と見るのは、先批判期といふ・後から便宜上つけられたに過ぎないところの區別に、あまりに捉はれた觀方であると云はねばならぬ。むしろ、ブルーノー・バウフの如く「前者は少なくとも後者を hindeuten するもの」であり、從つて「カントの自由說にも亦…… Kontinuität der Entwicklung がある」(Immanuel Kant, S. 68; S. 69) と見る方が正しい解釋であらう。

かくの如く、人間の自由なる行爲は、たゞ內的原理によつてのみ規定せられるものであると解明することによつて、さきに提出せられた「神は如何にして罪人をその行ひについて責めることが出來るであらうか」といふ疑問に答へることが出來るであらう。しかし、それと同時に問題は一歩向ふへ押しやられて、しからば神は何故に、忌み嫌はれる罪惡をその世界創造の中に含ましめたのであらうか、といふ難點が殘る。之に對してカントは、此の――神によつて創られた――世界が、單に完全なるもの善美なるもののみで充たされては居らず、むしろ下等なるものを多く含んで居るのは、決して神の sanctitas をそこなふものではなく、却つて、何物も缺くることなからしめようとする bonitas Dei infinita を示すものである、と代辯者 Titius をして語らしめて居る (Kants Werke. hrsg. v. Cassirer, Bd. 1, S. 411—412)。此の宗敎的二律背反の問題を、一七五五年 Lissabon に起つた恐ろしい地震の災害と結びつけて、カントは所謂「地震に關する三つの論文」の中の第二の論文 (1754, März) に於ても之を取扱ひ、先づ地震の性質について純地質學的説明を試みた後に「信仰の篤い國も異敎徒の住む土地も同じ樣に地震に遭ひ「しかのみならず」何等罰を免れる特權を主張し得ない樣な多くの街が、最初から荒廢を免れて居るのを見ては、」世界統治に於ける神の意圖が奈邊にあるのか、判らなくなる、とカントは云ふ (Phil. Bibl. Bd. 49, S. 326)。しかし「人間は此のむなしき「浮世の」舞臺で、永遠の小舍をうち建てるために生れて來たのではない。人間の全生命は、遙かにけだかい目的をもつて居るのであるから、此の世の無常が――吾々にとつて最も偉大なるもの最も重要なるものである樣に見えるものに於てすらも――まのあたりに見せしめるところの凡ゆる荒廢は、地上の財寶《たから》が〔結局〕吾々の幸福衝動に滿足を與へ得ないものであることを戒しめることに、いかに美しく適つて居るではないか！」(S. 327)。「かういふ恐ろしい色んな偶然を熟視することは、敎へるところの多いものである。それは人をしてへり下つた心にならしめる。といふのは、神が定めた自然法則から〔自分にとつて〕好都合な結果ばかりを期待する・いかなる權利も持つて居ないことを、或は少くとも失つてしまつたことを、悟らしめるからである」(S. 291)※。かくして、全く外的に規定せられた自然現象は、小我に捉はれた立場から觀れば畢竟不可解な Zufall に過ぎないけれども、謙讓な心を以て之をみつめるならば、森羅萬象少しの無駄もなく深い內的連關に於て悉く神のこころにつながつて居ることが見出されるのである。かくの如く、自己中心的立場に於て偶然的に見える凡てのものが、實は深い必然的連關に於てあることを自覺するところに、眞の宗敎的立場の誕生がある。尤も、カントがさきに自然界の外的規定性に對する內的規定性の世界としての目的界を發見したとき、その目的界も既に神に迄つながつたものではあつた。しかしそれは、時計の精巧な器械がそれをつくつた技師の存在を想はしめるといふ意味に於て、つながつて居るのに過ぎなかつた。今や、人間の罪の意識とはかなさの自覺とを經て、再び見出された內的連關の世界としての宗敎界が、それよりも遙かに深いものであることは云ふ迄もない。自然界から目的界へ、目的界から道德界へ、而して最後に宗敎界へ。ここに吾々は、典型的な哲學的思索の發展を認めることが出來ないであらうか。

※ 此の地震に關する第二の論文は、當然、地震といふ自然現象の解明を主題とするものでありながら、その基調となつて居る宗敎的情緒は可なり深いものなのではないかと思はれる。しかも、それがカントの心に奥深く根ざした信念であつたことは、彼が一七六〇年六月六日附——前途有望な愛兒を失つて悲歎にくれて居る——一人の母に書き送つた慰めの手紙（"Gedanken bei dem frühzeitigen Ableben des Hochwohlgeborenen Herrn, Herrn Johann Friedrich von Funk"）の冒頭に於ても、同じ思想が多くの同じ言葉を以て、しかも一層強く美しく表現されて居るのも見てもわかる (Kants Werke, hrsg. v. Cassirer, Bd. 2, S. 41)。
これらのものと比較すれば、"Versuch einiger Betrachtungen über den Optimismus;" (1759) は、本來、この世が神の撰んだ最もよい世界であることを示すために書かれたものでありながら、その淺薄さはお話にならぬ。カント自身また只管之を取消してしまひたいと願つて居たらしく、ボロウスキイが友人から乞はれるまゝに——既に得難くなつて居た——此の小册子を頂きたいと願つたとき、カントは非常に嚴肅な眞面目さを以て、もうあの書物のことは決して口にしない様に、そして若しどこかで見つけ出す様なことがあつたら、誰にも與へずに卽刻破毀してしまつて欲しい、と賴んだといふ (Borowski: Darstellung des Lebens und Charakters Immanuel Kants, S. 58—59, Anmkg.)。

四

右に述べたるが如く、カントは、自然界の外的規定性に對する內的規定性の世界として、目的界から道德界へ、更に道德界から宗教界に進み、一七六〇年頃には既に相當深い思索の境地にまで到達して居たものと見なければならないであらう。※しかし、Philosophieren が單なる Philosophieren にとどまる限りは、畢竟、一家の見たるに過ぎぬ。 Philosophieren は同時に Philosophie にならねばならないのである。而して、そのためには先づ考へること及び識ること自體の機構とその意味が、明かにせられなければならないであらう。かくして、一七六〇年以後のカントの努力は、益々その哲學的思索を深めると同時に、――カント前の近世哲學の二大遺產たる經驗論※※と唯理論との兩方の主張を共に批判的に攝取しながら――理論的認識の本質を根本的に究めることによつて、自己の哲學思想に一層確乎たる基礎を與へようとすることに、向けられたものと見ることが出來ないであらうか。

※　カントが此の期間に於て、さきに擧げたるものの外に、「地球は地軸廻轉に於て變化を受けたるか」(1754)、「物理學的に考へて地球は老衰するか」(1754)、「火論」(1755)、「自然的單子論」(1756)、「風論の說明につ

いての新註」(1756)、「運動及び靜止に就いての新概念」(1758)など多くの自然科學的研究を發表して居ること、更に彼が "Physische Geographie" を大學の獨立の講義題目とした最初の人であること、などを以て其の頃のカントの關心の重點が專ら自然科學的研究におかれて居たものとなし、或は又、それらのものと平行して「形而上學的認識第一原理新釋」(1755)及び「樂天觀に關する二三の考察の試み」(1759)などの如きものをも同時に發表して居るの故を以て、カントは自然科學と形而上學との間を彷徨うて居たのであると云ふならば、それは甚だしき皮相の見であると云はねばならぬ。一七六五年から六六年に亘る講義案に依つて察することが出來る樣に、カントが恐れたのは、未だ健全なる悟性が充分發達しない前に、あまりに早く理性を erschnappen することであつた。健全なる思索は先づ健全なる常識から、――此の der natürliche Fortschritt der menschlichen Erkenntnis を、カントは單に說き勸めるばかりでなく、彼自らも實行したのであらう(vgl. Phil. Bibl. Bd. 46 a S 151—152)。實證的研究と哲學的思索との・カントに於けるかくの如き密接なる內面的連繫を見逃すならば、ひとは――クーノー・フィッシェルが大學時代のカントについて云つた次の樣な有名な言葉を――此の場合にも亦認めねばならないであらう。Wenn man auf seine Lieblingsstudien achtete, so konnte man nicht wissen, was Kant eigentlich werden wollte; wenn man seine Studien nach dem beurteilte, was er äusserlich werden sollte oder wollte, so konn'e man nicht sagen, was er eigentlich studierte. (Gesch. d. neueren Phil., Bd. 4, S. 54)

※※ 「デヴィド・ヒュームの警告こそは、數年前始めて私の獨斷的まどろみを破つて、思辨的哲學の範圍に於ける私の攻究に全然別途の方向を與へたものなのである」といふ――「プロレゴーメナ」に見出される――カントの有名な「告白」にも拘らず、カントに深い影響を與へた經驗論が必ずしも英國

のそれであることを要せぬことは、M. Wundt : Kant als Metaphysiker に詳かである。

先づ認識の機構を明かにせんがための第一着手として、吾々は「推論式の四つの格の詭辯」(1762)を擧げることが出來る。 カントに依れば、推論式の四つの格の中「所謂第一格に於てのみ純粹な理性推理が可能であつて、他の三つの格に於ける推理は畢竟混合されたるものに他ならぬ※」(Phil. Bibl. Bd. 46, S. 59)。 從つて、推論式の四つの格の分け方は全く一種の詭辯であり(S. 64)、かかるものによつて成立つところの從來の論理學は要するに砂上の樓閣の如きものである(S. 66)。 かかる意味に於て、カントは唯理論の獨斷を强く排斥すると同時に、他方また、經驗論にも反對して、認識が――單なる知覺或は表象より區別されたる――判斷に於てのみ成立つものであることを主張する。 即ち「物を相互に區別すること (Dinge voneinander unterscheiden)と、物の區別を認識すること (Unterschied der Dinge erkennen)とは、全く別のことである。 後者は、たゞ判斷によつてのみ可能であり、……〔しかも〕此の〔判斷〕能力は、他のものから導來することは出來ず、たゞ理性的存在者にのみ屬し得るところの本來の意味に於ての根本能力である」(S. 69—70)。 かくの如く、カントは唯理論と經驗論の何れにも獨斷的に盲從しない代りに、又何れをも獨斷的に否定せず、―― 多少の動搖を示しつゝも——序々に、より具體的なる解決に向つて進※※み、而して遂に一先づ「凡ゆる種類の形而上學的問題が、……如何なる點に於て解決され・又解決されないかが確實に決定され得る」(Kants Brief an Lambert vom 2. Sept. 1770)様な立場に到達したのが、一七七〇年の「感性界並びに叡智界の形式と原理とについて」と題する就職論文であると、見ることが出來るであらう。

※ カントは推論式の第一格以外の他の格に於ける理性推理が凡て vermischt なものであることを一々實例を擧げて詳細に說明して居る (Phil. Bibl. Bd. 46, S. 60—64)。

※※ 前揭の「推論式の四つの格の詭辯」につゞく「神の存在の論證に對する唯一の可能なる證明根據」(1763)は、本來、カントによつて修正せられ、精密にせられた實體論的證明——卽ち、可能性一般の原理としての神が存在しないことは不可能であるといふことから、その存在を論證しようとする證明——を主張することを主題とするものでありながら、カントは他面また、此のアプリオーリーの道と並んでアポステリオーリーの道であるところの自然神學的證明——此の論文で所謂宇宙論的證明——のもつ生々とした力をも同時に認め(Phil. Bibl. Bd. 47 II, S. 44; S. 122—123)、第三章第四節では "Es sind überhaupt nur *Zwei Beweise* vom Dasein Gottes möglich" といふ・表題とは相容れない様な見出しをつけて居るのであるが、更に「負號量の概念を哲學に導き入れようとする試み」(1763)に於ては、矛盾律に由る logische Opposition (Die Folge davon ist nihil negativum, irrepraesentabile.) に對して、矛盾律に由らざる reale Opposition (Die Folge davon ist nihil privativum, repraesentabile.) の重要なる意義を强調し (Phil. Bibl. Bd 46 a, S. 77—78)、次いで「自然的神學及び道德の根本原理の判

明性に關する研究」(1764)に於ては、數學と哲學との學的性質の相異を明かにすることによつて「數學の方法を模倣すること程、哲學にとつて害のあつたものはない」こと、―― 同じ思想が「純粹理性批判」の先驗的方法論第一章第一節「獨斷的使用に於ける純粹理性の訓練」の中に述べられて居ることを注意せよ ―― 及び「形而上學の純粹なる方法は、ニュートンが自然科學の中へ導き入れた方法と根本に於て同一である」ことを主張して居る (Phil. Bibl. Bd. 46 a, S. 126; S. 129)。此の論文は、又內容的にも價値を有するものであつて、神學の問題に關しては、吾々がカントの所謂實體論的證明 ―― 卽ち、さきに掲げたアプリオーリーの道 ―― によつて、絕對的必然的存在の概念を確立し得ることをここにも述べて居る外に(S. 142)、「しかし神の自由なる行爲、攝理、神の義と善なる意志のはたらき方に關する判斷は……たゞ道德的なる確實性を有し得るにとどまる」(S. 143)と、神の"Was"を道德の立場に於て規定しようとする・新しい考へを提唱し、更に道德の問題に關しては、ゾレンに、或る目的を實現せんがための・手段としてのゾレンと、夫自身目的としてのゾレンとの二義あることを指摘し、後者のみが道德的行爲の本質をなすものであることを主張して居るのは(S. 143—144)、明かに批判期の思想につながるものと云ふことが出來るであらう。而して、その道德の根據を ―― 感情生活の觀察によつて ―― 人間性の中に見出さうとしたものが「美と崇高の感情に關する觀察」(1764)であつて、そこでカントは「道德の原則が思辨的規則ではなくして、凡ての人の胸中に生きて居るところの・或る感情の意識である」こと、そしてそれは一口で云へば「人間性の美しさと尊嚴とに就いての愛情である」ことを主張して居る(Phil. Bibl. Bd. 50, S. 16)。これが後に所謂 ein Gefühl der Achtung fürs moralische Gesetz (Kr. d. P. V. S. 75) にまで發展したものであることも想像に難くないであらう。

一七六四年 Königsberg に「山羊の豫言者」と稱せられる亂髪跣足の異形の野人が現はれたのを機縁として書かれた「頭腦の病氣に就いての試論」(1764)は、精神の健全なる狀態と病的狀態とを判然と規定することによつて、精神病を種々の段階に分類しようとしたものであるが、カントに依れば、人間が自然の狀態に於て經驗に近接して居る間は、おのづから健全なる悟性が働いて居るのであつて(Phil. Bibl. Bd. 50, S. 74)、經驗概念が顚倒されるところに、はじめて發狂狀態が現出せられる(S. 68)。しかし、このことは決して、經驗によつて外部から敎へられるもののみが健全さをもつて居り、從つて又尊いといふ意味ではない。吾々は一口に Phantasterei といふ曖昧な言葉を以て呼ばれるものの中に於て、Schwärmerei と Enthusiasmus とを區別しなければならぬ。前者が、上よりの直接の靈感をいちづに思ひ込んで居る妄想であるのに對して、後者は、他の鈍感な人々があまり感じない様なことにも、強い道德感によつて燃え立たしめられる情熱であつて、「此の情熱がなかつたならば、此の世界には如何なる偉大なることも決して成遂げられなかつたのである」(S. 71—72)。しかし「山羊の豫言者」に對する時人の狂信は容易に去らず、剩へ Swedenborg の神秘的思想が之と關聯して益々世人の間に喧傳せられるに及んで、此の獨斷的陶醉を排擊すべく、併せて當時の獨斷的形而上學に對する不滿をも吐露せんとしたものが有名な「視靈者の夢」(1766)である。カントに依れば、若し吾々が眼を醒して居るならば、吾々は一つの共通な世界をもつて居る筈であり、—— Swedenborg の說く世界の様に —— 唯自分にのみひらかれて居る世界を、一人一人がもつて居る場合には、その人達は、夢見て居るのである、と云はねばならぬ(Phil. Bibl. Bd. 46 b, S. 32; S. 58)。此の意味に於て、視靈者は Träumer der Empfindung であり、同樣に又、獨斷的形而上學者は Träumer der Vernunft であつて、共に夢見る人々である點に於て變りはない。對之、カントが宿命的に愛好せざるを得ない形而上學(die Metaphysik, in welche ich das Schicksal habe, verliebt zu sein; S. 62)の一つの長所は、吾々の探究的精神の提出する課題が「吾々の知り得るところのものからも亦規定せられて居るかどうか、そしてその問題は——その上に吾々の凡ゆる判斷が常に支へられなければならないところの——經驗概念に對して、いかなる關係をもつて居るかを洞察する點に存する。その限り、形而上學は人間理性の限界についての學(eine Wissenschaft von den Grenzen der menschlichen Vernunft である」(S. 63)。かくの如き形而上學こそ、カントがたえず求めて已まないところのものであつて、かかる意味に於て、カントは形而上學者たらんとしたもの、と云ふことも出來るであらう。

以上述べ來つたやうな樣々の思索の經路を背後に考へて、吾々は、はじめて就職論文の生れ出た必然性とその意味を理解し得るのであるが、更にその直接の先驅として注目せられるものは、一七六八年の「空間に於ける場所區分の第一根據に就いて」である。此の論文に於て、カントは「プロレゴーメナ」の第十三節に擧げて居るのと全く同じ例——即ち、球面三角形、左右の手、螺施輪、鏡の映像などの例——を以て、外形が全く同じであるのにも拘らず「なほ ein innerer Unterschied が殘る」場合を示し、しかも此の相異の內的根據は、物體の諸部分相互の結びつき方——(それは此の場合全く同じである」——の相異に歸することは出來ない」から、「空間の諸規定が物質の諸部分相互の位置から由來するのではなく、後者が前者にもとづくことは明かであり」、從つて、der absolute und ursprüngliche Raum こそ諸物體相互の關係をはじめて可能にする Grundbegriff であることを、カントは主張しようとする。しかも「此の概念の」Realität は der innere Sinn にとつて充分 anschauend である」とカントが云ふとき、それがやがて空間時間の觀念性の自覺となつて、一七六九年に所謂

grosses Licht となつて現はれた(Das Jahr 69 gab mir grosses Licht; Reflexionen, II, Nr. 4)ことも想像に難くないであらう(Phil. Bibl. Bd. 46 b, S. 84—86)。

かくして成立せる就職論文の根本精神は、――經驗的なるものと超經驗的なるものとに夫々の場所を與へんがために、――mundus sensibilis と mundus intelligibilis といふ二つの世界の區別を、主觀の能力の區別によつて導き出さうとした點に存する。卽ち、主觀の表象狀態が「對象の現前によつて、或る特定の仕方で觸發されることを可能ならしめるところの・主觀の感受性」としての Sensualitas と、主觀がその性質上、その感官によつては把捉出來ないものを表象することを得さしめるところの能力」としての Intelligentia とを、吾々人間精神が有することによつて(§ 3)、純粹直觀としての時間及び空間が形式的原理であるところの現象界卽ち mundus sensibilis と(§ 13, § 14, § 15)、唯一の原因(世界の建築者＝世界の創造者)によつて一切が總括されて居るところの實體界卽ち mundus intelligibilis (§ 20)との二つの異なる世界が成立つ。かくして「感性的なるもの及び悟性的なるものに關する・形而上學の全方法は、何よりも先づ次の命題に歸着する――「卽ち」感性的認識に特有なる原理が、自らの限界を踏み越えて、悟性的認識に影響を與へない樣に・注意して警戒しなけれはならぬ」。此の感性概念と悟性概念※とをひそかに混同することが、凡ゆる形而上學を最もひどく荒したのである、とカントは云ふ(§ 24)。而して、此の混同をさけんがために、カントが古代哲學から借りて來た sensibilis 及び intelligibilis なる區別が、「純粹理性批判」の「自然必然性の普遍的法則と連結せられたる・自由による原因の可能性」と題する箇所に於て現はれて居るところの empirischer Charakter と intelligibler Charakter との區別につながるものであることは、いふ迄もないであらう。

玆に於て吾々は、以上述べ來つたところを總括して、次の樣にいふことが出來る。卽ち、最初「數學的」及び「力學的」なる名によつて區別せられた死せる世界と生ける世界とは、先づその對象的構造の相異に從つて外的規定性と內的規定性なる觀念によつて特色づけられ、それはやがて自然界に對する目的界道德界及び宗教界の發見となり、しかも後の三者は何れも前者に對して高次の位置に立つものと考へられるところから、最後に、自然界と、それに對する——目的界道德界宗敎界を一丸とする——高次の世界との・此の二つの次元を異にする領域が、吾々人間の認識能力との關係に於て觀られるに及んで、前者は sensibilis od. empirisch、後者は intelligibilis なる名を以て呼ばれる樣になつたのである、と。かくの如き事情を離れて吾々はカントの批判的精神の成立を考へることは出來ないのである。

※ 就職論文の conceptus intellectualis が「純粹理性批判」の reiner Verstandesbegriff と同一のものではないことは云ふ迄もない。といふのは、前者が「一切の感性的なるものを捨象する」といふ意味で、――抽象されたる概念といふよりも――捨象する概念 abstrahierender Begriff と呼ばるべきものであるのに對して（…… conceptus intellectualis *abstrahit ab omni sensitivo*, non abstrahitur a sensitivis, et forsitan rectius diceretur *abstrahens* quam abstractus; § 6）、後者は、夫自身經驗的ならざるものであることによつて、却つて普遍妥當的なる經驗（＝認識＝對象）を可能ならしめる、といふ意味で reiner Begriff と稱せられるからである。此の abstrahierender Begriff が reiner Begriff になるためには、一七七〇年から八一年迄の沈默をカントは餘義なくせられた、といふことも出來るであらう。

五

右に述べ來つたところに依つて明かなる如く、カントはその哲學的思索の出發點から絶えず問題を二律背反の形に於て把握し、それを解決することによつて、彼自身の思想を發展させて來たのであつて、※しかもその解決の根本方針となつたものは、つねに二つの異なる領域を區別することによつて、相反する兩方の主張にそれぞれ或る程度の正當性を認めようとする所謂批判的態度であつた。しかも、その際區別せられた二つの異なる領域の中の一つが、つねに外的規定性の支配する死せる自然界卽ち經驗界であつたことは、宛も「純粹理性批判」の四對の二律背反の「反定立の諸主張間に思考法の完全なる同形性、格率の徹底的單一性〔純粹經驗論の原理〕が認められる」(Kr. d. r. V. B. S. 493f.)ことに該當する。更に又、他の一つの領域が目的界或は道德界乃至宗敎界であつたことも、――既に力學的二律背反の定立の主張するものが道德界及び宗敎界なのであるから、――若し數學的二律背反の定立の主張するものが畢竟目的界に他ならぬ、といふ解釋が成立つものとすれば、ここにも亦一種の吻合が認められることとなるであらう。しからば、數學的二律背反の定立の主張するものが目的界である、といふのは如何なる意味であらうか。

※　カント自身がガルヴェ宛の手紙の中で次の樣に述べてゐる。「私の出發點となつたものは神の存在、永生等についての硏究ではなくして、純粹理性の二律背反であつた。……これがはじめて獨斷的なまどろみから私を醒まして、理性批判そのものへ驅つたのである」(An Garve, 21. September 1798)。それのみならず、マルクス・ヘルツ宛の手紙の中には「私は〔純粹理性批判を〕純粹理性の二律背反の章に於て論述したところから始めることも出來たであらう」(An Marcus Herz, nach d. 11. Mai, 1781)、といふ言葉さへ見出される。

此の問題を考へるに當つて、吾々に何等かの暗示を與へはしないかと思はれるものは、一七五六年の「自然的單子論」である。既に知らるる如く、此の論文は、夫自身不可分的なる單子が如何にして無限に可分的なる空間の中に存在しそれを充たすことが出來るか、といふこととの解明をその主題とする(Prop. I—V)。此の場合勿論、單子の單純性を全く平面的なるもの、卽ち所謂數學的なるものと考へるならば、かくの如き單子の單純性が空間の可分性と相容れないことは云ふ迄もない。茲に於てカントは、單子の單純性を數學的にではなく力學的に、卽ち單なる空間上の場所 Positio としてではなく、はたらきの範圍 sphaera activitatis として理解することによつて、此の矛盾を解決しようとする。「單子は、それが存在する空間を、その多くの實體的な諸部分によつて規定するのではなく、——それによつて、並存する他の單子がそれ以上近づくことを妨げるところの——其のはたらきの範圍によつて規定するのである」(Prop. VI)と、カントは云ふ。しかし「ひとは勿論云ふであらう。此の空間には實體がある、しかも到る處にある。それ故に、此の空間を分割する人は、また實體を分割することになるのではないか、と。それに對して私〔カント〕は答へる。此の空間は、此の要素の外的存在 praesentia externa の領域である。それに、空間を分割する人は、たゞその存在の延長量を分割するに過ぎぬ。しかし、此の外的存在卽ち實體の相對的諸規定の外に、實體はまた內的存在 praesentia interna をも持つて居る、——此の内的存在がなければ、相對的諸規定の歸屬すべき主體がなくなることになるであらう。しかも此の内的諸規定は、まさにそれが内的であるの故に、空間の中にあるものではない。從つて又、それは外的諸規定の分割によつて同時に分割せられるものではないから、主體そのもの・即ち實體は、それによつて分割せられずにあることが出來るのである」(Prop. VII)※。而して、かくの如き、非空間的なる主體性を成立たしめるものは、不可透入性(Prop. VIII)と引力(Prop. X)とであると考へることによつてカントは、ライプニッツの單子論とニュートンの引力說とを結びつけ樣として居るのであるが、此の場合吾々にとつて興味を惹く點は、カントが空間的なる外的存在と非空間的なる内的存在といふ二種類の存在樣式を認めたこと、及び、内的存在の非空間性をはたらきの範圍として特色づけたことに存する。しかし、カントが此のはたらきの範圍を、不可透入性及び引力といふが如き物理的性質によつて理解しようとする限り、それは猶依然として外的存在の域にとどまるものと云はねばならぬ。外的・數學的存在としての單なる空間上の場所 positio から區別さるべき内的・力學的存在としての非空間的な・はたらきの範圍 sphaera activitatis は、——前者が「死せるもの」であるのに對して——後者は「生けるもの」である、といふことによつて特色づけられねばならぬ。而して、それは、大學卒業論文に於て、死せる數學的領域と生ける力學的領域とを區別した・カント本來の精神に忠實なる所以ともなるであらう。かくして、Einfaches卽ち個體的なるものは、生ける內的存在として理解されなければならぬ。しからば、生ける內的存在は、死せる外的存在に對して、その存在構造に於て如何なる特質を有するものであらうか。かく問ふことによつて、吾々は、おのづから「判斷力批判」の對象界卽ちテレオロギーの世界にまで導かれるのである。※※

※ 「自然的單子論」に於ける・二律背反のかくの如き批判的解決が、その後「空間に於ける場所區分の第一根據に就いて」(1768)に於て――ニュートンに從つて空間の絕對的實在性を承認したために、――一時放棄せられねばならなかつたといふ事情については、大野博士「カント就職論文考」(哲學研究第百九十四號一〇―一一頁)參照。

※※ 此の場合、對照の概念を全然必要としない美的形式的合目的性、及び自然科學的認識の單なる方法論的要請たるに過ぎないところの論理的形式的合目的性のことは、當面の問題から除外する。

しかし、かくの如く、――無限に可分割的な・死せる自然界に對して、――個體的なるものの成立つ・生ける世界を、夫自身獨立の領域として樹立しようとすることに對しては、次の様な抗議が提出せられるであらう。　即ち、カントは「物質的事物の凡ゆる生産は單に機械的なる法則に從つて可能である」といふ定立と、「其の或る種の生産は單に機械的なる法則によつては不可能である」といふ反定立との間に成立つ判斷力の二律背反を(Kr. d. U. S. 314—315)、前者は規定的判斷力の原則に、後者は反省的判斷力の原則に、夫々配當することによつて解決しようとして居るのであるが(S. 318)、規定的判斷力の原則が構成的原理であるのに對して、反省的判斷力の原則は單なる統制的原理たり得るにすぎない、といふのがカントの繰返し主張して居るところなのである。※　しかし、果して、自然因果性が經驗の對象を構成する客觀的原理であるのに對して、合目的性は單に、吾々の認識能力を統制する主觀的原理たり得るに過ぎないものであらうか。　カントに依れば、範疇とは一般に「諸現象を——經驗として讀み得んがために——綜合的統一に則つて綴る(buchstabieren する)」ことに役立つものである (vgl. Kr. d. r. V. B. S. 370; Eisler: Kant-Lexikon, S. 288)。即ち「太陽が石を照すと石が溫くなる」といふ單なる知覺判斷 (Wahrnehmungsurteil) に於ては、「太陽が石を照す」といふ現象と、「石が溫くなる」といふ現象は、決して必然的に結合して居るのではなく、謂はゞ二つの Buchstaben として單に近接して居るに過ぎないのを「太陽が石を溫める」といふ經驗判斷 (Erfahrungsurteil) によつて謂はゞ一つのSilbeに綴ることが、範疇の構成的機能なのである (vgl. Prolog. § 20)。しかも、かくの如き範疇即ち純粹悟性概念による所謂悟性統一 (Verstandeseinheit) は、畢竟個々の對象以上に出で得ないものであつて (vgl. Kr. d. r. V. B. S. 383)、かくして綴られたる諸々のSilbenを更に一つのWortに綴り合はせることによつて、そこに一層具體的なる意味を讀み取ることは、おのづから別の事でなければならぬ。しかし、せいぜい單に近接して居るに過ぎないところの諸現象を必然的統一に齎すことによつて――一つのErfahrungとして――自然の意味を讀むことが客觀的對象を構成することであるならば、かくの如き對象に含まるゝ偶然性を更に反省し止揚※※して、より具體的なる必然的統一に齎すことによつて、自然のより深き意味を讀むことも同じ意味に於て――しかし、云ふ迄もなく、異る次元に於て――客觀的對象を構成することであると云へないであらうか。而して、自然因果性と合目的性とは、まさにかくの如き關係に立つものなのではあるまいか。そして、合目的性が自然界の認識に對して統制的原理となり得るのは、それが――より高き次元に位する――目的界の構成的原理だからなのではあるまいか。カントは「自然は全體として有機化されたるものとして(als organisiert)吾々に與へられては居らぬ」(Kr. d. U. S. 334)と云ふけれども、それと全く同じ意味に於て、自然は決して因果化されたるものとして吾々に與へられては居ないのである。否、吾々に與へられるものは夫自身全くblindであり、その盲目的なる多様を必然的統一に齎すことによつて、そこに意味を讀み取ることが吾々人間精神のSpontaneitätに屬することを明確に主張したところに、コペルニクス的轉回の偉業を成し遂げたと稱せられるtranszendentale Philosophieの根本精神があつたのではあるまいか

※　「判斷力批判」の序言の終りのところには、「美的判斷は……快或は不快の感情に關しては、構成的原理であるけれども」(S. LVII)といふ箇所が見出される。しかし、これは「自然の合目的性なる判斷力の概念は、自然諸概念に屬するものではあるけれども、しかしその場合、それは唯單に認識能力の統制的原理たるのみである」(S. LVI—LVII)ことを強調せんがために對照的に述べられて居るのであつて、カントが客觀的實質的合目的性の原理に構成的意味を全然認めなかつたことには變りがない。

※※　一般に、與へられたるものの意味を讀むことが反省であるならば、純粹悟性概念に由る「限定」も亦「反省」でなければならぬ。事實、吾々は悟性の機能を「反省」として規定したカント自身の言葉を見出すのである。……der Verstand schaut nichts an, sondern *reflektiert* nur. (Proleg. § 13, Anmerkung II) ……; also dass durch sie (Sinnlichkeit) bloss Erscheinungen, nicht die Sachen selbst dem Verstande zur *Reflexion* gegeben werden: ...... (a. a. O. Anmerkung III)

かくして「判斷力批判」に於ける"bestimmend"と"reflektierend"との區別は、畢竟、讀まれる意味が「抽象的」であるか或は「具體的」であるかの區別に歸せられねばならないであらう。

しからば、自然範疇によつて構成されたる對象の偶然性を、合目的性の原理によつて止揚して、より具體的なる必然的統一に齎す、とは如何なる意味であらうか。云ふ迄もなく、自然現象が因果の範疇によつて結合せられる限り、その系列の中に偶然性の入るべき餘地は寸毫もない。しかも、なほ、自然範疇によつて構成されたる對象について偶然性が語られるとすれば、それは因果系列の中に於てではなく、因果系列そのものをより高き立場から反省する場合に現はれる偶然性でなければならぬ。即ち、因果系列内の對象は、自己ならぬ他のものによつて規定せられるといふ意味に於て、換言すれば、その Wirklichkeit の Grund を自己の中に有しないといふ意味に於て、それは偶然的なのである。從つて、かかる偶然性をよく止揚し得るものは、Wirklichkeit の Grund を自己自身の中に有する對象の概念でなければならぬ。しかるに、カントに依れば「或る一つの客體の概念は、それが同時にその客體の現實性の根據を含む限り、目的と呼ばれる」(Kr. d. U. S. XXVIII) のであるから、所謂nexus effectivusの偶然性を必然化したのは、當然nexus finalisでなければならぬ。而して、Kausalitätが客體的規定として觀られる限り、以上の二種類以外にはあり得ないであらう(vgl. S. 289—290)※。しからば、nexus effectivusとnexus finalisの二つの系列は、夫々いかなる點にその特色を有するものであらうか。カントに依れば、nexus effectivusは「常に下に向ふ(abwärts gehen)系列を形づくるところの結合である」。對之、nexus finalisは「之を系列として考へるならば、下向的にも上向的にも(sowohl abwärts als aufwärts)依存關係を伴ふものであつて、その中に於ては、一度び結果と呼ばれたものが、それにも拘らず、上向的に——それの原因であるところのものの——原因たる名を與へられる」(S. 289)と、カントは云ふ。吾々は勿論、nexus effectivusが單なる一方的・下向的依存關係であるのに對して、nexus finalisが二重の依存關係を含むものであることを認めねばならぬ。なぜなら、その二重性の故にこそ、nexus finalisはnexus effectivusよりも一層具體的なる結合關係である、といふ意味を擔ひ得るからである。しかし、nexus finalisが二重の依存關係を含むといふことは、決してnexus finalisそのものの中に、二重の依存關係が——何れもnexus finalisとして——成立つ、といふ意味ではあり得ない。詳しく云へば、nexus finalisに於ては「一度び結果と呼ばれたものが、それにも拘らず、上向的に原因たる名を與へられる」といふ場合、さきに一度び結果と呼ばれたのは、下向的系列に於て結果と呼ばれたのであつて、しかも下向的系列なるものが自然因果の系列より外にあり得ない以上、nexus finalisについてのカントの右の説明は、「nexus effectivusに於て結果と呼ばれたものが、nexus finalisに於ては原因たる名を與へられる」といふ意味に解されねばならぬ。今假りに、原因及び結果なる・誤解され易き言葉を避けて、制約者及び被制約者なる概念を用ひるならば、nexus effectivusに於て被制約者であつたものが、nexus finalisに於ては制約者になるのである。かかる意味に於て、因果結合(Kausalverbindung)と目的結合(Zweckverbindung)とは、反對の方向に於て成立つ、といふことが出來るであらう。從つて、nexus finalisは「之を系列として考へるならば、下向的にも上向的にも依存關係を伴ふもの」であるかの如く見えるのは、より具體的な結合關係としての nexus finalis が當然、下向的依存關係としての nexus effectivus をも自らの中に止揚して居るからであつて、上向的依存關係と下向的依存關係なる二重の關係が、同じ次元に屬する二つの系列として同時に成立つのではない。

※ 所謂 Kausalität durch Freiheit が客體的規定ではなくして、主體的規定であることは、云ふ迄もな

い。

しかし、かくの如き解釋に對して、相關性といふことを目的結合の重要なる契機として主張する人もあるであらう。事實また、カント自身「諸部分がたゞその全體との關係によつて可能であること」を Naturzweck としての事物に對して「第一に要求」するばかりでなく(S. 290)「第二に」又「その諸部分が互に相關的にその形式の因及び果であることによつて、一つの全體の統一に結びつくこと」をも「要求」して居るのである(S. 291)。しかし、外的規定性としての因果結合に於ける對象の偶然性を止揚して、更により具體的なる必然的統一に齎すべき目的結合は、既に述べたるが如く、内的規定性をその根本特色とする。カントが「相對的合目的性」即ち外的合目的性」は、たとひ假說的には自然目的に對する暗示を與へるにしても、尙未だ何等絶對的なる目的論的判斷を權利附けるに足りない」(S. 283)と說き、内的合目的性のみを以て眞に實質的合目的性と呼ばるべきもの、として居るのも、卽ち此の意味に他ならぬ。而して「内的目的とは、對象の内的可能性の根據を含む」ものであるが故に(S. 45)、——外的合目的性が有用性(Nützlichkeit)を意味するのに對して、——内的合目性は對象の完全性(Vollkommenheit)を意味する(vgl. S. 44)。對象の完全性とは卽ちその全體性に他ならぬ。それ故に、内的合目的性に於ける目的と手段の關係は、——後者が前者の一部分を實現するといふ意味に於て、——つねに全體と部分との關係でなければならぬ。從つて、本來の目的結合に於ては、部分T_1は決して直ちに部分T_2の手段であることは出來ない。何者、その場合の合目的性は所謂單なる外的合目的性であつて、そこに於ては兩者は何れも最早、部分たるの意味を失ふからである。部分はたゞ全體を目的としてのみ部分たり得る。しかも、部分T_1は全體Gを目的とする手段であるが故に、間接的には又、他の部分T_2のためにもなり、同樣に、部分T_2は同じ全體Gを目的とする手段であるが故に、間接的には又、部分T_1のためにもなるのである(um des Ganzen willen → um der anderen Teile willen)。かくの如く、部分相互間の相關的關係が全體-部分の基本的構造の媒介によつて成立つところに、——Mechanismusが平面的構造であるのに對して——Organismusが立體的構造である、と云はれ得る所以が存する。而して、かくの如き立體的構造を「自然がその有機的產物に於て與ふるところの Beispiel を通して」吾々はそこから結局自然全體についても「期待すべく權利づけられて居るのである」(S. 301)。即ち「吾々はそこから更に歩を進めて、——盲目的に作用する原因のMechanismus以上に、その可能性に對して他の原理を探求することを必要ならしめない様なもの——をも、猶且つ一つの目的の體系に屬するものとして判定して差支へないのである。何者、Endursache なる觀念は、既にその Grund から云つて、吾々を導いて感覺世界を超越せしめるものであり、しかもまた超感性的原理の統一 (die Einheit des übersinnlichen Prinzips) は、單に或る種の自然物に對してのみならず、體系としての自然全體に對しても、同じ仕方に於て妥當するものとして、考へられなければならないからである」(S. 304)。※ 約言すれば、自然が mechanisch にはたらく世界に於ては、ものは凡て Aggregat であるのに對して、自然が technisch にはたらく世界に於ては、ものは凡て System となるのであつて(vgl. Erste Einleitung, VI, Von der Zweckmässigkeiten der Naturformen als so viel besonderer Systeme)、しかも、System は、その立體的構造の故に、das Einfache からはじめて das Weltganze に到るまで、一貫した全體-部分の組織を形づくるものなのである。

※ 「判斷力批判」をありのまゝに讀むならば、内的合目的性を生物現象にのみ限らうとする強い主張の蔭に、それにも拘らず —— 生物現象を最も著しい Beispiel として示される —— 此の構造を、更に自然全體に及ぼさうとする考へが、所々に散在して居るのを認めることが出來るであらう。更に又、カント自身「自然の合目的性の概念の完全なる洞察には、やはり多くの有益なるものを含んで居る樣に思はれる」(An Jacob Sigismund Beck, d. 4. Dez. 1792) と、ことわつて居るところの "Erste

"Einleitung in die Kritik der Urteilskraft" に於ては、自然が technisch にはたらく場合の例として、動植物の內的組織(der innere Bau)の外に、無生的な結晶組織(Kristallbildungen)をも先づ擧げて居るのである(Phil. Bibl. Bd 39 b, S. 25)。恐らく客觀的實質的合目的性は有機體に於て特に著しく(Vornehmlich an organisierten Wesen, a. a. O., S. 37)認められる、といふのがカントの眞意に近いのではあるまいか。

右に述べたるが如く、das Einfache からはじめて das Weltganze に到る迄の System der Systeme を成立たしめるものは、カントの所謂「超感性的原理の統一」であるが故に、而して超感性的なるものは「それ自身現象ならざるもの」といふ意味に於て intelligibel と呼ばるべきものであるが故に (vgl. Kr. d. r. V. B. S. 566)、das Einfache も das Weltganze も共にたゞ intelligibel な領域に於てのみ成立つ、と云はねばならないであらう。しかるに、カントは「純粹理性批判」の先驗的辯證論に於ては、第一及び第二の二律背反の定立が何れも成立ち得ないことを、單に empirisch な立場に於て論證して居るのである。即ちカントに依れば、吾々は「經驗的背進(der empirische Regressus)の量によつて初めて世界の量の概念をつくらねばならぬ」のであるが、「しかし經驗的背進について知り得るところは、制約の系列の與へられる各項から、つねにより高い項へ經驗的に進まねばならぬといふことだけ」であつて、かかる經驗的背進によつては「現象の全體の量は決して簡單に決められない」(B. S. 547)。「かくして、世界の量に關しての宇宙論的問題に對する第一の・そして消極的な解答は、次の如くである —— 世界は時間上第一起始を有せず、空間上最極端の限界を有しない」(B. S. 548)と、カントは云ふ。同樣に、第二の二律背反の定立の場合についても、カントは、直觀に與へられた一つの全體的なるもの (ein Ganzes) の部分への分割 (subdivisio oder decompositio) を、制約の系列への背進と考へることによつて、かかる繼續的に無限(successivunendlich)なる分割の系列は、決して、一つの全體に於ける量の總括を現はすことは出來ない」(B. S. 551—552) と云ふ。卽ち、一言以て盡せば、カントが —— das Weltganze 及び das Einfache を主張する —— 第一及び第二の二律背反の定立が何れも falsch であるとなす論據は、empirisch unmöglich といふことなのである。而して、更にその基礎には、「時間及び空間はたゞ Sinnenwelt に於てのみある」(B. S. 550)といふ考へが、前提となつて居ることは云ふ迄もない。かくの如く、感性界を以て唯一の存在界となす立場を徹底させる限り、凡そ超感性的なるものの全般的否定は、當然その歸結として導き出されねばならぬ。しかも、このことは、第三の二律背反の定立の主張する Kausalität durch Freiheit 及び第四の二律背反の定立の主張する ein schlechthin notwendiges Wesen についても、事情に少しも變るところがない筈である。

卽ち、兩者は何れも empirisch unmöglich でなければならぬ。 而して、逆に「bloss intelligibel として「現象」系列の外に存する」異種的なるものを認容することによつて(B. S. 558)、現象の系列を混亂することなく(B. S. 559)第三及び第四の二律背反の定立が wahr たり得ると云ふならば、同じことは又、第一及び第二の二律背反の定立についても云ひ得なければならぬ。 更に、第一及び第二の二律背反の反定立が、第三及び第四の二律背反の反定立と全く同じ考へ方に從ひ、何れも純粹經驗論の原理を主張せるものであるのにも拘らず(vgl. B. S. 493 f.)、後者のみを wahr とし、前者は之を falsch となすこととの不整合なることは云ふ迄もない。 想ふに、カント當面の意圖は、理論的認識の限界設定によつて專ら實踐的領域への豐かなる展望を獲得しようとする一點にのみ集中されたるが故に、第一及び第二の二律背反は之を簡單に排除し去らうとして、思ひきつた「一刀兩斷」(B. S. 557)の處置に出たのであらう。 しかし、かかる——いはゞ——歷史的事情を考慮の外に置いて、純粹に二律背反そのものを考察するならば、カント自身他の箇所に於て云へる如く、「二律背反の解決に於て肝要なることは、外見上互に相容れない二つの命題が、實は決して相互に矛盾せず、むしろ相並んで成立ち得る、といふ點に存する」(Kr. d. U. S. 237)而して、このことば、たゞ sinnliche Welt の外に intelligible Welt を認めることによつてのみ、可能である。カントが「二律背反は吾々をして否應なしに、感性的なるものの彼岸に眼を向けしめる」(a. a. O. S. 239)といふのも此の意味に他ならぬ。即ち、粗朴なる感覺的經驗論の立場を固守しない限り、換言すれば、吾々が理性的存在者である限り、理性そのものの本性上吾々は當然超感性的世界としての intelligible Welt の存在を認めねばならず、而して目的界はその最も低き段階に位するものであつて、第一及び第二の二律背反の定立は、まさにかくの如き意味に於ける目的界の存在を主張するものと解さるべきなのではないか、と私は考へるのである。

六

以上述べ來たりたるところによつて、所謂數學的二律背反も力學的二律背反と全く同樣の解決が可能であること、卽ち感性界と叡智界なる二つの異なる領域に於て、定立反定立兩方共に眞たり得る所以が明かにせられた。それと同時に、ひとは最早二律背反を數學的二律背反と力學的二律背反とに分けることの不自然さを感せずには居れないであらう。といふのは、第一及び第二の二律背反と第三及び第四の二律背反とを區別することは、後者即ち力學的二律背反に於ては前者即ち「數學的二律背反の成果とは全然異つた結果が生ずる」(Kr. d. r. V. B. S. 559)ことを示すものとして、はじめて有意味たり得るからである。而して、カントが四つの二律背反の前二者と後二者とを區別するにあたつて、特に「數學的」及び「力學的」なる名を用ひた直接の機縁となつたものは、云ふ迄もなく、數學的範疇と力學的範疇との・あの有名な區別である。即ち、分量と性質との範疇は「直觀の對象に關係する」が故に數學的範疇と呼ばれ、關係と樣相の範疇は「これらの對象の實存在(Existenz)に關係する」ところから、力學的範疇と名づけられる(B. S. 110)。尤も「數」の學としての「數學」即ちArithmetikについての考へが「純粹理性批判」及び「プロレゴーメナ」に於て動搖して居ることは周知の事實であるが、元來數學的認識の特質は、それが「數」に關する認識たる點にあるのではなく、※※——既にカント自身一七六四年の「自然的神學及び道德の根本原理の判明性に關する研究」に於て道破せる如く、——「概念の自由なる結合」(die willkürliche Verbindung der Begriffe)といふ意味に於てsynthetischたる點に、數學的方法の特色が存するのであるから(Phil. Bibl. Bd. 46, S. 118)、「可能的經驗一般の先天的制約」であり「同時にまた經驗の可能性の制約」たる範疇に(Kr. d. r. V.

A. S. 111) 數學的なる名を與へることは、抑々いわれなきことでなければならぬ。しかもカントは、彼の數學的範疇と力學的範疇との區別を更に "Grundsätze" に迄及ぼし、「直觀の公理」及び「知覺の豫料」が「現象への數學の適用を可能ならしめる、といふ點を考へて」之を數學的原則と名づけて居るのであるが(B. S. 221)、カント自身ことわつて居く如く「數學的原則」(mathematische Grundsätze) は數學の原則 (Grundsätze der Mathematik)でない」ことは云ふ迄もなく(B. S. 201—202)、カントに於て範疇及び原則が、凡て、一樣に、あくまで「自然」の構成原理であることを見失はないならば、數學的範疇と力學的範疇、數學的原則と力學的原則なる區別が、なくもがなの區別であることは多言を要しないであらう。※※ しかも、此のなくもがなの區別に禍されて、カントの二律背反の所謂批判的解決は、その徹底性を缺いて不純なものとなり畢つたのである。カントが若し、その哲學的思索の出發點から —— その批判的な考へ方と不可分なものとして —— 重要視して來た・本來の意味に於ての「數學的」と「力學的」なる區別をそのまま保持しつゞけたならば、カントの二律背反の解決の仕方は、恐らく異つた形を以て現はれたことであらう。

※ 先驗的感性論に於ては「先天綜合判斷としての幾何學の可能性は、吾々の「空間概念の」諸明によ

つてのみ理解せられる」(B. S. 41)といふのと相並んで「吾々の時間概念は……一般運動學〔力學〕が提示する限りの先天綜合認識の可能性を説明する」(B. S. 49)と説き、時間を特に力學と結びつけるのみで算數學と時間との關係については毫も言及せず、反之「プロレゴーメナ」に於ては「幾何學は空間の純粹直觀を基礎とする。算數學はその數の概念さへも、時間に於ける單位の繼時的添加によつて成立せしめる」(§ 10)と説き、明かに算數學對時間の關係を幾何學對空間の關係に並行せしめ、而してその上に猶「純粹力學はその運動の概念を時間の表象によつてのみ成立たしめることが出來る」(ebenda)として、時間が力學の基礎をなすことをも認めて居るのである。即ち、時間と算數學との關係が、空間と幾何學との關係程、前後一貫して明確に説かれて居ないのは、事實である。しかし、カントが數學上の先天綜合判斷の實例として算數學と幾何學との命題を掲げ、此の兩者の Begründung を本來の課題とするものである以上、——思想そのものの內容的價値は別として——少なくとも形式的には、「プロレゴーメナ」の方がむしろ所期の目的に忠實である、と云ふべきであらう。

※※　下村寅太郎氏「數理哲學の一方針」哲學研究第百九十四號)參照。

※※※　しかしカント自身は、數學的原則と力學的原則に——次の樣な意味に於ての——「構成的」と「統制的」なる區別を認めようとする。即ちカントに依れば、數學的原則は「單に現象の可能性に關して現象を問題とする。そして現象がその直觀とその知覺の實在的なるものとに關して、如何に數學的綜合の規則に從つて產出され得るかを敎へる。……例へば、日光の感覺の度を凡そ二十萬の月光から結合し先天的に限定して示すこと、即ち構成することが出來る」。しかし、「現象の存在を先天的に規則に從屬せしむべき〔力學的〕原則に關しては、事情は全く之と異る。何者、存在は

構成されることは出來ぬ故に、此の種の原則はたゞ存在の關係に關するもので、單に統制的原理を與へ得るにとどまるからである。」例へば、「類推といふ言葉は、哲學に於ては、數學に於けるとは非常に異つた意味を表はす。數學に於ては、それは二つの量の關係の等しきことを表はす式であつて、常に構成的である。即ち、比例式の三つの項が與へられるならば、第四項もそれによつて與へられる、換言すれば構成されることが出來る。反之、哲學に於て類推といふのは、二つの量的關係の等式ではなくして、質的關係のそれである。しかも、此の關係に於て私が所與の三項によつて認識し・先天的に示し得るところのものは、單にそれと第四項との關係であつて、此の第四項そのものではない。尤も、私は第四項を經驗に於て求むべき規則と、發見すべき表徵とを得ることは出來るけれども。即ち經驗の類推は、それに則つて知覺から經驗の統一の發現すべき(如何にして經驗的直觀一般としての知覺そのものが生ずるかといふのではなく)規則に過ぎないであらう。そして對象の(現象の)原則として構成的にではなく、單に統制的に妥當するであらう」とカントは云ふ(B. S. 221—222)。しかし吾々は、「範疇に依らずしては、如何なる對象をも思惟することが出來ず」(B. S. 165)從つて、かかる「範疇から紡ぎ出された原則」(B. S. 300)が「經驗の可能性の先天的原理に他ならぬ」(B. S. 254)以上、範疇及び原則は、經驗の對象に對して一樣に構成的である、といふ最も根本的な事柄を見失つてはならぬ。勿論、此の場合、構成的といふことが「客觀的經驗を基礎づける」(Eisler: Kant-Lexikon, S 304)といふ意味であつて、經驗の內容即ち質料迄もつくるといふ意味でないことは云ふ迄もない(かかることはカントの認識論の立場に於ては當然のことである。)カントは彼の所謂數學的原則が構成的である例として、「例へば、日光の感覺の度を凡そ二十萬の月光から結合し先天的に限定して示すこと、即ち構成することが出來る」(B. S. 221)と述べて居るけれども、元來「吾々が先天的に認識し得るところは、量一般については連續性といふ性質のみであり、凡ゆる性質については、その內包量卽ちそれは度を有す、といふことだけであつて、これ以外のこと——（此の場合には「凡そ二十萬」といふ樣な限定）——は、凡て經驗に委ねられて居る」（B. S. 218）のである。 かくの如く、「凡そ二十萬」といふ樣な限定が經驗に委ねられて居るものとすれば、換言すれば、之を「經驗の中に求める」の外はないとすれば、かくても猶、數學的原則を構成的と呼び、力學的原則を統制的と名づける區別は、果して維持され得るものなのであらうか。 といふのは、「知覺の實在的なるもの」までも「先天的に限定して示すことが出來る」といふ故にこそ、數學的原則は構成的と呼ばれ、反之、力學的原則は——內容そのものは——たゞ之を「經驗の中に求むべき規則と發見すべき表徵」とを與へるに過ぎないといふ意味に於て、「單に統制的」と名づけられたのであるが、前者の意味に於て「構成的」たることは、吾々有限なる人間悟性の純粹概念卽ち範疇、及びそれから「紡ぎ出された」原則の凡てを通じて一樣に否定されねばならず、而して後者の意味に於て「統制的」たるに過ぎないといふことは、凡ての範疇及び原則についての洩れなく主張されねばならないからである。

いつたい、カントには、數學的認識を純粹直觀の tr. Idealität によつて基礎づけようとする Predominant な考の外に、他方には「數」觀念を以て悟性の範疇的綜合の所產と見ようとする傾向があつた。而して、前者の途によつては——例へば、たとひ「數へる」といふ作用が時間的繼起のみによつて可能であるとしても——それは畢竟「數」の主觀的心理的成立を說明し得るにとどまり、數學の基礎づけに必要なる「數」の客觀的論理的成立を明かにし得ないが故に、むしろ、後者の途——卽ち、數を以て悟性の範疇的綜合の所產と見ようとする方——が、カントの哲學體系に於て難點なく主張され得る思想である、と稱せられる。 しかし、かくの如く、數學を自然科學と全く同じ悟性機能によつて基礎づけようとすることは、數學的認識と自然認識とを混合して、却つてその獨立性を失はしめることとなるであらう。「如何にして純粹數學は可能なりや」といふことが「如何にして純粹自然科學は可能なりや」といふことと相並んで、カントの認識論の主要なる課題を構成して居るものとすれば、數學は自然科學から獨立に、その基礎づけがなされねばならない筈である。 而して、その場合、數學的認識を自然科學的認識から區別するものは、何よりも先づGegenstandslosigkeitなる特性であらう。 gegenstadslos なるが故に、數學的認識は形式的操作的であることが出來るのである。 私は、悟性に形式的使用と內在的使用とを區別するならば、後者によつて自然科學的對象界としての自然界が構成されるのに對して、前者によつて論理及び數理の對象界としての意味の世界が成立ち得るのではないか、と考へるのである。 而して、かくすることによつて「數學的認識は概念の構成による理性認識である」(B. S. 741)といふ・カント本來の考へが一層徹底せられるのではあるまいか。

カント本來の批判的精神の中に於ては、既に屢々繰返し述べたるが如く、「數學的」と「力學的」とは「外的規定性」の世界と「內的規定性」の世界とを、二つの異なる領域として特色づける名であつた。 かかる意味に於て、感性的世界としての自然界を數學的と呼ぶならば、超感性的世界としての叡智界は力學的と名づけられることが出來るであらう。 而して元來、二律背反はかかる二つの領域を二つの異種的なる領域として自覺せざるところに成立し、從つて、それを明かにすることによつて所謂批判的に解決されたのである。それ故に、二律背反そのものが數學的と力學的とに分けらるべきではなく、二律背反の中に於て、感性的經驗界を主張する反定立が凡て一樣に數學的と呼ばるべきであり、對之超感性的叡智界を主張する定立が、これ又凡て一樣に力學的と名づけらるべきなのである。而して、このことは、カントの二律背反の解決に於て重要なる役目を果して居るところの「數學的綜合」と「力學的綜合」との區別に、重大なる訂正を要求せずには措かないであらう。そして、それはやがて、カントの所謂力學的二律背反の解決の仕方の根本的變更を招來することになるであらう。

即ち、カントは「同種的なるものの綜合」を數學的綜合と呼ぶのに對して、「異種的なるものの綜合」を力學的綜合と名づけ、前者は「制約と被制約者とがその諸項として「一列に」連結せらるる」系列であるが故に、しかも第一と第二の二律背反に於ては「制約を被制約者に對して空間時間の關係に於て屬するものと表象した」が故に、かかる「數學的連結に於ては、感性的制約以外の如何なる制約も入り來ることは出來ない」けれども(B. S. 556—558)反之、後者即ち力學的綜合は「bloss intelligibel として系列の外に存する異種的制約をも認容する」が故に(B. S. 558—559)「結果は經驗的制約の系列の中に見出される」のにも拘らず、「intelligible Ursache はその原因性と共に系列の外にある」ことが出來、「かくして結果はその叡智的原因に關しては自由であると認められ、しかも同時に現象に關しては自然の必然性に則つて、現象から起つた結果として認められることが出來る」(B. S. 565)といふ。カントが「自然必然性の普遍的法則と連結せられたる自由による原因性(Kausalität durch Freiheit)の可能性」を見出さうとする途は、卽ちこれに他ならぬ。

しかし、叡智的原因は果して感性的結果に對して原因性をもち得るであらうか。尤も、吾々人間が理性的存在者である限り、換言すれば、その本性上決して單なる有限的存在に甘んぜずして、つねにその Grenze を超越しようとするものである限り、empirischer Charakter のほかに「なほ intelligibler Charakter が許容されねばならない」ことは云ふ迄もない(B. S. 567)。しかし、果して此の intelligibler Charakter としての主觀が、感性的現象の原因となることが出來るであらうか。吾々は果して、かかる意味に於ての「異種的なるものの綜合」を認めることが出來るであらうか。

ヴィンデルバントは、その「意志自由論」の結論に於て、「最も偉大なる哲學者〔カント〕が

――それを以て意志自由の問題を解決しようと試みたところの、――叡智的性格についての深き敎說は、たしかに彼の業績中、最も驚嘆に値するものの一つ」であることを先づ認めた上で(Windelband: Über Willensfreiheit, S. 158)、しかし「(例へば)私が今、全く自由に、自然原因の必然的に限定する影響なくして、私の椅子から立ち上るとすれば、――無限に進行する自然的結果を伴ふ――此の出來事に於て、端的に一つの新しい系列が始まる」(Kr. d. r. V. B. S. 478)といふ風に「もはや人間の經驗的性格の中にその原因を持たない」樣な現象があるとするならば、「經驗的性格の中に於ける個々の行爲は、叡智的性格の直接の結果と見らる」べきであり、その場合自由なる行爲とは「超感性的なるものが感性界の中へ突出すること」Hereinragen des Übersinnlichen in die Sinnenwelt)に他ならず、「かくして事實上、經驗界の因果連關の統一性は、此の點に於て廢棄せられたことになる」といふ(Windelband, S. 116)。 元來「感性界に於ける一切の出來事は、不易的自然法則に準據して汎通的連關をなす、といふかの原則の正當なことは、既に先驗的分析論の原則として確立し、斷じて中絕を許さない」事柄なのである(Kr. d. r. V. B. S. 546)。 かかる原則にして動かすべからざるものとすれば、吾々は如何にして叡智的性格の自然現象に對する原因性を許容することが出來るであらうか。此の場合、所謂新物理學の「不定性原理」を借用して、「超感性的なるものが感性界の中へ突出すること」としての人間の自由を救護しようとすることは、全く無益である。何者、新物理學の主張する・微視的現象の "Undeterminiertheit" とは、決して、一つの Operation の結果が全く偶然に依存するといふことではなく、たゞ統計を以て示すの外はない、といふにとどまり(vgl. Schrödinger Über Indeterminismus in der Physik, S. 6)、しかも確率によつて數字的に示される多くの場合の中、その何れを實現するかは自然の仕事であつて、吾々の力の範圍外にあるからである。※

※　今一個の光子を採る。それが一定方向の平面内の平面的偏光的狀態にありとする。是が……Pより發してQにある偏光器を通るとする。而して、入射光線の偏光面の方向とα並びに $\alpha+\frac{\pi}{2}$ の角をなす二つの偏光面を有する平面偏光に分れる、といふ實驗結果を得たとする。……

……。

〔今〕光子が偏光器を通つた後に現はれる二つの狀態αと $\alpha+\frac{\pi}{2}$ とに存するエネルギーを測る〔に〕……此の場合の實驗結果は量子論によつて一義的に豫知し得る。卽ち或る場合には、光子の全エネルギーαがなる狀態(A)に見出され、他の場合には、夫れが $\alpha+\frac{\pi}{2}$ の狀態(B)に存在する。決してエネルギーが分れて、其一部分がαに、殘りが $\alpha+\frac{\pi}{2}$ に行くといふ樣な事は絶對にない。而して、此の實驗を何度も繰返したとすると、光子の全エネルギーがαの狀態に見出される度數は、全體の

實驗度數の $\cos^2\alpha$ 倍であり、$\alpha+\frac{\pi}{2}$ の狀態に見出される度數は $\sin^2\alpha$ 倍である。 即ち、一光子が偏光器を通つた後、α なる偏光狀態に移る確率が $\cos^2\alpha$ で、$\alpha+\frac{\pi}{2}$ なる偏光狀態に移る確率が $\sin^2\alpha$ である。……。 此の場合のエネルギー測定で注意すべきことは、此の觀測の攪亂が光子の狀態に急激な變化を起さす事である。 偏光器通過後、エネルギー測定前には、上述の樣に光子は同時に部分的に別々の、α・$+\frac{\pi}{2}$ といふ二つの狀態を占めたものが、エネルギー測定の後は、確定した α といふ一個の偏光狀態か、然らざれば $\alpha+\frac{\pi}{2}$ といふ他の偏光狀態かになつて了ふ。 即ち、此の觀測は光子の狀態を一つより他に飛ばしめるものである。 但し、其の就れに飛ぶかを撰擇するのは自然の仕事で、吾人の力の範圍外にある(傍點——淡野)。 只其確率は、最初の狀態が知れて居れば、計算して求めること」が出來る。

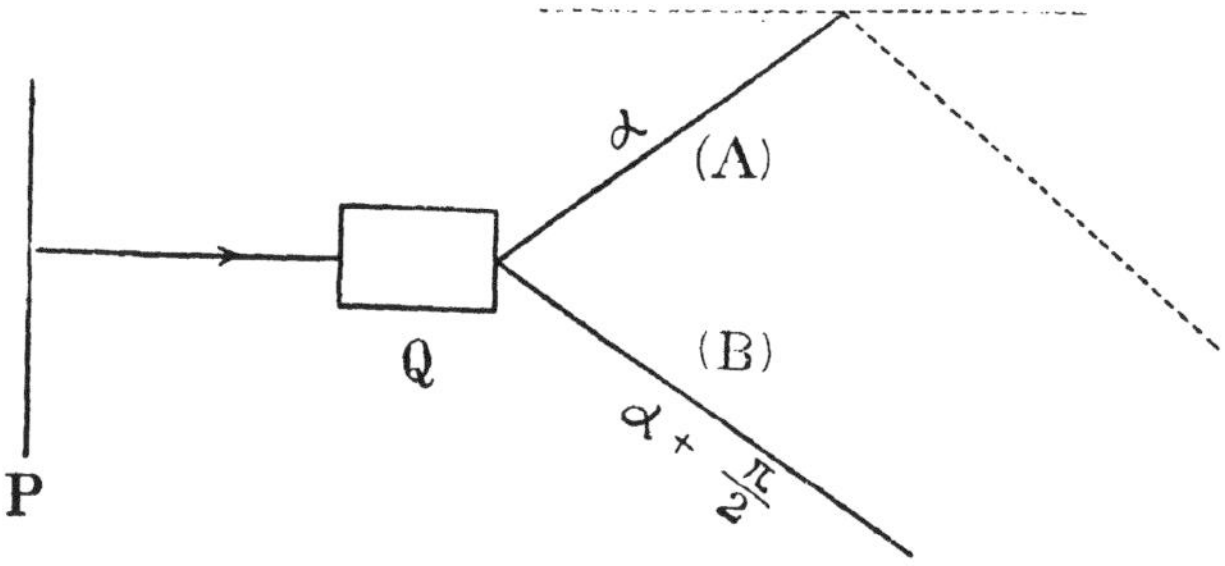

(ディラック「重疊原理と二次元の調和振動體」啓明會記要第十一號八一一八五頁)

かくして「同一の原因が——(現象系列の外に——(即ち智叡的なるものの中に)あると共に」——他の關係に於ては現象の系列にも屬する」(Kr. d. r. V. B. S. 580)といふカントの主張は、そのまゝでは維持され難きものとなる。 といふのは、叡智的なるものは、いかなる意味に於ても現象系列の中に入り込むことは出來ず、現象に對して原因性をもち得る限り、もはや叡智的なるものではなくして夫自身現象であり、從つて決して同一ではないからである。約言すれば「他の關係に於ては」凡てのものは、その性格を一變するのである。而して、凡てのものが悉くその性格を變ずる故にこそ、Natur-kausalität のノモスと Kausalität durch Freiheit のノモスとは、夫々固有の領域に於て――他の何物によつても脅かされることなく――その妥當性を主張することが出來、かくして此のアンチノミアは、はじめて批判的に解決され得るのである。

即ち、吾々の立場に於ては、制約・被制約の關係は、たゞ同じ次元に屬するものの間に於てのみ認められるが故に、かかる意味に於て、綜合はつねに「同種的なるものの綜合」でなければならず、その場合、猶「數學的」と「力學的」なる區別が考へられ得るとすれば、前者は――數學的と呼ばるべき――死せる外的存在の領域に於ける綜合、反之、後者は――力學的と呼ばるべき――生ける內的存在の領域に於ける綜合、に夫々冠せられるの外はないであらう。從つて、力學的綜合を「異種的なるものの綜合」と名づけるならば、それは「被制約者と――それとは種類を異にする――制約者との間の綜合」といふ意味ではなく、「制約するものも制約せられるものも何れも共に數學的綜合のそれとは種類を異にするものの間の綜合」といふ意味に解せられなけれぱならぬ。かくして第三の二律背反の定立は、反定立とは全く種類を異にする領域に於て、はじめてその妥當性を主張し得るのである。カントが「若し吾々が人間の決意性の凡ゆる現象をその根底まで探究することが出來ると假定すれば、吾々が確實に豫言し得ない樣な・そしてその先行する凡ての制約から必然的に結果したもの」として認識し得ない樣な人間の行爲は、一つもないであらう。……しかし、吾々が同一の行爲を※……理性と實踐的關係に於て對照するならば、吾々は自然秩序とは全然異つた規則と順序とを見出す」(Kr. d. r. V. B. S. 578)と述べて居るのは、卽ち此の意味に他ならぬ。

※嚴密に云へば異つた關係に於て觀られる限り、最早同一でないことは、前に述べた通りである。

七

しからば、かくして全く異る領域に於て兩立し得る自然界と道德界とは、相互にいかなる關係に立つものであらうか。此の問題は更に一般化して、テオーリアとプラークシスの關係の問題として提出することも出來るであらう。而して、此の問題の解決の仕方として先づ思ひ浮べられるものは、「觀ること自身が既に働きかけることである」と解することによつて、テオーリアの領域をプラークシスの領域の中へ包含せしめようとする試みである。吾々は勿論「觀ること」が「觀るはたらき」をはなれてあり得ないことを認めねばならぬ。たゞ問題は、その觀る「はたらき」が果して、所謂「實踐」といふ意味をもち得るかといふ點にある。新物理學の一方の代表者シュレーディンガーは、その「自然科學は環境の制約をうけて居るか」と題する論文の冒頭第一に「藝術は氣質を通して觀られた自然である」(l'art c'est nature vue au travers d'un tempérament) といふエミール・ゾラの有名な言葉を掲げ (Schördinger: Über Indeterminismus in der Physik; Ist die Naturwissenschaft milieubedingt? S. 25)、物理學的認識に於ても亦「吾々がその時々に如何なる關心を以て臨むかといふことの中に、…… Subjektivität の入り得る・廣いしかも原理的にしめることの出來ない戸口がつねにひらかれて居る」ことを主張して居る(S. 28)。これ即ち「自然認識に於ける主觀的契機の積極性を自覺したところに、新物理學の意義がある」とせられる所以である。しかし、新物理學が自然認識に於て、Subjektivität の入り得る戸口が原理的にひらかれて居ること、即ち主觀的契機の積極性を自覺したと謂はれる場合、それはただ——從來觀察さるべき自然現象に對して無影響的と考へられた——觀察手段が、實は夫自身既に一つの物理現象であるが故に、當然、觀察さるべき現象に對して物理的影響を及ぼすことを原理的にさけることが出來ない、といふことを明かにした意味に於て、主觀的契機の積極性を自覺した、と云はれ得るにとどまるのであつて、その所謂「主觀的」といふのは、決して「個性自覺的」といふ意味ではない。即ち「例へば星を數へるといふ樣な物理實驗に於て、ニューヨークのウィルソン氏が觀測しようと、ベルリンのミューラー孃が觀測しようと、結果に變りのない」のは云ふ迄もないが(Schrödinger, S. 26)、同じ Operation が必ずしも同じ結果をひき起さない、と謂はれる樣な場合でも、「若しそれを百萬遍繰返して一定の結果の統計を確立したとするならば、次の百萬遍の實驗の際には再び全く同じ統計を確立する」ことになるのである(S. 6)。しかも、その統計は cm, g, sec によつて全く嚴密に數量的に表はされ得るのである (vgl. S. 3)。かくの如く完全に數量的に規定され得る世界に於て吾々は猶且、個性自覺的な「はたらきかけ」としての所謂「實踐的行爲」を語ることが出來るであらうか。※ 吾々は、實踐的行爲が —— Was da sein soll を表象する —— 實踐的「認識」(Kr. d. r. V. B. S. 661) を含むの故にそれを「自然認識」と同一視し得ない樣に、自然認識が觀る「はたらき」を缺く可からざる契機として要求するの故を以て、それを「實踐的行爲」と同一視することは出來ないのである。テオーリアとプラークシスの兩者は、何れも「認識」と「はたらき」なる二つの面を含むものでありながら、しかも前者はまさに theoretisch と云はれ、後者はまさに praktisch と呼ばれるところに、それぞれ固有の特色が見出されるのである。かくして、吾々は「觀ること自身が既に働きかけることである」の故を以て、簡單にテオーリアの領域をプラークシスの領域の中へ包含せしめることは出來ぬ。玆に於て吾々は、更めて問はねばならぬ。截然と峻別さるべきテオーリアの領域とプラークシスの領域とは、いかなる關係に立つものであらうか。此の問に答へ得ないところに、二律背反の批判的解決の限界がある。といふのは、元來、批判的とは、單に二つの相容れない主張を、それぞれ固有の領域に配當することによつて、他から侵されることのない妥當性を確保せしめる態度の謂に他ならなかつたからである。

※　此の點に關して、Bavink が Schrödinger: Über Indeterminismus in der Physik を紹介した最後に述べて居る左の忠告は、輕視することが出來ないであらう。

Für den Physiker sind diese Ausführungen ein grosses Gewinn; der Laie, speziell der "Geisteswissenschaftler", wird, wie ich fürchte, manches daraus schliessen, was nicht in des Verfassers eigentlichen Absicht liegn kann. Es ist etwas gefährlich, solche Begriffe wie Relativität oder Invarianz, die in der Wissenschaft einen ganz präzisen physikalischen oder mathematischen Sinn haben, mit den populären oder philosophischen Begriffen, die mit dem gleichen Wort bezeichnet werden, in Parallele zu stellen, auch wenn dies in so vorsichtiger und absolut korrekter Weise geschieht, wie es bei einem solchen Autor selbstverständlich ist. (Physikalische Zeitschrift, ausgegeben am 1. Januar 1933, Besprechungen, S. 55—56)

しからば、かくの如く二律背反の批判的解決に對してその限界をなすところのテオーリアの領域とプラークシスの領域との關係は、如何なる途によつて明かにされ得るであらうか。私は、それは辯證法的思考法によるの外はない、と考へる。何者、所謂批判的解決なるものによつて、それぞれその存在を確保し得るに到つた二つの領域は、本來、定立對反定立として相容れなかつたものであり、——その何れの一つをも排除し去ることなく、凡てをそのまゝ存立せしめながら、しかも——相互に相容れない諸領域間の關係を考へ得る途は、辯證法を措いて外にはあり得ないからである。卽ち、二律背反の批判的解決によつて、夫々その侵されざる存在權を認めらるるに到つた諸領域相互間には、辯證法的構造より外の關係は、あり得ないのである。而して、辯證法的構造に於ては、より抽象的なるものは、凡て、より具體的なるものの中に、そのモメントとして含まれて居なければならぬ。かくして吾々は、本來の意味に於て praktisch と呼ばれ得るものが如何なるものであるかを明かにすることによつて、テオーリアとプラークシスの關係の問題に答へることが出來るであらう。

吾々は既に、自然現象の觀察が、たとひ觀る「はたらき」としての主觀的契機を缺くべからざるものとして要求するにしても、その所謂「はたらき」なるものが「個性自覺的」であり得ないが故に、嚴密な意味に於て「實踐的行爲」なる名を以て呼ぶべきでないことを主張した。それは即ち、本來の意味に於ての「はたらき」とは「主體的にはたらくこと」であり、而して所謂「主體」となり得るものは、たゞ個性自覺的なるもののみだからである。まことに、個性の自覺されないところに、眞の意味に於ての「實踐」はない。しからば、個性が自覺されるのは如何なる場面に於てであらうか。それは、云ふ迄もなく、單なる外的規定性の世界ではない。單に外部から規定せられるものに個性の自覺はないであらう――個性は外部から與へられるものではなくして、內部から發動するものだからである。その意味に於て個性は、たしかに內的規定性である。しかし、因果結合(Kausalverbindung)の世界を外界規定性の世界と呼ぶのに對して、――さきに述べたるが如き意味に於て――目的結合(Zweckverbindung)の世界を內的規定性の世界と呼ぶならば、そこにも亦個性の自覺はないであらう。

何者、目的結合はその凡ての項を洩れなく依屬的存在たらしめるものであり、もはや他の如何なるものに對しても手段となることのない・所謂 Endzweck は、實は目的結合の系列に屬するものではなく、もはや他の如何なるものをも手段とすることのない世界に於てのみ成立ち得るものだからである。他のものを手段化するものは、やがて自己自身を手段化する必然性を免れること出來ぬ。卽ち、他のものの自主獨立性を認めないことは、やがて自己自身の自主獨立性を放棄することになるのである。此の意味に於て、目的結合は——因果結合に對しては內的規定性たるの特色をもちながら——猶且、一種の外的規定性である、と云はねばならないであらう。眞にプラークシスの主體となり得るものは、所謂 pragmatisch なるものから凡ゆる外的なるものを排除したところにのみ、求めることが出來る。※ しかし、內的規定性の概念を徹底的に純化して "aus Pflicht" の如き形に於て表象するならば、そこでは Menschheit 一般は考へられても、個性は全く見失はれてしまふであらう。個性自覺的なるものは、夫自身內的なるものでありながら、しかも何等かの意味に於て完全に verinnerlichen され得ないものを含まねばならぬ。換言すれば、或る意味に於ていかんともし難き・外からなるものを擔ふところに、個性が成立つといふことも出來るであらう。しかも、その外からなるものが單に外からなるものとしてとどまる限り、內からはたらく餘地はなく、從つて個性はその成立の場面を失ふこととなる。かくして個性は、單に外的なるものにもなく、又單に內的なるものにもなく、外的なるものと內的なるもの——負課的必然と自發的當爲との板挾みのたゞ中に於て成立つ。憎まずには居れない彼が、愛さねばならない彼であるときに、ひとははじめて自分の姿をはつきりと自覺するであらう。而して、個性自覺的なるものが主體的にはたらくとは、此の憎まずには居れない彼を猶且愛しようとすることに他ならぬ。かくして、本來の意味に於ての「實踐」は、外的規定性と內的規定性、必然と當爲との飛躍的統一卽ち辯證法的統一として特色づけられることが出來るであらう。※※ かかる實踐こそ、諸々の過去を擔ひながら無限に豊かなる未來をはらむところの現在を各瞬間毎に創造することによつて、日々に新たなる歷史を形成する。物理學者プランクがその「因果律と意志の自由」に於て、自由の領域を「gegenwärtiges Ich を頂點として凡ゆる方向に向つて未來に擴がる圓錐形に比し」(M. Planck: Kausalgesetz und Willensfreiheit, S. 47)、かくの如き頂點としての Ich は「世界に於ける非常に小さな一點 (ein winziger Punkt im Weltbereich) ではあるが、しかも亦それは一つの全世界(eine ganze Welt)でもある」(S. 45)と述べて居るのは、味はふべき言葉でなければならぬ。かくして若し、自由意志が「自らはじめる(von selbst anfangen)能力」であると謂はれ得るものとすれば、それは決して自然現象を全くあらたに惹き起すことではなく、——自然界の外的規定性と目的界の內的規定性とをアウフヘーヘンすることによつて、そこに——新たなる人格的意味を創造することより他にはあり得ないのである。從つて吾々は、カントの樣に「自由と必然とはまさしく同一の行爲に於て(傍點—淡野)、之をその叡智的原因と比較するか、或は感性的原因と比較するかに從つて、……同時に且何の矛盾もなく見出されるであらう」(Kr. d. r. V. B. S. 569)といふ樣なことは、嚴密には云ふことが出來ない。といふのは、叡智的原因をもつものと、感性的原因をもつものとは、もはや同一のものではないからである。兩者の間に強いて同一なるものを索めるならば、いはゞMaterieとでも呼ばるべきものが共通である、といふの外はないであらう。※※

※ カントは praktisch なる概念に、technisch-praktisch と moral-praktisch の二義を區別し (Kr. d. U. S. XIII)「家庭經濟、農業經濟、國家經濟及び交際術乃至衛生的規則更に又一般幸福論でさへも……之を實踐哲學に屬せしめることは出來ない」(S. XIV)、として、むしろ理論哲學(自然科學)の單なる系に屬するものとして考へようとして居るのであるが (S. XV)、これら "Regeln der Geschicklichkeit"

は、適當には、私の所謂テレオロギーの領域に屬するものと考ふべきであらう。私は一般にpragmatismを基礎とする「政策」或は「技術」の立場は、テレオロギーの領域に成立つものなのではないかと考へるのである。「初めて人間が羊に向つて、汝が纏ふ毛皮は、自然が汝に汝自身のために與へたものではなくして、我がために與へたのである、といひ之を彼から剝ぎとつて自ら着用したとき、彼は彼の本性上凡ゆる動物の上に持つた一箇の特權を知つた」のではあるが(Mutmasslicher Anfang der Menschengeschichte, Phil. Bibl. Bd. 47. I, S. 54)、しかしその場合、ひとは單に、自分以外のものを自分のために手段として利用することを知つたにとゞまり、未だ眞の意味に於ての實踐的自覺をもつたのではないことは、云ふ迄もない。

※※　かかる實踐が單に個人的實踐である、といふ非難はあたらぬ。といふのは、實踐を成立たしめる重要なる契機を形づくるところの・負課的必然的なるものは、單に過去の自我より來るものの みならず、當然、他我より來るものをも含むものであり、更に根本的にいふならば、所謂過去の自我より來るものも結局は、他我より來るもに他ならないからである。

※※※　田邊博士「カントの目的論」一二三―一二四頁參照。

八

吾々は、吾々に與へられたる――或は課せられたる――夫自身blindなMaterieに於て、種々なる意味を見出し・或は實現する。吾々にとつて對象は物自體ではなくして單に現象であるが故に、經驗的性格と叡智的性格との二重性が可能になる

(vgl. Kr. d. r. V. B. S. 556 f.) といふカントの精神を一層擴充するならば、吾々は、對象は物自體としてではなく Immer-mehr-bestimmbares として課せられるものであるが故に、一般に存在の仕方の多次元性が可能になる、と云ふことが出來るであらう。吾々は既に、自然界、目的界及び道德界なる三つの存在領域が認めらるべき所以を明かにした。カントは更に進んで第四の二律背反の定立に於て、「世界原因の系列の中に何等かの必然的存在體がある」(Proleg. § 51) ことを主張しようとする。※それが宗教界をめざすものであることは、云ふ迄もないであらう。しかし、その論據となつて居るものは、第三の二律背反の定立の證明の場合と全く同樣、單に自然因果系列の不完全性が指摘されて居るに過ぎぬ。即ちカントは云ふ。「與へられたる被制約者は、——何れもその實存在に關して——端的に無制約的なるものに至るまでの諸制約の完全なる系列を前提する。その端的に無制約的なるものとは、ただそれのみが絶對的に必然的なるものである。かくして、その結果としての變化が實在するならば、絶對的に必然的なる或るものが實在するに相違ない」(B. S. 480)、と。これは、まさに、カントが Kausalität durch Freiheit を主張する場合の論據としたところのものに他ならぬ。即ち、カントは第三の二律背反の定立の證明に於て云ふ。「若し、一切のものが自然の單なる法則に從つて生起するものとすれば、つねに二次的起始があるのみで、第一の起始は存せず、從つて一般に――順次に由來する――原因の側に於ける・系列の完全性といふものは存しないこととなる。然るに、先天的に充分規定せられた原因なくしては何物も生起しない、といふ點に於てこそ、まさしく自然法則は成立するのである。それ故に、……自然法則を以て唯一の原因性であると考へることは出來ず、……〔他の〕一種の原因性――詳しく謂へば、自然法則に從つて進行する現象の系列を自ら始めるところの・原因の絕對的自發性即ち先驗的自由が想定せられねばならぬ」(B. S. 472-474)と、カントは云ふ。吾々は果して、此の第三の定立の證明と、さきの第四の定立の證明との間に、何等かの相違を見出すことが出來るであらうか。それは全く同じものである、といふの外はない。しからば、此の全く同一の論據によつて、果して正當に、一方に於ては先驗的自由、他方に於ては絕對的必然體、といふ二つの異なるものの存在が證明され得るであらうか。換言すれば、吾々は果して、道德界と宗敎界との相違の根據を、自然界の中に見出し得るであらうか。このことは一般に、吾々が自然界の中に叡智的なるものの成立根據を求め得ない限り、不可能でなければならぬ。といふのは、所謂自然因果系列の不完全性なるものも、それは決して、自然的原因のみを以ては自然現象を惹き起すに不充分であるといふ意味ではなく、――それは自然科學の根本的崩壊を招來する――自然的立場そのものが對象の意味を汲みつくすに極めて不完全であることの意味に解さるべきであり、而して、一つの立場の不完全性即ち抽象性を自覺することは、とりもなほさず、つねにより具體的なる立場への移行を必然的ならしめるものであるが故に、道德界と宗教界との相違、從つて宗教界の特質は、――自然的立場の不完全性をではなく――道德的立場の不完全性を指摘することより外に、明かにする途がないからである。かくして吾々は、純粹理性の第四の二律背反の定立が、正當には、實踐理性の二律背反の定立を形づくるべき所以を見るであらう。

※「純粹理性批判」に於て、これと同じことを「世界にはその部分としてか或はその原因として (als ihre Ursache) 端的に必然的なる存在體であるところの或るものが屬する」(B. S. 480) といふ風に、稍々複雜に述べて居るのは、却つて不精密の譏を免れることが出來ないであらう。 何者、 als ihre Ursache といへば、世界の外にある原因の如く思はしめるけれども、しかし實際は、その原因が世界内に存することを主張しようとするものだからである。 このことは "Dieses Notwendige aber gehört selber zur Sinnenwelt" (B. S. 481) といふ一句が、疑ふ余地もなく物語るであらう。

尤も、カント自身が「實踐理性批判」に於て絕對的必然體の存在を、所謂「實踐理性の二律背反」の定立として掲げて居るといふのではない。カントが實踐理性の二律背反として掲げて居るものは、「幸福を求める努力が有德的心術の根據を生ずる」といふ命題と、「有德的心術は必然的に幸福を生ずる」といふ命題との・二つの命題の間の矛盾であつて、しかもカントは、「第一の命題は絕對に誤である」が、「第二の命題は絕對に誤なのではなく、……感官界に於ける存在を理性的存在者の唯一の仕方であると私が考へる時にのみ、從つて唯條件的にのみ誤である」となし、「しかし、私は私の存在を悟性界に於けるNoumenonとしても考へる權能を有する……が故に、心術の道德性が直接ではないにしても——自然の叡智的創始者を介して(vermittelst eines intelligibelen Urhebers der Natur) —— 間接に、……幸福との必然的結合をもつことは不可能ではない」といふ(Kr. d. p. V. S. 114—115)。かくして「實踐理性の此の scheinbar な自家撞着にも拘らず、「福德の綜合としての最高善は、實踐理性の眞の對象」となることが出來(S. 115)、實踐理性の二律背反は純粹理性に於ける・自然必然性と自由との間の矛盾の場合と全く同じ樣に(ebenso bewandt)批判的に解決せられる、とカントは云ふ(vgl. S. 114)。 しかし、吾々は今までに、二律背反の一方が絕對的に誤であり他方は唯條件的にのみ誤である、といふ様な解決の仕方をカントが「批判的」と呼んだ例をもつたであらうか。かくの如き解決の仕方が、純粹理性の第三の二律背反の解決と「全く同じ様」であるとは、どうしても思へないのである。而して、かかる變態的な解決を餘義なくされた所以のものは、さきに掲げた二つの命題が實は、本來、實踐理性の二律背反を構成すべきものではなかつたからである。元來、實踐理性の辯證性は「理性が……純粹實踐理性の對象の無制約的總體を最高善の名の下に求める」(S. 108)ところに現はれる。卽ち「最高善は實踐的に可能なりや」の問題をめぐつて成立つ・二つの相反する主張が、本來の意味に於ての實踐理性の二律背反を構成すべきなのである。その場合、當然、德と福との必然的結合を主張するものが定立となり、それを否定するものが反定立を形づくるであらう。而して、前者は――神の媒介を必要とするといふ意味に於て――宗教界に、後者は――單に實踐の立場にとどまるといふ意味に於て――道德界に、夫々批判的に配せられることによつて兩方共に眞たることが出來、かくして「二律背反は吾々を驅つて、迷宮から遁れ出る鍵を索めしめ、そして此の鍵が發見せられたときには、それは事物の、より高き次元への展望 (Aussicht in eine höhere, …… Ordnung der Dinge) を開示する」(S. 107)といふカントの精神は、遺感なく發揮せられるであらう。

しからば、道徳の立場に於ては、徳は必ずしも福と結びつき得ないのにも拘らず、宗教の立場に於ては、兩者の一致が實現せられるといふのは、如何なる意味であらうか。既に述べたるが如く、道徳的實踐の立場は、外的なるものと內的なるもの、負課的必然と自發的當爲との飛躍的統一を實現する立場であつた。それは、瞬間毎に死しては生れる・異質的非連續的無限の過程である、と云はねばならぬ。げに「理性的なしかしながら有限的な存在者にとつて可能なることは、道徳的完全のより低き段階から・より高き段階に次第に向上する無限の進歩のみである」(Kr. d. pr. V. S. 123)。それは、絶えまなき苦闘の連鎖であるの外はないであらう。といふのは、道徳的實踐の主體は夫自身個性的異質的なるものとして、つねに他者への Umschlag の契機を自らの中に藏して居るからである。憎まずには居れない彼を、假りに意志の非常なる Anstrengung によつて一時愛し得たとしても、次の瞬間には、彼は再び憎まずには居れない彼として、自分を苦しめるのである。吾々は、全く異質的なる道徳の世界に、やすらひを見出すことは出來ぬ。單なるプラークシスは、いつに吾々に福をば約束しないのである。しからば、かかるプラークシスの無限的過程性に對して、やすらひを與へるものは、如何なるものであらうか。それは、異質的なるものが異質的なるものでありながら、しかもその奧深い根底に於て同質的なるものであることをテオーレインすることを措いて外にない。一般にテオーリアは、――プラークシスが主體的なる作用として、異質的なるものを實現する立場であるのに對して――客體的なるものを、同質的なるものとして把捉する立場であると考へられる。これ卽ち、プラークシスによつて實現せられる道德界が、異質的非連續的なることをその特質とするのに對して、テオーリアの對象界たる自然界及び目的界が、同質的連續的なることをその特性とする所以である。※まことに吾々は、プラークシスの主體として飽くまで異質的なるものでありながら、しかもテオーリアの客體として、換言すれば、ens creatum として何れも同質的なるものである。かくして吾々は、此の內の繫縛の中にあることが却つて緣となつて、同じ creator を仰ぐ「はらから」として、アガペー的愛に生きることが出來る樣になる。そこに於ては、憎まずには居れない彼がそのまま愛の對象となり、うき世がさながらあまつ世となる。福德の一致は、かくして、はじめて實現せられるであらう。かかる宗敎的信仰の立場は、單にはたらく立場でもなければ、また、單にながめる立場でもない。

それは、ながめつゝはたらき・はたらきつゝながめる立場、卽ち實踐卽觀想の立場でなければならぬ。※※ 私がさきに――三の註に於て――カントが神を求めた二つの道、卽ち宇宙《コスモス》の觀想と道德の實踐の何れによつても、眞に活ける神の存在を確信することは出來ず、宗敎の立場は實踐卽觀想の立場でなければならない、と云つた所以である。

※　かくの如く、テオーリアの對象界が同質的連續的なることをその特性とする、と云ふのに對して、量子論の不連續觀を以て異義が唱へられるかも知れない。しかし、物理學說としての量子論の主張する・電子現象の不連續性とは、畢竟その單位性に他ならぬ。卽ち、一定の波動に達しなければ、現象が起らない、といふにとどまる。しかも、その單位性なるものが整數倍關係の系列を構成する、といふに於ては、當然、同質的連續的と呼ばるべき理由を有する。何者、異質的非連續的なるものの間には、倍數關係といふが如きものはあり得ないからである。

また、目的界が同質的連續的なるものであることは、――それが Dialektik の地盤たるにふさわしからぬものとして――あまりに屢々指摘されたことであるから、ここに多言を要しないであらう。

※※　かくして吾々は、――「外的なるもの」と「內的なるもの」とを飛躍的に統一する「止揚」の外に、――かかる止揚によつて實現されたる「異質的なるもの」と、更に「同質的なるもの」とを同じく飛躍的に統一する「他の一つの止揚」のあることを、注意せねばならぬ。所謂辯證法的構造の無限的過程性は前者によつて、反之、その體系的完結性は後者によつて、夫々その正當なる理解を見出し得るであら

かくして吾々は、カントの二律背反論を手懸りとし、その批判的解決の精神を徹底させ、更にそれを辯證法的思考法によつて補ふことによつて、自然界目的界道徳界及び宗教界なる四つの世界をもつこととなつた。※ 而して、此の四つの世界に自由に出入し得るところに、人間性の本質がある。 卽ち、全く本能的衝動に身を委ねる自然主義的生活、單に目的手段の關係に於て凡てを判定しようとする功利主義的生活、或は專ら義務の念に驅られて當爲を實行しようとする人格主義的生活、乃至和らぎに包まれた愛の信仰生活、の何れを撰ぶかは全く人間の自由に屬する。※※ かかる意味に於て吾々の前には、つねに墮落と救濟への兩つの道が用意せられて居る、と云はねばならないであらう。

※ 以上述べたるが如き自然界、目的界、道徳界、宗教界なる四つの世界の外に、當然なほ、藝術の世界と意味の世界とが考へられなければならぬ。 而して、前四者が何れも —— その real なものの性格は ideal なものの性格によつて規定せられる、といふ意味に於て —— ideal-real なものであり、從つてそこでは Interesse (主觀) と Gegenstand (客觀) とは不可分的に一つに結びついたものであるのに對して、藝術の世界は Interesselosigkeit をその特性とするもの、として、客觀との結びつきから遊離したる・純主觀の側に成立つものであり、對之、意味の世界は Gegenstandslosigkeit をその特性とする

ものとして、主觀との結びつきから遊離したる・純客觀の側に成立つものといふことが出來るであらう。ただ、ここでは、あくまで現實に卽したる人間の生活を中心として、そこに現はれる二律背反が如何にして解決せられるかを、主として考察するものであるが故に、現實から遊離するところの・それら二つの世界についての考察は、他日に委ねられなければならぬ。

※※　かかる自由こそ眞に *transzendentale* Freiheit と呼ばれるにふさわしいであらう。それは、文字通りの意味に於て transzendental であるが故に、die Verkehrtheit des menschlichen Herzens (Religion. S. 23) としての惡をもなし得る自由であると同時に、また實踐的自由の可能性の基礎ともなることが出來るであらう(vgl. Kr. d. r. V. B. S. f.)。

カントは、「私は何を知ることが出來るか」といふ形而上學の問題と、「私は何を爲すべきであるか」といふ道德の問題と、「私は何を望んでよいか」といふ宗教の問題とは、結局「人間は何であるか」といふアントロポロギーの問題に歸する、と云ふ(vgl. Immanuel Kants Logik, phil. Bibl. Bd. 43, S. 27)。かかる意味に於てのアントロポロギーとしての哲學に向つて、私は此の試論に於て、一歩を踏み出したものといふことが出來ないであらうか。(昭和八年十一月)

人間の存在の三様態と教育の三領域

福島重一

一般に生命は生物體と外的環境との相互作用に於て持續せられる。生命なる現象は、外的環境に對する生命の作用並に反作用の過程に他ならぬ。生物體の與へられた素質は、外的環境との特定の相互作用を通じてのみ發展開發せしめられる。外的環境は生命の發達する場である。此場は生命の成長の範圍並に方向に對して大なる影響を與へる。人間は自然に於ける一の生物體として、自然的環境に於ける作用と反作用とによつて自己の生命を持續する。

然し人間は單なる自然的存在ではない。人類は歴史を持つ。人間は人類の一員として歴史的社會の成員である。此處に人間と單なる生物との本質的相違がある。人間の自然的測面の發達が自然に於て行はれる樣に、人間の精神的發達は社會に於て始めて現れる。人間に於る人間的なものは、人間との相互作用なくしては發展しない。人間の精神的發達の行はれる場は歴史的社會である。歴史的社會は種々の精神的傳統を有する。此傳統、過去の歴史の沈澱は、總ての新しい發展に對する地盤である。人間の精神は此地盤の上に成長する。社會の種々の生活形式、言語、知識、法律、經濟、道德的慣習は成員の精神的發展に對する一般的動機となる。これら生活形式の影響によつて人間精神は發達する。市民的成熟と共に自然人は特殊な機能を有する社會の成員として全體に編み込まれる。かくて共通の歴史を荷ふ者となる。

人間は歴史的社會の成員になると共に、人類社會を荷ふ者となるのであるが、これと共に內的には自分自らの運命を自ら荷ふところのものとなる。人間は自分自らの運命を自ら荷ふ者として、自己の全存在に對して責任を有する。人間はかかるものとして、自己の生命を善へでも惡へでも導くことが出來る。善を選ぶか惡を選ぶかは本質的に彼にのみ屬する。人格の發達は個人の此內的行爲によつてのみ達成せられる。從つて人格的發達に關しては、人類の歴史は彼に對して單なる機緣を提供するに過ぎぬ。歴史的社會は人格の發達に對しては、決して決定的力を有するものではない。人格の發達は常に個人の自由に委ねられてゐる。此處に個人の獨自的な存在の意味がある。

人間は一面事物の世界に住み、他面人間の社會に住む。更に自己の運命を自ら荷ふ者として、獨り自ら永遠的なもの、前に立つ。此人間的存在の三つの様態に對應して、三つの教育の分野が存在する。人間は自然的存在として自然の事物との交渉によつて、社會的存在として、社會の同人との共同作用並に相互作用によつて發達する。更に人間は宗教的道德的存在として、自分自らの內的行爲によつて自己の全存在を或は意味あるものとなし、或は意味なきものとなす。人間は下なる自然との交渉によつて、中なる社會の同人との交りによつて、又上なる神の祝福によつて日毎の生活を營む。我々は此三つの領域に亙つて人間教育を考察する時、人間教育の全體的領域に就ての認識を得る事が出來るであらう。然るに既にペスタロッチも説ける様註に、人間の種々の能力はそれに對應せる教育的方法を要求するものであつて、或能力に對する最善の教育方法が、他のこれと異なる能力に對しても有效な教育的方法であるとは言へない。それぞれの能力は、其本然の自然の要求する獨自の教育的方法によつてのみ、十全に發達せしめられ得るのである。然らば教育の此三つの領域に對して、それに個有の教育的方法が存在しなければならぬ。人間の自然的側面の教育は、社會的側面の教育は、又宗教的道德的存在としての人間教育は、それに對應せる如何なる教育手段を持つてゐるのであらうか。これ私が本論文に於て解明せんと試みた問題である。

註　Pestalozzi; Schwanengesang § 3

人間の生命の基底をなすものは自然である。人間の身體性は、人間の自然との結合を示す。人間は其身體性の故に自然と共に呼吸する。人間は身體を有する存在であるが故に、自然的生物的衝動を有する。然し人間は共通の歷史を有する存在であるから、此自然的生物的衝動も人類の歷史と一定の關聯を持つ。從つて自然的生物的衝動も、歷史の生產に關與する限りに於て、純然たる自然的なものでないと言ふべきであるけれども、人類の歷史の所產は此生物的衝動に根ざす一面のある事は否定出來ない樣である。我々が文明と稱するものはこれである。人間は身體を有する存在である。從つて其存在を持續する爲に、人間は外界を支配しなければならぬ。外界を支配し、外界に適應せんとの衝動は、元來生物的なものである。文明はこの人間の生物的衝動に基礎を有するものである。

然しながら單なる自然的存在は歷史を持たない。歷史は元來精神的存在に屬するものである。人間が歷史を持つといふ事は、人間が他面精神的存在であることを示すものである。精神的存在は永遠的なものに向つて努力する存在であるが爲に歴史を持つ。

人間は自然的有限的存在であると共に、自らの有限性に就ての自覺を持つ。これ精神的存在の本質的特性である。自己の有限性を自覺する時、人間に永遠的なものに向ふエロスが生れる。有限性は人間の內的不完全を示す。此內的不完全に就ての自覺が、內的完全性に向つての憧憬となるのである。勿論人間が此有限性、內的不完全性に就ての自覺を持つには、一定の精神的發達を豫想する。けれ共人間が此自覺を持ち得るといふことは、人間が單なる自然的存在ではなく、精神的存在であるが爲でなければならぬ。文化は實に人間の此精神的本質に根ざすものである。

人間が現はれるところの場は、單なる自然界ではなく人間社會である。人間社會は特定の文化並に文明の傳統を有する。從つて歷史的社會は、此人間の二つの側面を刺戟し鼓舞する。文明並に文化は新しい時代のこれに對應する側面に對して、敎育的影響を與へる。敎育は實に此歷史的沈澱たる文明並に文化を、若い時代に傳達するといふ重大な任務を有する。これは連續せる傳統である。こゝに人類の歴史の發展の可能性が存する。然るに文明の發達の過程と文化の發展の過程とは、根本的に其形式を異にする様に見える。文明の發達の過程は、連續的持續的であるのに反し、文化の發展は、特定の時代に限られ、或時代には藝術が、或時代には宗敎が、或は哲學が全盛を極め、時代的特色を帶びた個性的な波の高揚があり、其發展は非連續的である。これ文明が抽象的一般的なものであるに反し、文化が具體的個性的なものであるが爲である。

文明並に文化が等しく歴史的沈澱であり乍ら、一方が連續的に發達するに反し、他方が非連續的に發展するとするならば、それはこれら歴史的沈澱が、若い時代に傳達される仕方が、根本的に異つてゐるが爲ではあるまいか。文明の發達が連續的であるのは、其傳達が合理的方法的になされ得るが爲であり、文化の發展が非連續的であるのは、其傳達が合理的方法的になされ得ないが爲ではあるまいか。然らば我々は歴史的沈澱に於て、其傳達が合理的になされる領域と、合理的になされない領域の存在することを認むべきであらう。

元來文明は、人間の自然的生物的衝動に根ざすものであつて、有限的なものに向ふ人間の外的行動の所産である。これは生物的衝動に根ざす外的行動の所産として、外的自然的環境との作用並に反作用の關聯に於て、必然的に發達するものである。

生活體は外的環境に適應し、外界から來る印象に對して行動を以て反應する。生命は此外的環境から來る刺戟と、これに對してなす生物體の行動によつて維持せられる。人間も一個の生物體として其存在を持續せんが爲に、外的事物に働掛ける。然し人間に於ては、此外的環境に對する行動は、單に直接的本能的になされるのみならず、生命の發展と共に、意識的思慮的になされるに至る。人間は積極的に外界の事物を自己の意志の支配の下に置かんとする、事物を特定の目的に利用せんとする。而して此事がなされ得るのは、人間が單なる自然的存在ではなく、社會的存在として、言語を有し、言語によつて過去の經驗を集積し、これを現在の必要に利用し得るが爲である。人間は外的自然的環境に働掛ける事によつて、これに一定の變化を與へる。此自らの行動によつて變化せられた環境に於て、人間は生活する。從つて此人間によつて變化せられた環境は、變化せられなかつた環境とは異つた印象を人間に與へる。此印象に對して、人間は更に働掛ける。人間は此場合、最初の働掛けによつて得た經驗を、第二の行動に利用する事を知つてゐる。

此過程を通つて人類の文明は、刺戟と反應との必然的生物的關聯の下に發達するのである。

動物の行動の傾向と、環境との間には一定の關聯が存する。これ個體の生活してゐる處の特定の環境は、特定の反應を個體に呼起す事によつて、個體に特定の行動の組織を生ぜしめるが爲である。人間は外的行動者として、環境との相互作用によつて、行動の身體的組織、習慣を形成する。Deweyも言つてゐる樣に[註]、習慣は普通、單に事柄に慣れると言ふ風に解され、比較的に受動的なものといふ風に考へられてゐるが、習慣は本質的には目的達成の爲の手段として、自然的條件を支配する能力である。我々は習慣を獲得する事によつて、變化しつゝある全體的環境に對しては關心を持たなくなり、それを以前あつた通りのものとして受入れ、これを我々の活動の背景として、必要な變化を環境に對して生ぜしめる爲、行動を特定の事件に集中する事が出來る。習慣は此意味に於て、我々の行動をより廣い領域に解放する。

註　Dewey; Democracy and Education P. P. 54—59

我々が事物に對して、一層合理的に働掛ける爲には、外的事物に就ての知を得なければならぬ。事物の知を得るといふ事は、我々に合理的に事物を處理する可能性を與へる。

外界に就ての經驗は、人間と其自然的環境との間に存する生きた關係に就ての認識である。經驗は我々が事物に對してなすことゝ、我々が事物から受けるところのことゝを結合する時成立する。卽能動的作用と受動的作用との相關々係を認識するところに、經驗は成立する。子供が單に自分の指を火の中に突込んだといふことは、それ自身に於ては經驗ではない。突込むといふ行動が、結果として彼が蒙るところの苦痛と結合する時、始めて經驗となるのである。子供は火が熱いことを經驗する。從つて人間は何事かを發見せんとするならば、事物に對して何事かをなさなければならない。卽條件を變へなければならない。これ實驗的方法の敎へるところであり、Dewey[註]が敎育の根本原則として採用せる方法である。

註 Dewey; Democracy and Education P. P. 163—164

經驗は此樣に、我々が事物に對してなすことと、我々に對して生起する事との相關々係に就ての認識であるから、我々は經驗を得ることによつて、我々に對してある事を生起せしめる爲に、事物に對して何をなせばよいかを知る事が出來る。此事は我々に外界を、より合理的に處理する可能性を與へる。過去の經驗は將來の行動に對して指針を與へる。我々は行動の可能的結果を豫想し得る時、始めて或結果を將來する事を自己の目的となす事が出來る。經驗は抽象化一般化されることによつて、人類の一般的經驗に迄高められる。かくて經驗は新たなる基礎の上に組織せられる。自然科學は此意味に於ける學的組織である。自然科學的組織は元來、決して單に個人が個人として有する經驗ではない。これは人類の經驗の沈澱として、全體としての人類社會に屬するところの知識である。文明は此合理化された經驗の、外的自然に對する適用である。經驗の擴大並に合理化は、外界を一層合理的に支配する事を可能ならしめる。

上述せる事によつて明らかなる如く、人間は外界に對して働掛ける外的行動者として、必要な習慣並に經驗を、外的環境との直接的相互作用によつて獲得するものである。從つて外的行動者としての人間は、外的環境との直接的相互作用によつて形成される。我々は子供が生活するところの環境を適當に變化する事によつて、此側面の教育をなすことが出來る。此環境は言ふ迄もなく、子供自らをして、習慣並に經驗を一層合理化せしめる樣に工夫されなければならぬ。

此様に文明は、生物的存在としての人間と環境との相互作用の結果生産せられるものであり、其發達は合理化に他ならないのであるから、外的有限的なものに向ふ外的行動者としての人間の形成は、經驗並に行動の合理化によつて達成せられる。而してこれは外的環境を年少者の發達に適する様に、意圖的合理的に案配する事によつてなされ得る。從つて此領域に於ては、敎育は方法的具案的たることによつて、卽敎育方法を合理化することによつて、一層よく其任務を果たす事が出來るのである。

敎育は經驗の再構成或は改造の過程であるとの Dewey の見解は[註]、人間を自然的生物的存在として把握する限りに於て正當である。彼の敎育に就ての見解は極言すれば、文明の歴史的發達の過程を以て、直ちに個人生活の發達の歴史となせるものである。成程、人間的存在を自然的環境の支配から自由ならしめ、眞實の人間的存在に迄高める根本的條件をなすものは、實に物に對する人間の支配である。我々は先づ物を自己の意志の支配に置くことによつて、行動の自由を得る。藝術的活動にせよ、道德的活動にせよ、物に對する人間の支配を缺くところには存在し得ない。物を支配する能力を獲得するといふことは、單に人間の肉體的生命を持續する爲に直接的に必要なのみではなく、より高い文化の實現の爲の根本的制約をなすものである。けれども經驗の再構成或は改造といふことによつて、人間教育の全體性を理解する事は出來ない。人格の形成に於ては、自己の外にある有限的なものに就ての事實的經驗並に行動を合理化するといふことが問題となるのではなく、永遠的なものを思慕する熱情、全きものに向ふ意志が問題である。高貴な人格とは決して博識ある者ではなく、永遠的なるものゝ體驗によつて、宇宙の根源的核心に浸透する者、神的なるもの、眞實の自我によつて規定される者である。事物に就ての知は、それを所有する個人の精神的態度によつて、人格の發達に對して意味あるものともなれば意味なきものともなる。こゝに自然的外的行動者としての人間の形成と、內的行爲者としての人間の形成との根本的に相違すべき理由がある。人間は精神的なものとして內的行爲者である。文化は實に人間の此內的行爲の所産である。文化はかゝるものとして、人間の全體的生活態度と無關係に創造されるものではない。其故に文化の創造は一定の精神的自覺を豫想する。

註　Dewey; Democracy and Education P. P. 89—90

人間的存在は精神的なものと、自然的なものとの具體的綜合である。人間は一面自然的在在として有限的なものに向ふと共に、他面精神的存在として永遠的なものに向ふ。此自然的なものと精神的なものとの兩極的關係に人間的存在の秘密がある。人間が身體的有限的存在である以上、地上的・有限的なものに向ふといふ事は人間に必然的な事である。更に人間が自己の有限性を自覺する以上、永遠的なものに向ふといふことは人間の本質性に屬する。此處に人間生活の矛盾がある。而して此矛盾對立は、自然的なものが精神的なものの發動を阻止するところに現れる。元來自然的なものは精神的なものによつて規正さるべきものである。人間性のあるべき狀態は、ペスタロッチも說ける樣に、註 此自然的なものが精神的なものに從ふところにある。こゝに眞實の意味に於ける調和が存する。調和は人間の內的定全性の表現である。從つて此矛盾は本來克服さるべきものとして設定せられる。この克服は人格的存在としての人間に課せられた課題であり、人類の歷史の使命である。人格の向上、文化の發達は此無限の克服の過程に他ならぬ。

註 Pestalozzi ; Schwanengesang § 39

年少者に於ては有限的なものに向ふ自然的なものと、永遠的なものに向ふ精神的なものとは未だ分離しない。これらは未だ自覺せられない狀態に於て存在する。我々は人生の此最初の發達段階を自然的段階と呼ぶ。此段階に於ては永遠的なものに向ふ精神的なものは、言はゞ未だ眠れる狀態にある。有限的なものに向ふ傾向性が人間に於ては先づ現はれる。然し有限的傾向性が有限的傾向性として設定せられる爲には、これに對立するものとして、永遠的なものに向ふ精神的傾向が設定せられなければならぬ。從つて子供に於ては有限的なものへの傾向性は、未だ自らをかゝるものとして設定しない狀態に於て存在しなければならぬ。此傾向性が永遠的なものへの傾向性に對立して現れる時、此二つの傾向性の間の矛盾が意識される。此發達の段階に於て人間は絕對的「あれかこれか」の前に立つ。我々は此發達段階を自然的段階と區別して市民的段階と呼ぶ。而して自覺的人格は此矛盾、此對立を克服するところに確立せられる。自然的なものが精神的なものに從屬せしめられる時、其本來あるべき位置に置かれる。かくて自覺的存在は生命の諸傾向の全體的調和、神的調和に於て成立するといふことが出來る。子供が直接的感覺的なものによつて直接に動かされる樣に、彼は其本來あるべき姿に於て直接に行動する。こゝに眞實の意味に於ける自由がある。これが人間の到達し得る最高の狀態である。嚴密な意味に於て精神的文化はかかる自覺的人格の內的行爲の所產である。

かく考へる時、我々は文化が持續的に發達し得ない理由を容易に理解する事が出來る。文化は人格的個性的なものとして一代きりのものである。これは個人の人格的自覺に根ざすものとして、個人の消失と共に、其發達は止む。從つて其發達の爲には、新たな個人の人格的自覺を待たなければならぬ。而も我々が意圖的に人格的自覺を促す樣に、他人に對して敎育的影響を與へるといふことは、始めから不可能のことである。これ一には我々自身嚴密な意味に於て人格的自覺を持たない者があるが爲であり、二には若し我々自身が自覺的人格であるとするも、相手の人格的自覺はその個人自らの內的行爲に屬するからである。宗敎的道德的なものは、永遠的なるもの、個性的人格的體現である。我々はかゝる高貴な人格に接する時、永遠的なるものに向つての思慕の感情を强められる。けれども高貴な人格に接するといふことそれ自體は、決して私をしてより高貴な者となしはしない。高貴な人格の出現すら個人を人格的自覺に導く機緣を與へるに過ぎない。

自覺するかしないかは、個人の內的行爲に屬する。人間は內的行爲に關しては自由である。こゝに文化が意圖的方法的に傳達されない、從つて文化の持續的に發達しない根本的理由がある。

然し人格的自覺は個人の內的行爲に屬するが故に、文化は持續的に發達しないのであるとの主張は、人格敎育一般は意圖的になされ得ないとの結論を導出せしめはしないであらうか。

我々は此問題に答へる前に、人間敎育に對する他の本質的に重要な領域、文明も文化もそこに於てのみ發展するところの領域、人間社會に眼を向けなければならぬ。私は文化なる概念の下に於て、永遠的精神的なものとして道德的宗敎的なものをのみ解した。かゝるものとして文化の傳達といふことは、個人の嚴密な意味に於ける人格の發達を豫想するものであるから、文化の傳達は意圖的方法的にはなされ得ないことを述べたのであるが、文化なる概念には一般に尙他のものが含まれてゐる樣である。人間が社會生活に於て、同人との相互作用の結果生れた幾多の社會的歷史的沈澱を、我々は文化なる概念を以て呼ぶ。これは人間が自然との相互作用によつて發展せしめる文明と區別せられる。此意味に於ける文化、言語、政治、經濟、集團的道德並に慣習等は、精神的なものと自然的なものとの綜合なる個人の社會に於ける相互作用並に共同作用によつて創造産出せられたものとして、それ自體精神的なものと自然的なものとの具體的綜合である。而して此意味に於ける文化の傳達は、歴史的社會に於て事實に於て行はれつゝある。從つてそこには文化の持續的發展も認められる。けれども我々は此意味に於ける文化と先述せる宗教的道德的意味に於ける眞實の文化と區別して考へなければならぬ。我々が今注意を向けんとする領域は此市民的文化の領域である。我々は此領域に於ける教育の意味を明確に認識すると共に、此領域が人格の形成に對して如何なる意味を持つかを吟味しなければならぬ。人間社會の存在する處、そこには常に人間教育は行はれつゝある。年少者は常に運命によつて生れ落ちた其集團に於て、其集團の要求する成員に迄形成されつゝある。人間は單なる自然的生物的存在ではなく、人類の一員として、人類の歴史を荷ふ者である。社會は歴史を持つものとして、自然的生物的存在として此世に現れた者を歴史人に迄形成する。子供は生れ出るや直接に環境の人達に與へられる。此世に現れた子供は、他人の援助なくしては一時も其存在を持續する事は出來ない。子供の一切の生活は兩親に依存してゐる。從つて子供の教育の責任は、歴史的社會によつて其兩親に對して課せられる、子供が成熟せる成員になる迄の凡ての期間を通じて、兩親に委託される。其故に人が教育の期間を、子供が成熟せる成員になる迄の期間であると考へるのは當然である。而も此期間の全體的過程を通して、子供は兩親に對する全體的依存關係から漸次に解放せられる。其故にシュライエルマッヘルは、教育の過程は個人的權威が漸次に減少し、共同感情が漸次に増大する過程である[註]と述べてゐる。

註　Schleiermacher's Pädagogische Schriften S. 157

依存關係にあり、他者の意志に其全存在を委ねてゐる者は自律的ではない。其故に子供の生存並に教育の一切のことが、他によつて律せられるのは當然である。其目的を規定するものは子供自身ではなく、兩親であり、社會である。依存關係にあるといふことは、他律的であることを意味する。然し此教育期の終りに於ては、子供は自律的なものとして社會に出ることを要求せられるのであるから、此社會並に兩親による他律は、本來否定さるべきものとして設定されるものである。これは自律の爲の他律である。こゝに子供の自發性を尊重すべしとの教育的要求のなされる正當の理由がある。

教育の過程はかく他律的存在から自律的存在への生成過程として把握される。教育をかく把握するといふことは、決して人意的作意からではない。社會自體が年少者の發展狀態に對して、それを兩親の責任となす期間を、教育の期間と看做してゐる。兩親に對する依存關係にある狀態を、未成年なる概念を以て普通に表現する。此未成年の期間が教育の期間だと考へられる。此全體的期間を通じて年少者は社會に對して準備される。年少者の屬する特殊な歷史的社會の沈澱、社會の言語、慣習、傳統は年少者の教育を全體的に規定する。

其故にクリーク[註一]は教育を社會の同化過程であると定義し、デュルケーム[註二]は教育を若い時代の方法的社會化であると定義してゐる。教育とは社會の言語、習慣、思想、感情、生活態度を年少者の心に植付けること、換言すれば社會の型を子供に植付けることであると言ひ得る。而して此年少者の社會化の過程は、年少者を自律的な成員に形成する過程でなければならぬ。社會の側から見れば、教育は個人の社會化であり、個人を自律的市民に迄高めることである。

註一　E. Krieck; Philosophie der Erziehung S. 181

註二　E. Durkheim; Éducation et Sociologie p. 49

歷史的社會は其成員を形成しつゝある。而して其形成の目的は、歷史的社會其ものに於て內在的に働きつゝある。如何なる人間が望ましき社會の構成員であるかを決定するものは理論ではない。具體的社會生活は靜かに其望ましき人間を自ら形成しつゝある。社會に內在的に作用しつゝある敎育目的は、具體的には社會の成員の行動によつて示されてゐる。我々の有する慣習は、新しい時代の身體に迄織込まるべき行動の形式である。これは若い時代の則るべき表現の形式であるが、更に我々の道德的價値判斷の表現は、我々にとつて望ましいと考へられる人間の理念を表現せるものである。卽望ましき構成員に對する要求である。敎育の目的並に方法を規定するものは社會其ものである。社會は其存續の基本條件として、年少者を社會の自律的成員に迄形成しなければならぬし、又現に形成しつゝある。而して此目的並に方法は、共同社會の本質並に歷史的沈澱によつて規定されてゐる。

生物體は外界から來る刺戟に對して適應し、此印象を其獨自性から評價し、これに對して行動を以て反應するのみならず、此印象によつて惹起せしめられた特定の感情的狀態を獨自の仕方によつて表現する。シュライエルマッヘルは其心理學に於て、[註]後者を種の意識に根底を有する自己表現の機能となし、生の有機的機能たる前者と區別してゐる。氏によれば自己發表は種の意識を背景として行はれる。これは自分自身を他人に承認せしめる樣に提示することである。換言すれば種の意識の媒介による人格の顯示である。

註　Schleiermacher's Sämtliche Werke III 6, S. S. 247—248

我が汝に精神的に働掛ける事が可能であるならば、それは我の表現を通じてのみである。表現が我と汝とを結ぶ唯一の事實的橋である。此橋を通つて我は汝と關係する。人間の精神的態度は必然的に身體的表現を伴ふ。愛の態度は愛の表情を伴ふ。悲しみは、憎しみは又それぞれの身體的態度となつて現れる。身體は此意味に於て、決して精神と別の世界にあるものではない。社會的存在としての人間にとつては、身體は人格を表現するものとしての意味を有する。身體は人格の衣である。我々は此衣を通じて人間を知る。社會的存在としての人間の身體は、精神を表現するところのものとして見られる。汝の身體は汝の生ける言葉である。自己の内的感情的狀態は、身體に依つて直接的に表現せられるのみならず、言語によつて表現せられる。言語は社會的存在としての人間の本質的機能である。身體的表現であれ言語であれ、自己表現は常に何等かの意味に於て他者の了解を豫想する。而して自己表現によつてなされる我と汝との相互了解は、我と汝とをより高い精神的全體に結合する。

個人意識はそれ自らは互に閉合つてゐる。それは其內的狀態の表現によらずしては相交通し得ない。人と人との相互作用は、此表現を通してのみなされる。精神的相互作用が具體的に行はれ得る爲には、相手の表現を通じてなされる精神的態度の理解がなければならぬ。相手の精神的態度の理解が、私をして、相手に對する精神的態度を意識的或は無意識的に選擇せしめる。私は私の態度を相手の精神的態度に適應して設定する。私は相手の態度に自らの態度を適應せしめる。個人が他人との相互作用の關係にあるといふことは、自己の態度を或程度變化せしめる。我々は相互作用の關係にあつて、而も他人の影響から獨立してゐる事は出來ない。他人との相互關係にある者は、他人の行動を考慮する事なしに、自己の行動を全うする事は出來ない。自己の行動は他人の行動を制約すると共に、他人の行動は自己の行動を制約する。此事は私が獨りでゐる時と、誰かと一緒にゐる時との内的狀態並に行動の相違を考へれば明白である。而も私の內的狀態は私の相手によつて異る。

私の感情狀態、內的態度が相手によつて異るのは、單に相手の表現の直接的印象から來るのではなく、相手から來る印象に對して反應する私の行動並に表現にもよるのである。從つて私の內的態度及狀態は、相手並に私自身の表現並に行動によつて、制約され高揚せしめられ抑壓せられる。一言すれば相互作用は精神的雰圍氣を構成する。此精神的雰圍氣が私並に相手に特定の心的態度をとらしめる。私にも屬し又相手にも屬するところの此精神的雰圍氣が構成せられ、これが私共に影響を與へる。要するに相互作用によつて、作用者相互の性質を單に加へ合せた以上の、相互を抱括しつゝ、しかも相互を超越する精神的雰圍氣が構成され、これが兩者を支配する。然し此精神的雰圍氣が私に對して精神的に影響を與へ得るとすれば、それは私の體驗を通じてである。從つて體驗されるものとして、精神的雰圍氣は一種の意味である。

精神的雰圍氣は精神的相互作用によつて釀し出されたものとして、相互作用に關與する個人の精神的態度に依存する。然し個人の精神的態度は、精神的雰圍氣の客觀的意味の體驗によつて規定せられる。精神的雰圍氣は個人の意味體驗によつてのみ個人の精神的態度に影響を與へ得るからである。然し此意味は精神的作用に卽して體驗せられるものとして、相互作用に關與する個人の精神的態度に應じて、異つて個人によつて體驗せられる。客觀的意味は、個人が個性を有し精神發達の段階を異にする限り、必ずしも同樣に體驗されるとは限りない。けれ共個人の精神的態度は、相互作用によつて創造される雰圍氣の客觀的意味の體驗によつて規定せられるのであるから、精神的相互作用に關與する個人は、相互作用の存しない場合には決して現れないやうな精神的態度をとることが出來るのである。これ精神的相互作用、共同作用が自然的環境に對する人間の作用並に反作用と本質的に異る點である。

相互作用が持續的に行はれる場合には、相互了解、意志疏通がなされ、相互作用の下にある者は、共同の關心によつて相互に自己の行動を規定する樣になる。のみならず、相互作用に卽して現れる精神的雰圍氣は、これによつて持續的性格を得、其客觀的意味は相互作用の關係にある個々人の共同の精神的內容として、相互作用にある個々人の表現並に行動を規正する。かくて此共同の精神的內容の體驗並に共同の關心に對應して、共同の表現樣式並に行動樣式が歷史的社會に現れる。此表現並に行動の諸樣式は、相互作用の結果生れた共同の產物である。何故なればこれは結局は個人によつて創造されるものではあるけれども、相互作用の下にあるものとしての、從つて社會人としての個人の創造であるからである。歷史的社會に於ては、此表現並に行動の樣式は、現存せる社會の成員の直接的所產ではない。我々は自分で作つたのではない言葉を話し、自分が工夫したのではない器具を用ゐ、自分が制定したのではない法に從ふ。我々の表現並に行動の樣式は先立つ諸時代の歷史的沈澱である。相互關係にある私共は、特定の表現並に行動の樣式を過去の時代に負うてゐる。歷史の流れを通じて此生の樣式は社會の傳統となつて、社會に出現し又消失するところの個人に對して一種の拘束力を以て働掛ける。從つて歷史的社會に於ける具體的な相互作用に於ては、相互作用の關係にある者は、社會の歷史を其表現並に行動に於て荷ふところのものとして相互に作用するのである。從つて其處に現れる精神的雰圍氣には歷史的社會の全體的雰圍氣が流れてゐる。共同社會は實に此歷史的沈澱たる共同の表現樣式並に行動樣式を體現せる者によつて、構成されてゐる社會的統一體である。私の語る言葉は私の言葉であると共に、相手が私の言葉を了解し得る限りに於て相手の言葉である。これは私の言葉であると共に共同の言葉である。共同のものであるから私の自由な氣紛な改革を許さない。此事は私の行ふ習慣、私の道德的行動、政治的行動、經濟的行動、宗敎的行動、知識並に趣味、凡て私の意味ある一切の行動並に表現に就ても言はれる。これらは私に屬するものであると共に、私と一緒に生活する者達に屬するものである、一言すれば社會のものである。

我々の懷く道德的見解、宗敎的信仰、我々の用ゐる言語、我々の關與する法律、政治組織、產業制度は勿論、我々の服裝、住宅、食事、其他日常生活の種々の習慣は共同のもの、社會のものとして個人に對して拘束力を持つ。共同意識は精神的並に心的生活內容の共同性に就ての意識である。從つて共同意識は個人意識に對して拘束力を以て臨むのである。これは全體的なものの個體的なもの對する、歷史的なものの、自然的なものに對する精神的壓力である。個人が社會的に行動し表現する時、個人の從ふところの形式は時間的にも空間的にも個人を超越する。從つて個人の意の儘にならぬ全體の歷史的所產である。歷史的社會的所產として、生活樣式は個人に對して規範を與へる。

然し私共が社會の此拘束力を意識しないのは、我々が歴史的社會的なものを、個人的自然的なものとの具體的綜合に於て生活してゐるが爲である。社會の言語が私の言葉使ひとなり、社會の慣習が私の慣習となり、社會の道德的見解が私の道德的見解となつてゐるが爲である。然るに私が此歴史的社會的なものを、自然的個人的なものとしての私に對立せしめる時、卽私が歴史的社會的なものに對して抵抗する時、此社會の拘束力は明瞭な形に於て自己を主張する。歴史的社會的なものは自然的個人的なものに於て具體化されることを要求する。社會の拘束力は歴史的社會的なもの丶個人に於て具體的に體現せんとする力である。社會はか丶るものとして、個人の外部にあつて個人を規正せんとする。此外部的拘束力としての社會は、社會的なものが個人に具體的に體現する時、其外在性を揚止され、拘束力は個人の自然、自由となる。かくなることによつて社會は全體としての現實的力を得る。而して個人の發達も又此歴史的社會的なものを、自然的個體としての自己に於て具體化する處にあるといふことも出來る。個人が出生によつて運命づけられた社會の歴史的沈澱は、新しい出現者にとつては歴史的社會的なものとして、個人の外部に存在するものである。此外在的な歴史的社會的なものは、拘束力を以て個人に臨み、個人を成員に迄形成する。けれどもこれが爲には、これは先づ個人によつて外的歷史的なものとして發見されなければならぬ。それと同時に個人の側に於て、それに對應する精神的並に心的衝動が存在しなければならぬ。歷史的なものが具體化されることを個人に要求すると同時に、自然的なものとして個人は、社會的に意味ある存在とならんとするのでなければ具體化は存し得ない。而も個人が社會から孤立する限りに於て、社會的なものを具現せんとする衝動は個人に生じない。個人をして社會的なものの具體化に向はしめるものは、實に社會の同人との相互作用である。我々は同人との相互作用の關係に立つ時、汝に於て單なる人間を發見するのではなく、歷史的社會の成員を發見するのである。汝は歷史的社會の成員として、社會の歷史的沈澱たる共同の行動並に表現の具體的體現者、一言すれば歷史的社會の代表者である。代表者として汝は權威を以て我に對する。自然的存在として此世に現れた年少者は、かゝるものとしての兩親の手に委ねられてゐるのである。而も年少者は先にも述べた樣に、兩親に對する緊密な依存關係に於てあり、未だ自律的に行動し得ないものであるから、彼の意志は兩親の意志に從屬せしめられる。かゝる關係に於て兩親と子供との間に相互作用が行はれる。兩親は共同社會の代表者としての權威を以て子供に對する。此相互作用、子供に對する愛、親に對する愛によつて結合された相互作用によつて、更に又これに卽して釀し出された精神的雰圍氣の影響によつて、子供の心に歴史的社會的なものは積極的な要求を以て臨み、子供の心に社會的なものを具體化せんとの要求を生ぜしめる。社會の傳統的形式に從つてなされる兩親の行動並に表現は、年少者に一定の刺戟を與へ、これに對應せる一定の心的並に精神的衝動を呼起し、年少者は相手の行動に對して、特定の行動或は表現を以て答へようとする。凡て强い意志力は相手に於て自らと同一の方向に向はんとする意志を覺醒するものである。兩親の意志は家庭の傳統的精神を體現せるものとして、又社會の精神を代表するものとして、年少者に作用するのである。要するに歴史的社會的なものは、個人に外的拘束力を以て働掛けるのみならず、働掛けることによつて個人の心を覺醒する。これはあく迄も敎育的なものである。けれども歴史的社會的なものを發見し、これをこれに對應する自己の特殊的衝動的なものと具體的に綜合するのはあく迄も個人である。此意味に於て、個人はあく迄も自己に對する責任を有するものである。自己を形成するものは、此意味に於て個人自身である。然し社會的存在としての個人自身である。人間は社會に於て又社會を通つてのみ自己自身になる事が出來る。個人に於ける一切の自然的なもの並に精神的なもの、萠芽は、實に歴史的社會的なものを通つてのみ、又相互作用によつて始めて具體的現實的なものとなる。年少者は歴史的なものを通つて可能的自然的存在から現實的社會的存在となる。

子供は未だ多方面に規定し得る可能性である。然し此可能性は環境に於ける作用によつて、環境との相互作用によつて現實的となる。社會の歴史的沈澱並に傳統は、言ふ迄もなく、人間の自然に存するところの可能性の現實的形態をとつて現れたものである。從つて社會に於ける現實的形態は、よしそれが唯一の現有形式ではないにしても、可能性のとり得る一の樣態である。從つてかゝるものとして社會に於ける現實形態は、年少者の可能性に對して特定の刺戟を與へる。現實形態を機緣として、否現實形態との具體的綜合に於て、年少者の可能性は現實的なものとなる。此社會に於ける現實態は、彼が運命によつて決定された彼が其處に生活すべき其社會の生活形式として、彼自身の生活形式とならなければならないものである。此個人的なものと社會的なものとの具體的綜合に於て、自然的生物的機能は社會的に意味ある機能に高められる。年少者は自然的生物的存在から市民的存在に迄高められる。而して此事は人間社會の存在する處、何處に於ても行はれつゝある。如何なる未開人に於ても又高い市民的文化を有する社會に於ても同様である。從つて文明が持續的に發展せしめられる様に、言語、法律、政治、經濟、道德的慣習は歴史的社會に於て常に新しい時代に傳達されてゐる。其故に意圖的教育に於てなし得る唯一の事は、現實社會に於て行はれつゝある人間形成の過程を、一層合理化する處にあると言はなければならぬ。而して市民的文化の發達と共に、社會は益〻教育に對して此事を要求する。而して此事は、意圖的教育が年少者の自然的側面の教育を、自然的環境との相互作用によつて人間が如何にして經驗を獲得し、特定の行動様式を得るに到るかに就ての認識に基いて、年少者の自然的環境を合理化する事によつてなし得る如く、年少者の社會的側面の教育は、社會の同人との共同作用並に相互作用によつて、年少者が如何に社會の成員に迄事實形成されつゝあるかといふ認識に基いて、社會的環境を年少者の發達に對して意味ある様に變化する事によつてなされる。何故なれば生活環境と生活體との間の一定の關聯が否定されない限り、生活環境は必然的に生活體に對して一定の行動並に表現樣式を形成せしめるからである。こゝに意圖的教育、學校教育を、無意識的に成員に對して教育的に作用しつゝある社會圈の模範に從つて、構成すべしとの要求のなされる根據がある。市民的文化は人間と人間との相互作用並に共同作用に基いて、必然的に生產せられた歷史的社會の沈澱である。從つてこれに對する本質的關心並に理解は、年少者自ら共同社會を構成する事によつて共同生活を營み、相互に作用し作用される事によつて得られる。子供は同輩との相互作用並に共同作用によつて、彼等に相應せる市民的生活を營む。眞實に人間に價値ある經驗は具體的生活を通してのみ得られる。近代、現實社會の生活樣式を學校に導入する事によつて、學校教育を市民の形成に對して一層有意義なものとなさんとする運動の生じて來たのは、もとより當然の事である。我々が先に述べた文明への教育、事物を支配する能力を發達せしめんとする教育も、共同社會の教育原則と結合してなされなければならぬ。何故なれば、文明は人間が外的自然に對して働掛ける事によつて、人間社會に於て發達せるものであるが爲である。如何なる場合にもあれ、意圖的計畫的教育に對しては、現實社會に於て事實行はれつゝある人間教育の過程が、常に模範とならなければならぬ。もしも意圖的教育の意圖するところが、現實社會の成員の養成にあるとするならば。

然し我々が敎育過程を合理化し得るのは、換言すれば年少者を意圖的方法的に敎育し得るのは、年少者と其生活環境との間の相互作用の關聯が認識せられる限りに於てゞある。而して我々は人間を社會的生物的存在として把握する限りに於て、此關聯を認識し得る。從つて環境と生物體との關聯の原則は、人間が單なる社會的生物的存在以上のものとして、考察される限りに於て適用されない。道德的宗敎的存在に對しては環境は、其發達に對して機緣を提供するに過ぎない。我我は此處に於て始めに答ふべくして答へなかつた問題、人格敎育の可能性に就ての問題に向はなければならぬ。此爲に我々は先づ社會的成員への敎育が、人格的發達に對して有する意味を考察しなければならぬ。

先にも述べた樣に、年少者に於ては精神的なものと、自然的なものとは未分の狀態にある。從つて精神的なものは未だ精神的なものとして設定せられない。從つて幼兒は未だ嚴密な意味に於ける「あれかこれか」を知らない。子供に於ては、あれを選ぶかこれを選ぶかといふことは、人格を決定的に決定しはしない。あれかこれかは價値の程度の相違を示すけれども、本質的な相反的價値の對立を示しはしない。然るに人格の自律は、倫理的宗教的現實としての「あれかこれか」を選擇し得る精神の一定の自覺を豫想する。市民的段階に於て人間は始めて眞實のあれかこれかの決定的對立の前に立つ。勿論子供に於ても自發性は存在する。けれども、此自發性は未だ道徳的宗教的意味に於て自律的ならぬ、從つて嚴密な意味に於て精神的ならぬ自發性である。これ幼い子供に於ては、精神的なものと自然的衝動的なものとが未だ分裂しない狀態にあるが爲である。然るに人間社會は、精神的なものと自然的なものとの具體的綜合なる個人によつて構成されたものとして、年少者に於ける精神的なものを鼓舞すると共に、自然的なものを刺戟する。年少者は可能性として自ら有するところの凡ての社會的人間的なもの——精神的なもの並に自然的なもの——を、社會の同人との相互作用によつて現實化する。かくて年少者は自分自らの中に對立的なものを自ら發見するに至る。彼は自然的なものと精神的なもの、社會的なものと個人的なものとの對立を發見する。我我はかゝる人間發達の段階を市民的段階と呼んだのである。年少者が社會の成員に迄高められるとは、要するに、彼が自己の個人的要求の外に社會成員としての要求を持つ者になる事を意味する。而して此事は、文明が人間と環境との相互作用によつて必然的に發達する樣に、人間が社會的存在として共通の歴史を持つ者である限りに於て、人類社會に於て必然的に行はれてゐるのである。年少者は歴史的社會に於て必然的に其成員に迄形成されつゝある。其故に我々は自然的側面の教育に於て、子供の住む自然的環境を合理化する事によつて子供を意圖的に教育し得る樣に、年少者を市民に迄形成する過程も、子供の生活する社會的環境を合理化する事によつて子供を意圖的に教育し得るのである。

個人は單なる自然的存在としては未だ自我の意識を持たない。個人は社會の同人との共同作用並に相互作用によつて始めて自我を意識する。我々が自我を自我として認めるのは、自分を他人と區別する事によつてである。從つて他人に於て自分を認めるといふこと、換言すれば他人を自分と平等に設定する事こそ自我の意識の根源である。此他人に於て自分を認めるといふことは、他人との共同生活に於て始めて可能である。個人は斯樣に他者との平等の認識に基いて自我を意識する。然るに個人が集團人としての要求を自ら感ずるといふことは、彼が自分を集團人として他人と平等であるとの意識を有するが爲である。從つて集團人としての意識は、必然的に自我意識と共に覺醒せしめられる。人間は集團の道德的要求を意識する樣になると共に、自分自らの個人的要求を明白に意識するに至る。換言すれば人間は歷史的社會の自律的成員になると共に、道德の國土に於ても自らの判斷によつて自己の行動を決定する者となる。現實社會の自律的成員になるといふ事は、道德的自律者――善惡何れかを自らの價値判斷によつて選擇する者――となる事である。何故なれば、人間は現實社會の成員として、一面自分の住む社會の要求を自らの要求として持つ者となると共に、他面個人としての自らの要求を明白に意識する者となるが爲である。從つて社會的慣習並に道德が個人に對してなす要求と、個人が自然的個人的存在として持つ要求との間には、常に或對立的なものが存する。此對立を克服する爲には、我々は社會的要求を變化する事は出來ないから、我々自身の自然的存在としての欲求を、集團的道德の要求に從はしめなければならぬ。然し此事は自然的生物的要求を、社會的に是認し得る仕方に於て滿足せしめる事によつて達せられる。かく社會の抑壓によつて本能的衝動的なものは、社會の意志によつて規正せられ、一定の秩序が與へられる。かくて氣儘の意味に於ける自由、ペスタロッチの所謂 Naturfreiheit[註] は揚止せられ、社會的に是認せられた制限せられた自由が現れる。

註　Pestalozzi ; Nachforschungen. S.403 (Pestarozzi's Sämtliche Werke 7 Band)

社會の拘束力は、先づ第一に人間の本能的生活に對する拘束として現れる。本能を其社會の慣習に反する事のない樣に滿足せしめる事が第一に個人に要求される。又人間の本能生活は、社會の拘束力の故に人間によつて制御せられてゐる樣に思はれる。

社會的道德は個人に對する拘束力によつて、個人に於ける自然的個人的なものに秩序を與へ、社會的に肯定し得る行動並に表現の樣式を與へる。又これによつて單なる自然的存在を社會的存在に迄高めるものではあるが、社會的環境が個人の道德的人格的發達に對してなし得ることは、嚴密な意味に於て單にそれに對する機緣を提供し得るに過ぎない。人は社會的道德に單なる利己心に基いて從ふことも出來れば、又それに對する敬意から從ふ事も出來るからである。社會的道德は行動の樣式を個人に要求する事は出來るけれども、其樣式に眞實の生命を注入する人の心そのものに干與する事は出來ない。人は自分が人にさうされたくないから、自分はさうしないのだとよくいふ、自分がさうされたいから、又されたくないから或事をなしたりなさなかつたりするのであれば、それは利己心に根ざす行動である。現實社會の個々人間の具體的關係は、洗ひざらひにしてみれば、此利己が根底をなしてゐる場合が少くない樣に思はれる。現實社會に於て人間の行動を支配するものは、多くの場合名譽心、權力に媚びる心、野心である。個人が集團道德を尊重するのは、それに對する尊敬の故ではなく、それの有する權力の故である。然し乍ら人間の道德的人格的發達を規定するものは、それに對する人間の心根である。人格の向上は單に集團的道德の要求であるが故にではなく、それに從ふことが道德的に價値あるが爲に從ふ處にある。人格的意味に於て個人を高めるものは、嚴密な意味に於て個人自らである。

社會は一方に鞭を持ち、他方に人間の名譽心を刺戟する事によつて、個人を社會の慣習に馴らす。これは自然的生物的存在としての人間を社會的存在に迄形成するといふ意味に於ては、人間を敎育する。けれども社會は自然的なものと精神的なものとの具體的綜合たる個人によつて構成されたものとして、個人に於ける精神的なものを鼓舞すると共に、自然的なものを刺戟する。更に個人は皮肉にも、自然的個人的存在として自らの要求を持つ樣になる事によつてのみ、社會的成員としての要求を感ずる者となる。從つて社會の同人との相互作用によつて、個人的となると共に社會的となり、精神的となると共に自然的となる。人間は社會に於て言葉の最も廣い意味に於て人間となる。從つて嚴密な道徳的宗敎的意味に於ては、人間は社會に於ける共同作用並に相互作用によつて、善く形成されると共に惡く形成されもする。これルソーをして「造物主の手を出る時は凡てのものが善であるが、人間の手に移されると凡てのものが臺なしにされてしまふ。」と、叫ばしめた所以のものである。道德的宗敎的見地に立つて人間を考へる時、人間社會は人間を敎育すると共に人間を敎育しないとも言へる。社會はたゞ年少者を自然的要求の他に社會的要求を持つ者、或はこれを感ずる者に迄必然的に形成する事によつて行動の樣式を强要する。けれども、人間は虚僞の面を被つて社會の要求に從ふ事も出來るのである。而も現實社會には此道德の假面を個人に强要する一面のある事は否定出來ない。

人間に於ける精神的なものは、それの社會に於ける表現、文化を通つてのみ誠舞せられる。社會の一切の文化、宗敎、藝術、哲學は、人間の表現を通じてのみ傳達せられる。他者の精神的なものは其表現を通じて私に與へられる。私は此表現せられたものを體驗する事によつて、他者の精神に接する事が出來る。他者の精神に接する者は、其精神的影響から免れる事は出來ない。藝術作品に表現されてゐる美的なもの丶體驗は、必然的に私の美的觀賞力をめざまし、これを高める。我々は歴史的社會の所產たる藝術的作品に於て表現せられてゐる美を體驗する事によつて、歴史的社會の成員に共通な美的觀賞力を有する者となる。此事は他の文化領域に就ても言はれる。一般に過去の文化の體驗によつて、人間は歴史的社會の成員に迄形成される、時代の目を以て見、時代の口を以て語る者となる。人間の精神力は文化に表現せられたる永遠的なものを、主觀的に體驗する事によつて目覺される。我々の精神力は、藝術文學等に於ける內的精神的なもの丶表現、文化を通して覺醒せしめられるのみならず、社會の同人の言語動作に於ける直接的表現を通して覺醒せしめられる。一言すれば內的精神的なもの丶社會に於ける表現を通してのみ、これの體驗によつてのみ、精神力は覺醒せしめられるのである。

かくて市民的段階に於ては、人間は自然的有限的なもの丶價値を認めると共に、精神的永遠的なもの丶價値を感得する者となる。けれども、具體的事實的生活に於ては、有限的なものは常に永遠的なものの上位に置かれてゐる。思想的には永遠的價値の上位を信ずるけれども、具體的行動に於ては其反對の信條の下に行動がなされる。人格の永遠的價値は頭の先では考へられるが、事實に於て人格は物と同様に取扱はれる。隣人に對する愛は價値高きものと説かれつゝ具體的行動に於ては隣人と相爭ふ。かゝる價値の轉倒が、市民的段階に於ては、我々を支配してゐる。我々が頭で考へる價値の上位は、心情の事實に於ては逆にせられてゐる。卽事實に於ては人格より器物が、愛する事よりも憎むことが、より大なる主觀的價値を有するものとせられてゐるのである。

市民的段階に於て、人間は人生の意味を、或は價値を、有限的なものの瞬間的なものに置く。個人は自己の行動の決定に際して、生物的自我、社會的自我にとつて價値あるものによつて、卽主觀的氣まぐれによつて價値を選擇し、それに從つて自己の行動を決定せんとする。現在の自己の行動を具體的に決定するものは、主觀的氣まぐれによつて選擇せられた價値である。卽有限的な自我にとつて價値あるものである。有限的な自我にとつて價値あるものは、有限的なものである。有限的なものを追求するといふ事は、其具體的行動に於て、彼が人生の全體的價値を有限的なものに置いてゐる事の具體的證明である。人間は社會的生物的存在としては、有限的なものを求めて外部に向ふ。然るに宗教的道德的生活に於ては、外的有限的なものから目をそらし、內的永遠的なものに向ふ事が要求せられる。外より內への轉向が要求せられる。有限的なものを有限的なものとして求める社會的生物的生活態度は、宗敎的道德的生活に於ては、常にあるべからざる生活態度として否定されなければならぬ。それは實體なき影を追ふところの生活である。

我々は宗敎的道德的存在として人間のあるべき、又なすべき事に就ての意識を持つ。けれども永遠的なものによつて我々の行動が規定されず、主觀的な價値の標準に從つて規定せられるのは、これが社會的生物的存在としての個人の現實生活に關係を持つが爲である。永遠的なものに從つて行動するといふことは、現實生活の要求と相反する事が屢〻ある。其故に永遠的なものによつて純粹に規定せられる爲には、外的有限的なものに對する要求を「あれでもよい、これでもよい」ものとなさなければならぬ。卽外的有限的なものに對して本質的關心を持たなくならなければならぬ。有限的なものに對して本質的關心を持たなくなること、卽有限的なものから自由になることが、永遠的なものによつて純粹に規定せられる爲の本質的假定である。然し現實生活に於ける有限的なものは、社會的生物的存在、有限的存在にとつては關心の中心となる處のものである。これに對して無關心になる事は死と等しくつらいものである。例へば社會の同人の賞讃並に非難は社會人としての私の全體を規定する。社會の意志に反する時、私は社會から非難され社會の外に追ひ遣られる。此事に對する恐怖心が、又社會の現世的勢力に媚びんとする根生が、永遠的なものに從つて私が行動するのを妨げる。從つて純粹に永遠的なものによつて私の行動が決定せられる爲には、有限的存在としての私の關心の中心となる一切の事柄に對して、本質的關心を持たなくならなければならぬ。卽外的有限的なものに、人生の無上の價値を置く生活態度を廢棄しなければならぬ。此外的有限的生活能度の廢棄が、眞實の道德的自覺的生活の發端であり完成である。かくて私は自我の純粹な道德的要求に從つて行動する事が出來る。我々は否定の道によつてのみ道德的自覺に達する事が出來る。

自己の行動が神的永遠的なものによつて決定せられるのではなく、主觀的な氣まぐれによつて決定せられる生活態度を、我々は社會的生物的生活態度と呼び、生活行動に於ける主觀的な氣まぐれな價値決定を揚止して、神的永遠的なもの、眞實の自我によつて行動を決定する生活態度を自覺的生活態度と稱する。

生活態度を規定するものは、如何なる場合に於ても生活環境ではない。生活環境は個人の生活態度の決定に對して影響は與へる。けれども生活態度を決定するものは、個人自身である。然し此生活態度をとるか、あの生活態度をとるかといふ、卽あれかこれかの前に立つ迄は、あれかこれかを發見する迄は、個人の生活態度は一義的に規定されてゐる。自然的生物的存在として此世に出現せる個人の最初の生活態度は、必然的に社會的生物的生活態度である。人間はいはば社會的生物的生活態度以外の生活態度を知らない。而して社會の同人の影響は此生活態度を助長する。

今人間の人格的發達に就て考へるに、幼兒の生活は有限的なもの、瞬間的なものを迎へ又これを迸る事によつて營まれる。美しい玩具、美味な菓子、これらを自分のものとし享樂し、嫌ひなものを排斥する事によつて生活は營まれる。自然的段階に於ては、全體的生活の向ふところは有限的なものに限られてゐる。

然るに市民的段階に於ては、人間は宇宙萬物の流轉の眞只中に於て生活し、何等確實なる足場を生活に持たないが爲に、確實なる足場として有限的なもの移ろひ行くものを求める。これは現實生活に於ける年少の時よりの生活の習慣によつて保持せられる。習慣は有限的な移ろひ行くものを動かないもの、永遠的なもののであるかの様に人間に感せしめる。我々は明日の日の命の豫期し得ないことを知らず顔に、明日の生活に人生の全體的意味を託して生活する。我々は世間の人達の賞讃並に非難が、實に影のやうな空虚なものであることを知らぬかの様に内心これを求める。或は財産を獲得する事に人生の無上の意味を發見する。これが現實生活に於ける多くの人達の生活態度である。これらの人達の生活は、有限的な從つて頼りにならないところのものを頼りになるものであるかの様に考へて、或はあるかの様に習慣的に行動する生活である。

然るに社會に於ける人間生活は、社會的生物的生活態度が唯一の人間の生活態度ではないことを教へる。此事を人間に教へるものは、これとは異つた生活態度に基いて構成された過去の文化の遺産、並にこれとは異つた生活態度によつて現に生活しつゝある人間との邂逅である。人間は過去の文化の體驗によつて、又宗教的道德的に生活し行動しつゝある人間との具體的接觸によつて、自分の生來の生活態度の他に尚一つの生活態度の可能なる事を直接的に或は間接的に知る。然し自然的生活態度を廢棄し、あらたなる生活態度を採らんとする熱情が、個人に於て芽生える爲には、永遠的なものに對する憧憬が生ずる爲には、現世的生活に人生の全體的價値を求める事が不可能である事を自分自らの目を以て見なければならぬ。人間は一面現世的生活の有限性不完全性の認識によつて、他面永遠的なものゝ文化に於ける又人間に於ける具體的顯現を見る事によつて、あらたなる生活態度の可能性を知り、これが人間のとるべき生活態度である事を知る。從つて人間をして、自覺的生活態度を選擇せしめる機緣を與へるものは、人間社會である。社會は一面人間の社會的生物的生活態度を鼓舞し奬勵するものであるけれども、人間に道德的自覺に對する機緣を與へるものも又社會である。

我々の心は高貴な人格の力にうたれる。人間は自分よりも高貴な人間が自分の傍にゐることを經驗する時、必然的に現在の自分をよりよくせんとの內的衝動を自らの中に感ずる。高貴な人格に接する時、我々はそこに人間精神の登り得べき段階を自らに示されたものとして感ずる。これは私も又人間として到達し得べき處のものである。此認識が我々の精神力を鼓舞し、永遠的なものに向ふ努力を呼起す。私と彼との間に釀し出された精神的雰圍氣は、無意識的に私をそれに同化すると共に、意識的に私の低劣を感せしめ、高貴にならんとの內的衝動を生せしめる。殊に彼を尊敬する場合、敬と愛とによつて私共が結ばれてゐる時、此內的衝動は强められる。けれども、それは私自身永遠的なものに對して持つ熱情の度合によつて、精神的自覺の程度に應じて、或は强く或は弱く私を鼓舞する。他人に於て高貴なものを發見するのは私自身である。私は私の高さに應じてこれを見る。のみならず私共はともすれば高貴な人間、偉大なる人格を私とは全く異つた世界に住む人間、私に對してストレンジャーとして見る。私は彼に於て私の到達し得る高處を發見することの代りに、私には登ることの出來ない高峰を見る。そしてこれを不可能の事、從つて私に無關係の事として、彼の存在に無關心に振舞はうとするに至る。世の中に於て此現象は、高貴な人格の行動を所謂「奇行」と稱し、嘲笑を以てこれを迎へ、又彼を奇人となし、世人と異つたものとして自分達の世界から彼を除外するといふ事實となつて現れてゐる。若し我々がかの奇人の奇行の中に思ひを潛めたならば、脈々たる人間の血が流れてゐるのに、私は敢てそれから目をそらしてゐる。キリストですら其生存の時期には、狂人と看做され、親達によつて連歸らうとされたといふ記事が正直な聖書記者によつて報せられてゐるではないか。ソクラテスも奇人であつた。我々は例を必ずしも遠いところに求めなくてもよい。我々のすぐ傍に此奇人がゐないかを注意すれば十分な實例は示されるであらう。してみれば高貴な人物の相手に對する教育力も、常に其の影響を受ける人間の精神的態度に依存すると言はなければならぬ。何故なれば、彼に於て私の到達すべき理想を發見する事も、彼に於て嘲笑すべきものを發見する事も、それは一に私の精神的態度によるからである。のみならず、假令私が高貴な人格に於て、私の到達すべき理想を發見するとするも、その事は必ずしも私自身をして高貴な者とはなしはしない。私は私自らの内的行爲によつて社會的生物的生活態度を廢棄し、自覺的宗敎的生活態度をとる者となる事によつてのみ、自ら高貴な者となる事が出來るのである。我々は絶えざる自己否定によつて、外的有限的なものから解散され、具體的主觀の最高峯に登ることが出來る。此根源的な具體的主觀に立ちかへることのみが、人間の全體的生活態度を根本的に新たにする。かくて精神は其あるべき狀態に自らを設定する。精神的人格力は確立せられる。嚴密な意味に於て人格の發達といふことは此道を通つてのみ可能である。

我々は人間が一の生物體である限りに於て、其生活環境より來る影響を無視する事は出來ない。けれども、道德的宗敎的世界に於ては、外部より來る印象は、言葉の嚴密な意味に於て、人間の道德的發達の爲の機緣となり得るに過ぎない。人間は只自分自らの内的行爲によつてのみ、自己の生活態度を規定する。其故に、我々が相手の人格の發展に對してなし得る最上の事は、相手をして人間のとるべき生活態度をとるに到らしめるやうな機縁を提供することである。これ人間のなし得る最高の愛の行動である。

從つて人格敎育の本質的領域に立つ時、相手を敎育せんとの意志は必然的に自己を敎育せんとの意志に轉向せざるを得ない。これ本質的意味に於ける人格敎育の領域は、道德的宗敎的國土であり、こゝに於ては人は各〻自分自らの運命を自ら荷ふ者として、自己の現有に對して責任を有するからである。かゝる者として我等は同行者であり、共に永遠的なものを求める學生である。永遠的なものゝ前に於ては、我等は凡て子供である。こゝに於ては敎へる者は敎へられる者であり、敎へられる者は敎へる者である。自ら相手に於て精進の機縁を發見する者のみが、敎へる者であり敎へられる者である。其故に眞實の人格敎育の領域に於ては、敎育する者は自分の感化力によつて相手を敎育せんとの意志を持つ事は許されない。我等のなし得る唯一の事は、絕えざる自己精進によつて永遠的なものゝ現前を期する事のみである。永遠的なものゝ具體的事實的現前は、目ある者に對して必然的に自己精進に對する機緣を提供するであらう。「人のなし得ぬところは神のなし得るところである。」

我々は文明への敎育、市民的文化への敎育に於ては、生活體と環境との間に一定の關聯が存するとの原則の承認の下に、環境を敎育的に意味ある樣に變化する事によつて、年少者を敎育し得るが故に、これらの側面の敎育は或程度敎育せんとする者の意志に從はしめられ得る事を述べたのであつた。然るに道德的宗敎的敎育の領域は人間が單なる生物體以上のものとして把握される處に、始めて現れるものである。從つて生活環境と生物體との相互關係の原則は、此處に於ては否定せられる。してみれば道德的宗敎的領域に於て、人間の敎育が我等の意圖に基いてなされ得ないといふことはもとより當然のことである。文明並に市民的文化が持續的に發達するのに反して、道德的宗敎的意味に於ける永遠的な文化が持續的に發達し得ないといふ事實は、これらに對應せる敎育の諸領域が本質的に異つた原則に基いてなされるといふ事の具體的證明である。　昭和九年一月六日

ヘーゲル精神現象學と客觀的精神

務臺理作

目次

一　序論

ヘーゲルの精神現象學は現象する精神、又は現象する知の形式に於て、絶對知へ到達しようとする意識の形態とその運動とを敍述しようとするものであるが、これ等意識の諸形態の中で中心的な位置をとるものに云ふ迄もなく「精神」である。精神現象學に於ける精神の義に就いて廣義では現象する精神の全體を意味するが、狹義に於ては特に理性と宗敎との中間に置かれた意識形態の一としての「精神」を意味し、これはエンチクロペディーに於ける客觀精神に相當するものであることは疑ひない。　客觀精神と云ふ言葉はヘーゲルではエンチクロペディーの第一版で初めて用ひられたものであつて、一八〇五年のエナ大學の講義「精神の哲學」に於ける「現實的精神」[1]、後のニュルンベルクのギムナジウムに於ける小エンチクロペディーの中の「實踐的精神」は大體に於てこれに當るものである。[2]　エンチクロペディーに於ける客觀精神は周知の様に主觀的精神と絶對精神の間に置かれ、主觀的精神が、對象との對立に於て單に主觀的自由を持ち得るにすぎないのに對し、客觀精神はかゝる意識と對象との對立を克服し、自己の自由を客觀的世界に於て實現せんとするものであり、したがつて主觀的意識の形態でなく、客觀的な人倫世界の形態に於て自己の存在を持つところの精神である。それは單に自己の內へ反省された個人的主觀的自由でなく、一定の客觀的人倫世界の構造に於いて、卽ち法、家族、社會、國家の如き共同的客體の世界に於て自己を實現せんとするものである。そこで精神は主觀的意識の構造と形態から超出して一つの「世界」としての構造を持たねばならぬ。ヘーゲルは精神現象學に於ける「精神」の義については、「精神が直接的眞理として見らるゝ限り、精神は一つの民族の人倫生活である、卽ち一つの世界としての個體である」。精神の諸形態は「實在的精神、本來の現實在、かくて單なる意識の諸形態の代りに世界の形體であるところのものである」と云ふ。(3) 卽ち客觀精神は一つの實在的な「世界」である。「世界」とは單に主觀的にすぎない意識體驗の客觀的表現の如く考へられてはならない。依然として主觀的精神の體驗を出でない、或はそれに還元されるところの意識體驗の客觀的表現と見るべきものでなく、すべてかかる主觀的意識は止揚されることに由つて精神それ自身が直接一つの「世界」として存在するものと云はねばならない。一方に主觀的體驗、他方にそれの表現としての客觀的世界があるのでなく、客觀的「世界」が直ちに精神そのものゝ直接なる形態をなすと云はねばならぬ。主觀的神精とこの客觀的「世界」との間には明かに辯證法的止揚がある。主觀的精神が止揚されることに由つてそれの眞理としての客觀的精神へ移行したのであり、この移行に於て精神は個人的主觀的意識の形態を脫ぎ捨てたのである。それは單なる個人的意識に還元することの出來ない社會的歷史的精神の形態であると云はねばならない。

かくの如く客觀的精神をもつて、民族、社會、國家、歷史、と云ふ如き客觀的な世界そのものとするとき、普通に實在的存在者を別つて自然と精神となし、自然は意識なきもの、精神とは意識を通して自己の外にある對象へ關係するものと云はるゝ如き區別は不十分となり、自然にもまた單なる意識的存在にも還元することの出來ない第三の實在的存在者、卽ち客觀的精神の存在があると云はねばならないであらう。人は多くの場合精神と云へば物質と別區されて、意識するところの主觀的精神のみを考へる。併しヘーゲルの客觀的精神はかゝる主觀的意識としての精神に還元出來ない第三の存在をなすものである。それは物質としての自然、意識としての精神に對する、歷史としての人倫的世界の意味である。我々がヘーゲル的意味で世界歴史と云ふ場合の「世界」はまさにこれにあたる。ヘーゲルの客觀的精神を大體に於て以上の如く考へて見るとき、精神現象學に於ける「精神」の段階はまさしくこれに當るものと云はねばならないが、併し、現象學は元來現象する精神としての意識の諸形態の構造とその辯證法的運動とを敍述しようとするものである。現象學はかくて現象する意識の學であると云はねばならぬ。意識は常に對象とこれを知る意識との對立を前提し、しかもこの對立を否定的なものとして止揚し、知とその眞理との一致を示す絶對知への到達を眼ざしてゐるものとされてゐる。かくの如き意識の辯證法的運動を敍述する現象學が、單なる意識の構造を止揚し、いまは實在的世界として存在する客觀的精神についての現象學をその中心に置かうとすることは如何にして可能であるであらうか。客觀的精神の現象學なる言葉は、その中に已に一つの矛盾を藏して居るではなからうか。

　元來ヘーゲルの現象學が認識の批判でもなく、また知識學としてでもなく、特に精神の「現象學」と呼ばるゝ所以のものは、我々の日常性に於いて素朴的に現象してゐる精神が、直接的意識の形態から出立して、この直接的なもの、卽ち感性的自然的なものを脱ぎ捨て、自己の眞理を獲得するため自己の否定を通して進展する所の

「經驗」を敍述しようとするに基づく。現象する日常の意識より出立するが故に、かく現象するがために缺くことの出來ない對象と意識との對立的構造はこの經驗に對して常に前提されてゐる。現象學は現象する意識の對立より出立し、この對立の許に、その初に於て意識の對象であり、意識の外に自體として存在してゐるとされるものについて、意識の經驗を進めることに由つて、それが Ansich から Fürsich に移ること、卽ち意識の外にある存在から、意識の中に於て、のみならず意識にとつて缺くことの出來ない實存としての存在にまで轉移することを敍述しようとするのである。したがつて現象學にとつて現象する意識とそれに於ける對立とは本質的なものとされねばならぬ。しかし現象學が意識の對立の立場を前提するものとすれば、かゝる對立を主觀的意識のモメントとして止揚し、客觀的世界として自己を限定せんとする客觀精神の現象學の如きものは遂に不可能とされねばならないであらう。

しかしヘーゲルの現象學はかくの如き對立より出立し、その許に現象する精神の意識形態を見ようとするにも係らず、意識に於ける對象と意識との對立關係を精神の抽象體として止揚するのである。ヘーゲルに於て意識の對立は、對立すると云ふ意味に於て動的であり、これをもつて眞理とすれば直ちにその反對に移行するものとされてゐる。經驗の進展は對象がそれ自體として存在してゐることを否定する。對象は意識の中にあつてその他在となる故に、更に自己自身へ還る所の意識の實存として限定されねばならぬ。卽ち意識に於ける對立は、對象がそれの卽自態を捨てゝ意識の內容として展開することを意味し、更にこの內容(實體)は主體として自己自身へ還歸する精神の運動に歸することになる。この意味で現象學的に考察するとは、對象を意識の實體として、この實體を更に主體的主觀として、この主體的主觀の立場へ、現象する意識の對立を還元して見ることを意味する。

ところで、この意味の主體的主觀とは、對象に對する單なる主觀でなく、對象から實體へ、實體からそれ自身へ還歸するものであるから、一般的個體として把捉されねばならない。主體が一つの個體としてあることは、それに對する對象が單なる對象でなく、一つの世界として存在することを意味し、個體はまたそれに對立する個人として限定されねばならぬ。卽ち意識に於ける對立が、意識の進展にしたがつてそれ自身へ還歸する主體の運動となり、それに由つて意識の特性とも云ふべき知るものと知られるものとの對立は止揚されて、それの完全なる一致、卽ち哲學的知にまで導かれるところのプロセスは、すべて個人が一般的個體となるためにこの世界に於て自己を哲學的知にまで高めるための ausführliche Geschichte der Bildung をなすことになる。眞理について哲學することを知らない個人的な日常知をして、哲學的知にまで高めるところの內面的敎育の歷史を敍述することが現象學の主要なる課題であると云はれる。[4] 意識に於ける對立關係を辯證法的に考へることに由つてヘーゲルはこれを一般的精神と個人的精神との對立にまで轉換し、意識の對立關係を內面的敎養の「歷史」にまでしたのである。而してこのことは全く對象を意識の實體となし、この實體を更に主體的主觀として把捉することに基くものである。意識の經驗は、かくて內面的な一つの歷史として把捉される。この歷史の中で、意識の經驗する諸々の形態は、それに先立つ一般的精神の勞作の結果として、しかしそれの擔はねばならぬ抽象性の故に、いまは止揚されたる一般的精神のモメントとして、その中に降下してゐたものである。このことは一般的精神が個人的精神に先立つて、その勞苦の結果として獲得した世界歷史の種々なる段階を、自己の中へとり收め、自己のモメントとして保存することゝ同義である。この意味で、意識の經驗しようとするすべての形態は、世界精神又は一般的精神の已に經驗せるもの、卽ちそれが已に過ぎて來たところの過去的性格を帶んでゐるものと云はれよう。意識がその經驗に於て所有しようとするものは erinnerte Momente である。個人はかくの如き一般的精神の所有する erinnerte Momente のたゞ中に自己を見出し、一般的精神がこれをモメントとする迄に閱歷した路を再び彼自身のものとして閱歷しなければならない。卽ち一般的精神に於けるモメントを一般的精神の運動としてゞなく彼自身の教養の歷史として閱歷しなければならないのである。ヘーゲルの精神現象學はかくの如く個人を一般的哲學的精神に高めるための教養史と云ふ意味を持つのである。併しながら所謂個人の教養史が絕對知としての哲學的知にまで自己を高めることを眼ざす限り、それはまたその背後にある一般精神自身の自覺的限定を示すものでもなければならぬ。自己の教養として個人が、一般的精神に由つて已に獲得されてゐる諸々のモメントを學びとることは、同時に一般的精神の自己限定のプロセスでもあらねばならぬ。

したがつて精神現象學は一方に於て個人が精神の世界からそのモメントをと

り上げて自己の所有とするプロセスの敍述であると共に、他面にはその背後にて行はるゝ一般的精神の自覺的限定に於て一般的精神のモメントが für sich に如何なる自覺形態を持つかを叙述するものであらねばならぬ。かくして現象する精神の敎養とその歴史とは一般的精神の自己限定にとつて缺くことの出來ない重要なモメントをなすものとも考へられるであらう。(5)

かくの如き一般的精神はヘーゲルに由つて「世界」精神として、またそれの世界を形成する勞作は「世界」歴史として考へられた。現象する精神の敎養史は世界の歴史を前提し、それの中で、それを學びとることであると共に、またこのことが世界精神自身の自覺的限定を示すことでなければならぬ。しかし意識の經驗、個人の敎養史としての現象學にとつて、世界精神の自覺的限定は、その背後に行はるゝものとして、敍述の前面には現はれて來ない。經驗する意識は、何故に「世界」が彼に先行し、すべてをそれから受取らねばならないか、何故に先には Sache selbst として現實的にあつたものが今はモメントとして世界精神の中に降下してゐるかを知らない。唯彼は、それを眞理として定立するときは直ちに矛盾に陷つてその反對に移行し、しかも以前に現れて來なかつた新しい對象としてそれの經驗されるのを見るばかりである。この意識の前面に現はれる彼自身の經驗のプロセスとその背後に於て一般精神の限定に屬するものとが、一般精神の自覺的限定に於て一であることを知るのは絕對知の立場に於てである。

さて精神が精神であるのはそれの實體に於てゞある。實體なき精神とは、その背後に立つ一般精神のモメントから遊離した精神を考へることであり、かゝるものは單なる抽象的主觀にとゞまるものである。しかし實體を實體として限定することは、それの自己同一を限定することであり、自己同一と云ふほど抽象的限定はないから、實體を單に實體として限定することは、却つてその反對の自己不同へ限定することになる。それ故精神は實體として、同時に限りなく自己へ還る運動の主體として限定されねばならぬ。このとき主體とは、客觀に對する單なる主觀でなく(かくの如きものは却つて貧弱なる一の客觀にすぎない)客觀を自己の「世界」として、それに於て自己自身へ還歸する主體的主觀であらねばならぬ。それは世界なき主觀でなく、世界を自己の表現として、これを自己へ主觀化する運動の主體である。かくの如くはじめに於いて自己の外にそれ自體で存在するとされる對象が、自體であることを中止し、主觀化されて意識の實體に轉移し、更にこの實體が抽象的限定から離脱するために主體的主觀にまで還歸する路は、實に現象學の根本的方法と云はねばならぬ。ヘーゲルの現象學に於ても、現象する精神の對立を主體的主觀性にまで還歸せしめることが絶對に必要であるのである。唯この還歸に於いて、意識はノエマ・ノエシス的對立を自己の本質として見る代りに、かゝる對立を止揚して、一つの世界と、それに於ける自己意識を見るのである。この世界と自己意識との關係は双關的でなく、前者は一般であり、後者は個體である。この一般と特殊との關係を主體的主觀性に於て明かにしようとするのが現象學の目的である。それは上述の如く一方に於ては意識經驗の敍述、哲學的知にまでの教養史であると共に、他方に於てはその背後にて行はるゝ我々の立場卽ち一般精神が自覺的に、für sich に自己を限定するプロセスの敍述である。かようにして現象學は、實體より主體的主觀への還歸に於いて、常に二重の限定を持つのである。

しかしこの主體への還歸を客觀精神について特に明かにして見ようとすることは誠に困難な仕事と云はねばならぬ。ヘーゲルの「精神現象學」に於いて、及びエンチクロペディーの「精神哲學」に於いて、この問題は如何にとり扱はれてゐるであらうか。

私はこれより以下の論究に由つて明かにしたいと思ふが如く、ヘーゲルの精神現象學が眞實なる意味に於ける客觀精神の現象學(歷史の現象學)となるためには、現象する精神に於ける表現の論理的基礎付けが不十分であるために、表現の論理を媒介とする人倫的世界の主觀性を明かにすることは遂に不十分に終つてゐるものと思ふ。(6) 同時にまたエンチクロペディーの「精神の哲學」に於ても、彼の論理學を表現の論理としてその基礎に持つにも係らず主體的主觀性への還歸の途についての十分の自覺を缺いてゐるではないかと思はれる。したがつて眞に歷史の世界と云ふべきものを、單に主觀の側からでもなく、また單なる對象の側からでもなく、矛盾の中に立つて却て自己へ還歸すると云ふ絕對的主觀性へ還元し、またこの主觀性から客觀的表現の世界へ向ふ路を見出すためには、精神現象學と、精神の哲學の立場とをそれぞれ止揚して、全體としての精神史の哲學にまで到らねばならないものと思ふ。 この見地よりしてヘーゲルの最も具體的全體的體系は、第一に精神現象學、第二にエンチクロペディーの體系、第三に歷史の哲學、哲學史及びその他の諸講義を含めて見た精神史の哲學にあるものと考へたいと思ふ。(7) 精神史の哲學は單に精神史の方法を論ずるのみでなく、それ自身すぐれたる哲學的精神史でなければならない。客觀的精神の現象學とは精神史としての哲學にまで到るべきものとして考へようと思ふ。そしてこのために精神現象學は精神史としての哲學に何よりも基礎的地盤となる諸々の知識を供給するものであらう。

(1) Jenenser Realphilosophie, Bd. II. Jenenser Philosophie des Geistes (1805—1806), herausg. von Lasson S. 213 ff.
(2) Vgl. Rosenzweig, Hegel und der Staat, Bd. II, S. 95
(3) Hegel, Phänomenologie des Geistes, herausg. von Lasson, 1928, S. 315.
(4) Phänom. S. 67. Vgl. Enzyklopädie, § 25, Wissenschaft der Logik, Bd. I. herausg. von Lasson, 1923. S. 29, 53.
(5) Vgl. Phänomenologie. S. 26—28, 67.
(6) この點については本論文の第三章の終りを參照。
(7) Phänomenologie, Lassons Einleitung, LXII—LXIII; Michelet, Geschichte der letzten Systeme der Philosophie in Deutschland von Kant bis Hegel, Bd. II. 1838, S. 691.

二　現象學の意義

精神現象學はその言葉の上よりしても當然二つの意味を含んでゐるものと云はねばならぬ。即ち第一には精神の現象學として、第二には精神の現象學として。現象學が認識の「批判」とも又「知識學」とも異なるものとして、特に現象學と呼ばる丶大凡の理由は前節に述べたのであるが、猶未だ現象學の眞に本質とするところのものが何であるかを明かにせなかつた。私はヘーゲルの現象學が本質的性格として含むところのものを次の如く擧げて見ることが出來ようと思ふ。

(一)常に現象する精神に關係し、その現象に於て精神の實存(Existenz)を見ようとする點、(二)精神を實體として見るのであるが、同時にこの實體を主體的主觀として把捉すること、(三)現象する精神は常に意識の形態をとるが、併しこの形態は Ansich より Fürsich への移行として、その他在に於て bei sich に留まるものとして、自己意識の形態をとらねばならぬ、したがつて現象學は自己意識のエレメントの中にある意識の運動を見ようとするものである。

以上擧げた三者の中、第二の實體より主體的主觀への還元は現象學にとつて最も本質的な規定であり、現象學の根本的性格はこの主觀性に由つて明かにされると云はれよう。現象學は單なる主觀へでなく、辯證法的運動の主體としての絕對的主觀性への還元を求める。この運動は後に說く如く二重性をとるのであるが、このことが實に現象學的考察の本質をなすものと思ふ。それは現象する精神に於ける意識とその對象との對立に立ちつゝ、しかもこれを止揚して知識する運動の主體へ還歸する路をとることである。それは何を如何に知識するかと云ふ問に答へることではなくて、知識の主體の如何なるものかを明かにする路である。何を如何に知識するかと云ふ問よりも、すべての知識がそれに還元されるべき絶對的主體性の問題をより根本的なものとすることである。以下これ等諸規定について考察して見よう。

（一）現象學は「現象する」精神に關係する。現象する精神は意識の形態をとるのであつて、精神が現象するとは、ヘーゲルに由れば概念のエレメントに含まるゝ自知(Selbstwissen)の契機に自己内反省を起して、一方には主觀に退くと共に、退き得ないものをその直接態に於て自己に對立させて、知るものと知られるもの、意識とその對象との對立を形作る。現象とはかゝる分離、對立の前に、精神自身の現はれ出ることである。したがつてそれは主觀が對象を意識するところの現象知(erscheinendes Wissen)の形態をとる。意識にとつて對象をなすものは、唯偶然的に外より與へられるものでなく、意識が概念の純一なる統一を棄却することに由つて、むしろ概念に於て卽自にあり、本質であるところのものを、かの棄却のために自己にとつて否定的なものとして對立させるのである。しかるにこの對象の即自有は意識され知られることに由つて、その存在のし方を變更し、單に意識されるのみならず、意識に由つて所有されるものとして、單に所有されるのでなく意識の確證にしたがつて意識の存在を決定するものとして、却て意識にとつて實存的なものとなる。例へば欲求の對象をなすものは、それ自體にあることに由つて欲求されるのでなく、欲求を充たすところの生命的なものとして却て欲求されるのであり、その意味で對象は欲求されることに由つて却つて欲求を限定し、欲求そのものゝ本質をなすと考へられる。ヘーゲルは欲求の對象をもつて欲求の「生命」となし、これを自己意識の形態に於て見ようとするのである。かように對象が意識の外に自體としてあるのでなく、意識の實體へ移行するものとして現象するのは an sich から für sich へ移ることである。意識は知と對象(自體)との分立に於てあるが、分立するのは、却つて自己とこの分立との統一である。これが向自的存在の意味である。即ち自己同一に留まるのでなく、自己がその他在を介して自己へ還り、このことに由つてはじめて現實的定在を持つのである。唯精神的なるものゝみが分立を起し、したがつて精神的なものゝみが現實的であると云はれる。現實的とは分立から退くことではなくて、分立を介し、他在の中にあつて自己へ還る運動を意味するのであつて、一方には自己に還ると云ふ意味にて直接態を持つと同時に、他方には常に媒介されてあるものと云はねばならぬ。對象との矛盾を深くして、これと對立することを深ければ深い程、それに於て自己へ還歸する運動は一層現實的になるものと考へねばならない。精神的なもののみがかゝる意味での對立をおこし、したがつて意識は現實的現象形態をとるのである。單に感性的に與へられたるものは、その分立と、分立の否定性を缺く故に、却つて現實的なものとは云はれない。ヘーゲルが欲求の段階に於てはじめて自己意識の形態を見たのは、欲求の對象に於てはじめて自己はその他者を見るからである。意識は自己の他者と對立し、これを否定して自己へ還ることに由つて für sich になるのであり、現實的となると云ふことが出來る。この點に於て形式論理に於ける自己同一と、他者と自己との統一としての辯證法的自己同一、卽ち主體的主觀性との間には、眞に現實的にあると否との根本的差異があると云はねばならない。

かように對立を持つことに由つて、却つて現實性を持つことが、意識の現象であり、したがつて、現象するとは、對立の中にあつてこれを統一する辯證法的運動である。かゝるものとして、それはまた分立するものとして意識を止揚するところの一般的精神が、自己自身を限定する運動であると考へられる。勿論こゝに現象するものは一般的精神そのものでなく、個別的存在として限定された意識の諸形態であると云はれるが、併しそれが單に假象でなくして現實的であると云ふ意味、現象とその本質との一致に於てあると云ふ意味に於て、一般的精神が自己自身を啓示するための限定であると考へられる。個別的なものが眞に現實的に現象することは、一般的精神の「啓示」であると云はねばならぬ。精神に於ては眞に一般なるものがその定在を決定するのであり、一般的なものは自己を限定するものとして自己を分化し、この分化の中に於て自己との同一を維持するものであり、それ故に精神の根本的規定は自己の Manifestation である。エンチクロペディーに於て精神の基礎的分類を精神の自己啓示のし方に求めることは十分の注意に値する。(1) 一般的精神の自己啓示は精神の現象を現實的實存として見ることである。自然とことなつて精神の現象とは實存そのものであり、あるものが現象の背後にあつて現象するのでなく、まさに現象すると云ふことそのことが現象の本質であり實體をなさねばならぬ。したがつて精神の現象とは實體なき實體(卽ち主體的主觀)の現象である。それは單なる對象の現象でもなく、また ontisch に對してある主觀の現象でもなく、またその背後にあるとせられる或ものゝ現象でもなく、現象に於て實存し、現象の中にあつて却つてこれを超越してゐる精神的主體の現象である。かくの如き現象の意味にしたがつて現象する精神の運動を把捉しようとするのが現象學である。

ヘーゲルの論理學が純粹思惟のモメントとして、現象する形態でなく、範疇としての形態にとゞまる純粹概念の諸形式をとり扱ふに對し、したがつて存在、實存、現實と云ふこともそこでは純粹概念の範疇としてとり扱はるゝに對し、現象學はどこまでも定在として現象する意識の諸形態を取扱ふ。[2] 意識の現象は、この意味で範疇的でなくして實存的であるとされねばならぬ。併し意識の現象はその背後に何ものかあつて、それが現象するかの様に考へられてはならぬ。若し背後に立つ或ものゝ現象にすぎないものとすれば、現象する精神は單なる假象にすぎないものとされるであらう。「現象とは生滅去來の姿であるが、この去來そのものは再び生滅することなく、却つて自體を維持するのであり、現實性と、眞理の生命運動とをなしてゐるものである。[3]」したがつて純粹なる現象に於ては、對象の自體有は否定されて、現象の向目的存在が實體あるものとならねばならぬ。卽ち對象の Ansich が意識の Fürsich へ移行せねばならぬ。これは唯その實體が主體的主觀であることに由つてのみ可能となる。單に實體であることが精神を現實的にするのでなく、それが主體としてあることが現實的にするのである。

(1) Enzyklopädie. § 383—384. 及びそれの Zusatz.

(2) Phänomenologie と Logik 及び EnzykloPädie の相違點については Busse, Hegels Phänomenologie des Geistes und der Staat, S. 79—102.

(3) Phänomenologie, S. 39.

（二）精神的實體を主體的主觀として見ることは、(1)には實體の主觀化であり、(2)には絕對否定性を見るのであり、(3)には主觀の客觀化であり、(2)は(1)と(3)との媒介をなすものとならねばならぬ。このことを考察して見よう。

(1)精神的なものが現實的であると云はれるならば、精神的なものは實體として存在しなければならない。何となれば若し實體を持たぬとすればそれは單なる假象であるに過ぎないから。實體なき現象とは單に過ぎゆくもの丶影にすぎないであらうから。併しこれを直接的實體として限定することは、自己同一性に於て限定するすることであり、自己同一と云ふほど抽象的限定はないと考へられるであらう。如何なるものも自己同一を持ち、自體的にあると云ふことが出來る。實體は單に自己同一にあるのでなく、むしろ區別に於てあるのであり、發展の成果としてあるものと云はねばならぬ。ヘーゲルは實體は眞理として體系であり、その成果であると云ふ。實體は自己同一にとゞまるものでなく、自から für sich に動くものとされねばならぬ。それ故具體的限定を求める精神にとつて、單にこれを實體として、卽ち自己同一に留まるものとして限定することは、これを抽象に貶することであり、却つてそれは自己との不同、自己の他在に轉ずることにならねばならぬ。自己同一は却つて自己不同一となる。しかも他方より考へれば、精神は實體ある現象であり、自己の他在に於て自己を喪失せず、區別の中にあつて自己同一を維持するものと云はねばならぬ。卽ち自己の他在に於て自己自身へ還歸するものであり、このことが精神の卽自より向自への發展を意味する。精神の運動に於て、如何なる部分もすべて眞なる運動の中に置かれ、運動すると云ふ意味に於て自己に固着してゐる何ものもない。すべては卽自より向自への移行にある。しかもこの運動のたゞ中にあつて精神は以然として自己自身にとゞまるものであり、他在の中に bei sich にあるものとされる。そこには一切の運動を止揚する永久の靜止があるわけである。ヘーゲルに由ればそれはバッカスの祭の人々の狂亂にも似たものである。バッカスの祭に於て祭に狂亂しない何人もない、しかし祭を離れるや否やすべての人は自己を覺醒して靜止する。(1)それは動いて動かぬものである。而してこのことは唯實體を自己同一として限定すると同時にこれを否定し、この否定の中にあつて直ちにまた自己へ還歸するところの主體的主觀としてこの實體を把捉することに由つてのみ可能である。

精神は卽自にとゞまるものでなく、したがつて卽自にとゞまる絶對者を却つて抽象態として棄却し、自己を向目的に展開する。この展開は精神現象學に於ては現象する精神の「經驗」として呼ばれた。精神に於てその始めをなすものは終りをなすものであり、その始元は唯成果に由てのみ明かにされるところの圓環運動であると云はれるのは、すべて卽自にのみ留まる實體、絶對者、自己同一者を否定し、これを精神として、主體的主觀として把捉しようとするものに外ならない。實體を眞に主體的主觀として把捉するのでなければ、たとへ實體をもつて運動するものと考へても同じく矛盾に陷るであらう。何となれば、それは精神の定在をつき破ることであり、自己同一を解體することであり、同じく自己をその他在へ轉ずることになるからである。それは自己を自己の否定にさらし出すところの實體のUnruheを示すことに外ならない。單なる實體はこのUnruheに堪えることが出來ないから運動をはなれて自己同一へ退くのであり、したがつて一切の運動と、他者と、區別を排斥して抽象的獨立に陷る外はない。それは他者を自己より排斥する故に却つて他者に對立し、他者に由つて限定されることになる。それ故に實體概念に固執する限り、これを卽自にとゞまつて動かぬものとすれば抽象的同一に陷つて自己を否定し、同じく動いてやまないものとすれば自己を棄却し解體すると、ころの不安に陷らざるを得ない。精神をもつて單なる實體とする限りこれを動くとするもまた動かぬとするも共に矛盾に陷る外はない。さればと云つて精神を實體なきものとして限定すればすべて過ぎゆくものゝ空しき影を見ることになる。

併しか樣に矛盾を持つと云ふことが却つて精神の實體であり、精神とは矛盾の中に自己の存在を保つものとなる。それは自己の他在に於て自己へ還歸する精神の本性を意味する。而してこのことは唯精神を實體として、しかもこの實體を主體的主觀性として把捉することによつてのみ明かにされるであらう。精神にとつて本質的なことは、實體であると云ふ點ではなくて、主體的主觀としてあると云ふことである。唯主體的なものゝみが自己の否定に於て自己を恢復し、區別の中にあつて同一を維持する。精神にとつて本質的なことはかゝる矛盾の統一である。實體なき精神とは抽象的主觀に退いて自己を獨立させるために一切を他としてこれを對立することを餘儀なくされて、却つて自己の獨立を失ふものにすぎないが、主體なき精神とはこれにもまさつて、精神そのものゝ喪失、卽ち自己が自己へ還る運動の喪失、抽象的反省の自己さへも喪失するものとなるであらう。實體なき精神を考へるにもまさつて、主體なき精神を考へることは不可能とされるであらう。

(2)精神は主體的主觀として、初めて實體あるものとなり、その單一性に於て分立し、分立に於て自己を維持するものとなる。それは區別を避けるのでなく、區別こそ却て主體的運動のモメントとなるのである。(2)何となれば區別なきところは自己へ還歸する運動もなく、したがつて主體なき世界に陷るからである。而して區別、他在は自己にとつて自己の否定を示すものである。精神がその主體性に於て實存する限りはかゝる否定性を持つべきであり、否定を介して即自より向自へ展開すると考へねばならない。主體性とは客觀に對する主觀としてゞなく、かゝる主觀を却つて抽象的限定として否定し、同時に單なる主觀に對立する對象をも否定して、對象の實體を自己の所有とするものである。このことは否定をもつて自己內還歸の媒介とすることである。自己內還歸が單なる抽象的主觀へ退くことでなく、他在を介する還歸として新なる內容を獲得し、對象をもつて却て自己の所有とする運動となり得るのは、全く、抽象的なるものを少しも假籍することなく否定するところの主體的主觀の否定性に媒介されるからである。この點がフッセル的意識とヘーゲルの意識との根本的相違を示すものと云はねばならない。共に絕對的主觀性への還歸を求めるにも係らず、フッセル的意識に於ては唯志向的主觀性が說かるゝだけであつて、主體的主觀性が考へられず、したがつて自己否定性を媒介とするところの辯證法的運動なるものは存在しない。それは何處までも自己が對象を意識するところの對立的意識にとゞまるものであり、この對立を否定的なものとし、この否定を媒介として自己へ還るところの自己意識の運動と云ふものを含んでゐない。この點でフッセルの意識は主觀的個人的抽象的意識にとゞまるものであつて、對象を自己の所有として、それに於て自己を表現するところの客觀的精神としての意識に到達し得ないものと云はねばならぬ。したがつてフッセルの意識は文章的意味或は廣く論理的意味を表現するところの意識として考へられても、歴史に於て自己を表現するところの人倫的意識は考へられない。このことは否定を媒介とする主體的主觀を持たない故である。ヘーゲルに於ては志向するとは自己を分立することであり、自己を他在とすることであり、この他在に於て自己を維持し、對象をもつて自己の所有とし、自己を表現する一つの「世界」とすることである。ヘーゲルでは主觀はどこまでも對象に對立して對象から自己へ退く様な抽象的主觀とはまさに反對のものとされねばならぬ。對象と對立し對象を志向することに由つて存在すると〔さ〕れる意識は却つて主體的主觀の抽象的限定に屬するものである。このことはヘーゲルが純粹概念の中に含まるゝ自知の自己内反省に由りて主觀的意識を分離すると云ふ思想に由つて明かにされるであらう。(3) 主體的主觀とはむしろ純粹概念そのものゝ根據をなすものと云はねばならぬ。このとき概念とは單なる思惟の形式に屬するものでなく、精神の客觀的表現の基礎をなすものである。

ところで主體的主觀の持つところの否定とは、云ふ迄もなく精神のUnruheであると云はねばならぬ。しかしこれは眞理を抽象に委ねてそれに固執しようとする日常的悟性的自己を根抵から破碎しようとする感情と云はねばならぬ。それは自己を解體して死にまで委ねることであるが、併しそれは「死を忌み怖れて死壞の中から逃れ出ようとする生ではなくて、死に堪えて却つて死の中に生を保持する生であり、また絕對的分裂の中にあつて自己を見出すことに由つてのみ自己の眞理を獲得する」ところの生の魔力とも云ふべきものである。この否定に由つて生を得る力こそヘーゲルに由れば主體的主觀に外ならない。(4) 如何なる存在の形態についてもそこに抽象性を見るとき、假籍なくこれを止揚つくして已まない主體の力である。この否定の運動の中で、固定するもの、抽象に捉はれてゐるものを眞理として定立するすべての形態は否定されるのであるが、また同時に、すべて過去りしもの、死に置かれたものも、新たなる存在のモメントとして再び生をとり戻すのである。この運動の中にあるものはこの意味ですべてよみがへるのであるが、併しこの運動をはなれるときは如何なるものも絕對の靜止の中に身を委ねねばならない。これもまたバッカスの祭に立つものと云はねばならぬ。それは死に裏付けられた生であり、生に裏付けられた死である。生を死に轉じ、死を生に轉ずる所の魔力とも云ふべきものこそ實に辯證法的主體としての絕對的主觀性の力である。

(3) ヘーゲルはかくの如く否定を媒介とし、それに由つて自己の內容を自覺的に獲得するところの運動をもつて、現象する精神の有限性に基づくものと見てゐる。(5) ヘーゲルに由れば、精神の運動に於ける否定性は元來その中に含まるゝ精神の有限性に基づくものである。現象する意識は自己を分立する意識であり、分立することは自己の有限性に基づく。有限なるものは抽象的であり、抽象的なものは自己をすべて自己の中に含み得ずして分立する。しかし分立することは分立に於て再び自己へ還歸することである故に、否定に由つて自己へ還歸する運動は、有限的存在を持つものゝ辯證法的運動であると云はねばならぬ。而してこのことが實に有限なるものゝ本性をなすのである。精神の否定性は形式的否定ではなくて、有限的存在を持つものゝ本性に基づく否定である。併し抽象を抽象とし、有限を有限とし、これを掩ひかくさずかゝるものとして自覺することが否定であり、辯證法的運動である故に、有限なるものは唯かゝる否定に由つてのみ自己を超越するものと云はねばならぬ。若し自己が自己を超越せぬならば、有限は完きものと見られ、抽象は獨立的なものとされるであらうから。否定を持つことは有限なるものが自己を超越するための唯一の路と云はねばならぬ。有限なるものは唯辯證法的否定に由つて、すべての抽象態をかゝるものとして止揚しつくすことに由つてのみ自己を超越することが出來る。而してこのことは否定を自覺することであり、否定を轉じて思辯的肯定とすることである。この意味で否定はまた一般的精神の自覺的限定であると云はねばならぬ。精神の Ansich と Fürsich との統一は、Unruhe に於てある有限的精神と、その背後にある一般的精神の自覺的統一である。併しこのことは、一般的精神の立場に於てのみでなく、また有限なる精神にとつても für sich に自覺されねばならない。卽ち眞に否定に由つて媒介されることは an sich に於てのみでなく、für sich にもまた自覺的になるべきものとされねばならぬ。このことは主體的主觀性が、現象する意識の持つところの ontisch な存在のし方を超越して自己の概念を自覺することを意味する。而してこのことは單なる個人的存在を超越して客觀的表現的存在としての概念を自覺することになる。否定を自己のものとして自覺することは自己の存在の概念を認識することになる。而してこのことは唯自己を主體的主觀として把捉することに由つてのみ可能となるのである。

概念とはヘーゲルに於ては否定に由つて自己の有限性を超越した精神の存在のし方である。勿論この存在は表現的世界として理解されるべきであり、表現の根據は存在の論理的性格にあると云ふべきであらう。精神は有限的意識的存在より客觀的表現の世界へ超越するために、自己の存在を概念として限定せねばならぬ。概念とは主觀に對する客觀としての對象ではなく、また對象に對する主觀的なもの丶形式でもなく、für sich に「自分の中へ反省した對象」である。(6) 主體的主觀の自覺に由つて、自己の存在を主體的對象として見たものと云ふべきであらう。それは自己を客觀的に表現するエレメントである。

かくして私は實體を主體的主觀へ還すことに由つて、(1)には自己内還歸としての主體を見、(2)には否定性としての主體を見、(3)には表現的世界としての主體を見た。(1)は實體を絶對的主觀性へ主觀化することであり、(3)は反對に自己の表現的客觀化であり、そのために自己の概念にしたがつて自己を超越することであり、(2)はこの主觀化と客觀化を否定に由つて媒介するものと云ふことが出來る。この媒介は直接であつて、ontisch に考へられた第三の存在の介入するを許さない。此處では主觀化と客觀化とが絕對否定性に由つて直接的に統一されてゐるのである。このことは全體として、主體的主觀の辯證法的性格を示すものであり、この三つの規定は自から辯證法的現象學の性格を限定するものである。現象學はかような主觀性の立場に立つて、如何にして現象する意識が自己の表現的概念へ到達し、それの自覺を實現するかを明かにするものでなければならぬ。

(1) Phänomenologie, S. 39,
(2) Hegel, Vorlesungen über die Geschichte der Philosophie, herausg. von L. Michelet. 2 Aufl. I. S. 46, 48, 69,
(3). Enzyklopädie, § 376, § 381, § 412—413, § 416. Phänomenologie, S. 562—563.
(4) Phänomenologie, Vorrede, S. 30.
(5) Enzyklopädie, § 25, § 81.
(6) Phänomenologie, S. 24.

（三）現象する精神としての意識は自己の他在に於て bei sich にあり、自己自身へ還歸するところの主體を持つ。bei sich にあるとは自己が自己を對象とすることであり、かくて意識は自由なる自己意識でなければならない。精神が定在するとは、自己を對象として自己の知を持つことであり、この知の性格に由つて精神の定在は限定されるのである。それ故に意識が定在するのは自己意識を持つからであり、自己意識あつてはじめて精神は對象を意識すると云ふ意識一般の形態をもとることが出來るのである。「私が自己の對象を知ること〻私が自己自身を知ること〻は引はなすことの出來ないもの」とヘーゲルは云ふ。(1) このことは精神が自己の他在に於て自己に留まること〻同樣である。ヘーゲルに由れば眞に意識するとは自己意識となることであり、このことが意識そのもの〻本質をなす。したがつてこれはまた精神の實體を主體として把捉すること〻同義でなければならないであらう。

さて意識に於ては對象と意識とは對立し、この對象に於ての Ansich は意識に於ける Ansich 卽ち Fürsich に移ることが示された。意識とは Ansich より Fürsich へ移行するプロセスである。このことは同時に意識が自己意識になること〻して理解されねばならぬ。何となれば眞の意味にて意識すること卽ち精神が向自的となることは卽自より退いた向自になることではなくて(これは單なる抽象的主觀に退くことである)、卽自的なものが何ものをもあまさず直接向自的となることかくて即自と向自との一致でなければならぬ。これはまた對象の持つ眞理と意識の持つ自己自身の確證との一致とも考へられるであらう。併しこの一致のプロセスは一擧にして得られるものでなく、意識を知識する深さにしたがつてそれぞれの形態をとるものと考へねばならない。この形態が即ち現象する意識の形態であり、それ等はすべて自己意識の性格にしたがつて限定されると云ふことが出來る。ヘーゲルが歴史哲學講義の中でそれぞれの民族精神の定在は精神の本質を如何なるものとして知識してゐるかに由つて定まるものであり、したがつて一民族の勃興とその沒落とを決定するものは彼等自己自身について知るところの概念であると云ふ思想は、現象學に於てもそれぞれの意識形態について云はれねばならぬであらう。

それ故に意識は自己意識であることに由つてそれぞれの定在を限定する。ところで形態をかゝるものとして定立することは、否定を媒介とし自己還歸を求めてやまない精神の運動と矛盾する。從つて一定の形態にとゞまることは精神の運動に由つて否定され、形態は解體されて、形態なき無限定の流動に移らねばならないであらう。しかるにまたかゝる流動の中にのみとゞまることは、精神が自己の知識に由つて自己の定在を限定することゝ矛盾し、却て流動であることを中止して一定の形態をとらねばならぬ。かくの如く意識に於て精神の單一的實體が分立されて一定の形態を生じ、この形態が自己を止揚して流動となり、更にそのまた反對へ移行することは一般に自己意識の辯證法である。

ヘーゲルに由れば、感性的意識に於ては對象は常に個別的なものとして現象する。併しこれをかゝるものとして限定するとすれば却つて最も抽象的な、個體性なき Dieshett の如きものに移らざるを得ない。また知覺に於て對象を自體的な「物」として限定すれば、それは却て他に對して存在するところの、自己の他在にあるものとならねばならぬ。更に悟性に於て「現象」の本質を內的な力として限定すれば、却つて內的なものを充實するために現象の區別を內容としてとり入れねばならぬ、卽ち悟性に於ては統一（法則）と區別（現象）との關係に立つ無限性の辯證法に陷らねばならぬ。かくの如き限定は對象をもつて自己に對立するもの、自己と全く異なる自體的存在とするより生ずるものである。意識が唯對象の知たるにとゞまる限り「區別であり乍らかく區別されてあることを直接的に止揚するところの區別そのもの」、「本質」を捉へることは出來ない。それは對象の性質にあるのでなく、意識そのものゝ本質にあるからである。意識は向目的に存在し、區別なきものを區別し、しかも區別されたものが區別なきものであることを知るのである。かくて意識の働きは自己意識でなければならぬ。而してこのことは精神が實體として限りなき自己内還歸として存在することを示すものである。自己意識のかかる還歸の運動を完成するためには多くの勞作が積まれねばならないが、それの典型的な形態として、欲求とその對象である生命との關係を示して見よう。

ヘーゲルに由れば欲求は自己意識として二つの對象を持つてゐる。(1)は直接的對象であり、それは感性的事物であるが、併しそれは自體として存在するものとすれば却つて自己を喪失するところのネガチフなものである。(2)はかく欲求するところの意識がまた同時に對象である。(1)は欲求されることに由つて(1)であることを止揚し却つて(2)のモメントとしてその中へ沈下する卽ちこの止揚に於て自己へ還歸する對象とならねばならぬ。かゝるものとして(1)はもはや自體であることを中止し、欲求の對象としての「生命」となる。欲求の對象は欲求自身の生命に外ならない。したがつて生命は單なる事物でなく、また單なる知でもなく、「自己へ復歸せる對象」として欲求そのものゝ Gattung である。渴は喉をうるほす水を欲求し、飢は空腹を充たす食物を求める。このとき欲求の對象は單なる事物ではなくて欲求そのものゝ一般的生命をなすものであると云はねばならぬ。このことに由つて欲求は自己意識のもつ二つのモメントを自己の中に持たねばならぬ。第一には自立的形態(個體)を定立することであり、第二は生命の區別の無限性(否定)の許にこの定立を棄却して流動となることである。第一は流動を止揚するが、併し第二に由つて生命のプロセスを得、第二は區別を止揚するものとして却つて第一に由つて眞實の流動を得る。個體が獨立的存在としての統一を持つことは、却つてそれを棄却して流動になることであるが、更にまた個體の止揚は却つて個體を生産することになる。この形態とその止揚、流動とその形態化の兩面は、かかるものとして自己を限定することに由つて更にその他面に移る。これが欲求の對象としての生命の存在のし方である。生命とはヘーゲルに由れば、「自から發展し、この發展を解體し、かくてこの運動に於て純一に自己を維持する全體」と考へられるものである。即ち欲求は最初の直接的對象から出立して、上述の二面のモメントを經、これ等對立するモメントを統一して再び初めの實體へ歸る。併しこの復歸せる實體はかゝるものとして、欲求の一般的實體、又はGattungである。これを獲することに由つて彼は自己の滿足卽ち自己自身の確證に到達する。自己意識の對象となるものはまた自己意識であるべきであり、しかもそれを止揚されたる對象として見る故に、欲求は自己の眞實の對象としては他者としての自己意識を見るのである。卽ち欲求の立場に於てはじめて我は我に對する他者を見ると ヘーゲルは考へてゐる。(Phänomenologie S. 135—140.)

併し欲求に於ては欲求に沒頭してゐる自己は、唯その對象を見て、眞に自己自身の本質を自覺せず、卽ちその對象が自己の Gattung であり、概念であるところのものを自覺せず、これを自己の外にある感性的事物として欲求するにすぎない。したがつてそれの確證は唯自己について欲求の滿足を知るところの抽象的自覺にすぎない。從つて欲求は自立的に恣意的になると共に對象もまた獨立的となつて二者は對立する。しかも欲望が滿足されるためにはその對象を否定しなければならないと共に、他の對象でなく、この對象に由つて滿足を得ると云ふ意味でまたその對象に由つて限定されねばならない。ヘーゲルの云ふ主と從者との關係はこれを示すものである。欲求に於てこれを一般的精神卽ち「我々」の立場より見れば、その對象は生命として、他在に於て自己へ歸る我々自身の類的生命として見られるのであるが、欲求と云ふ經驗に沒頭して居る意識より見れば、依然として自己の確證と對象そのものとの對立を見るのである。併し欲求の遂行を通して意識は自己を知らねばならぬ。かく自己を知ると云ふ自己意識の自覺に於て、初め「我々」にのみ存して意識に現はれなかつたモメントが新たなる對象として意識の中に現はれ、初めに固定されてゐるとされた對象が運動するものとして自覺されるときに、意識の經驗は進步したのであり、卽自は向自になつたのである。かくして自己意識に於ては、單なる意識に於て自覺に上らなかつたところの我々の立場と意識との分離が明かにされると共に、それが克服されて眞に自己の概念であるところのものを自己の對象とし、單に「我々に對して」のみでなく、それ自身(für sich)にもまた向自的に把捉されるに到る。そのためには單なる對象的意識の立場を出で、理性的精神的立場に到り、眞に自己の概念を知識することを眼ざさねばならぬ。それが絕對知の獲得である。現象學はこの運動のプロセスを敍述せんとするものであることは已に上述した如くである。

以上の如くヘーゲルの精神現象學は、精神をもつて、(一)現象する精神、現象形態に於て實存する精神となし、(二)精神の實體をまた主體的主觀として把捉し、(三)現象する意識の形態は自己意識の形態として理解さるべきものと見るのである。このことは實に精神現象學が特に「現象學的」に精神の存在と運動とを取扱ふことを示すものである。現象學は必然的に「精神の現象學」とならねばならぬ。唯精神的存在のみが理象學的に取扱ひ得るものと云はねばならないであらう。精神的なもの丶みが自己を否定し、これに由つて自己と他在との統一に達し得るからである。併し逆に「精神」は必ず現象學に由つて敍述されねばならないものであるか否か、その點は未だ明かにされてゐなかつた。ヘーゲルの體系に於て、精神の現象學の他に精神の哲學、精神の歷史の哲學が見出される以上、精神は必ずしも現象學に由てのみ敍述されると云はれぬであらう。このことを明かにするためには、更に根本的にヘーゲルに於ける「精神」の概念を考察して見なければならない。

(1) Vernunft in der Geschichte, S 31.

(2) Phänomenologie, S. 138.

三　精神の概念

ヘーゲルの現象學は當然「精神」の現象學となるべきことを上に述べた。このことはまた精神にとつても偶然のことでなく、精神が「意識」として現象する限り意識の本質は「現象學的」に解明されねばならないであらう。現象學に於ては精神について、二つの意味が區別される。第一は廣義であつて、一般に意識の形態をとつて現象するところの精神を意味する。かように現象するとは、意識の立場より見れば、對象的に自體にあるものが、意識の中へ向自的に現はれ出ることを意味するのであるが、一般的精神の立場よりすれば自己自身が自己へ還るところの自覺的限定である。それ故に現象する精神は現象に於ての限定と、本質に於ての限定との二重性を持つ。現象學に由つて取扱はるゝ精神はすべてかゝる二重的限定を持たねばならぬ。第二は狹義に於ける客觀的精神として、意識の形態を止揚して自から客觀的人倫的世界の形態に於て現象するところのもの、そのことに由てまた自己意識としての自覺的限定をもつものである。ヘーゲルはこれに就いて法、家族、社會、國家、世界歷史の如きものを見ようとするのであるが、これは精神を人倫的歷史的世界として把捉することである。

併し精神が、現象學的に取扱はるゝ限りは第二の意味の精神も自から第一の意味を持たねばならない。即ち對象としての世界と對立して自己に退いた意識が、かゝる自己を棄却することに由つて、自から客觀的世界として限定されたにも係らず、他方に於て、かゝる客觀的人倫的世界としての精神も現象學的に取扱はるゝためには、現象する意識の構造を持たねばならないであらう。このことは上述せる如く意識に於ける一つの矛盾と云はねばならぬ。

この矛盾を解くためには客觀的精神に於ける主觀性の問題を明かにせなければならぬ。この意味の主觀とは、客觀性を棄却して專ら自己へ退く意味の主觀とはむしろ反對に、精神の客觀化の地盤をなすものとして理解されねばならぬ。客觀に對するものとして考へられる主觀は矢張り一種の客觀であつて眞の主觀ではない。かゝるものは當然眞の主觀(主體)に由て止揚されねばならぬ。精神はむしろ客觀化の原理である。しかしまた客觀は單なる主觀に對するところの客觀ではなく、丁度主觀が客觀に對する單なる主觀であることを棄却して自己の概念へ還歸するやうに、單なる主觀に對する客觀を棄却することに由て、主體的主觀の直接なる表現として理解されねばならぬ。主觀は自己を否定することに由り客觀化の地盤となり、客觀はまた自己を否定することに由つて自己を主觀化しなければならない。上に實體を主體として見ることは、第一には實體の主觀化であり、第二には現象する精神の自己否定であり、第三には主觀の客觀化であつて、この第二は第一と第三の媒介をするものであると云つたことはまことに精神の眞理である。それ故精神は何よりも先づ主體的主觀として把捉されねばならない。ヘーゲルに由ればこのことは近代の著るしい思想の一つであつて、古代に於ては絕對者は理念(實體)として把捉されたが、キリスト敎的思想を介して近代に於ては精神として、主體として理解されるようになつた(1)。この意味の主體は上述の如く對象(客觀)に對する主觀でなく、對象の實體を自己のものとする所の、對象を「自己へ還歸する對象」として自己の中へ裏み入れ、これを知る所の主體である。矛盾した言葉であるが客觀的主體と云ふべきものである。凡そ我々が何ものかを知ると云へば、「何」が「如何にして」知られるかと云ふ形に於て明かにされねばならぬ。併しそれにも增して哲學に於ては「誰が」これを知るかと云ふ知の主體が明かにされねばならぬ。ヘーゲルに於て知は表現として理解された。したがつて知の主體は表現的主體である。如何にしても主體となり得ない對象的實體は、ヘーゲルに於ては精神なきものとして却つて抽象的存在とされる。それは知の主體でなく、知の抽象的對象を示すものにすぎない。

元來精神が知るものと知られるものゝ對立としての意識の形態をとることは自己を區別することであり、區別一般に立つことであり、しかもこの區別を區別として固執せんとする主觀を棄却し、同時にまた自體的存在に固着しようとする對象を轉換して、區別に於て自己へ還ることにならねばならぬ。これは精神の主觀化であると同時にその客觀化である。客觀化は主觀の自己否定であると同時に自己肯定であると云ふことが出來る。主觀が純粹になることに由つて同時にその表現も深化し、かくて主觀を否定して客觀的な人倫的世界として自己を實現する。それは或る主觀的體驗を單に表現してゐるのではない。却て反對に客觀に對する意味で主觀的な立場はかゝるものとして否定しつくされて、主觀的なものの底にある主體的なものが直ちに客觀的世界として存在するのである。表現の內部に ontisch な主體的體驗があるのでなくて、主觀が主體として直ちに客觀の「世界」となる。この轉換は主觀自身の直接的否定である。矛盾する言葉であるが、精神は自己の眞實なる主觀へ歸ることに由つて直ちに客觀的人倫的世界となる。ontisch に存在する所のあるものが客觀化されるのでなく、主觀が主體として直ちに客體である。この轉換は直接的である。それ故に客體はこの直接體に由つてまた一つの自然的存在の如き外觀を持つのである。このことは已に欲求の世界にも現はれてゐる。欲求の對象は一つの生命であるが、それは已に自體的存在としての對象ではなく、表現的存在としての對象でなければならぬ。併し欲求ではまだ主觀の自己止揚は不十分であるから、その客觀化も純粹でなく、感性に掩はれた客觀的世界として存在する。これを十分に開示するために欲求の意識は理性の立場に迄高められねばならぬ。併し理性に於ても、それが何かの意味にて對象に對する一の形態に留まる限りは、これを具體的なる表現(自己自身へ還る對象)の世界にまで客觀化することは出來ない。猶表現に逆らふ自體としての何ものかをそこに殘留するのである。かくて主觀は客觀的「精神」として、眞に自己を棄却して却つて自己に留まるものとして把捉されることに由つて、自己と世界との對立を超えて客觀的人倫的「世界」にまでなる。現象學に於ては客觀的「精神」の形態に於て、初めて客觀的「表現」の段階に到達出來たのである。

併しこのためには意識の區別(對象とその知)を持つことが絶對的に必要とされる。卽自を卽自として限定する時に却て單一性を棄却して、一とそれに對する他者との區別となる。かゝる區別の中で意識に於ける對象と知の區別は一切の區別の原型である。このことに由てこの區別に對する自己止揚が起り、これに由つて對象は表現としての世界へ轉化する。それ故に精神の表現の底には常に意識の區別とその止揚が必要とされる。精神に於ては、眞に區別されてあることは、自己を自己の對象として自己意識を持つことであり、それは主體の分割であると考へねばならぬ。區別すべからざるものが區別されるが故に、區別は自覺的に止揚される。このことに由つて精神に於ける區別は現實的定在をなすと云はれるであらう。眞に内に區別を持つことは外に現實在を持つことである。(2)かくの如き現實在は表現の世界である。表現の世界は「自己自身に還歸してゐる對象」として、即自にあると同時に向自にあるもの、單なる存在ではなくて、區別(分割)とその止揚を介して自己へ還歸した對象として、生命ある概念、又は Gattung としての生命とも云ふべきものである。精神は意識として、かくの如き區別に由つて自己を客觀化するものとなり、概念に於てある精神となる。概念なき精神とは客觀化の力なき精神、即ち主體なき抽象的主觀に陷る外はない。かくの如きは精神の喪失である。精神が意識の區別を介し、自己の分割を通して、概念にしたがつて自己を客觀化するときに、概念の自覺なき精神から區別されて「客觀的」精神と呼ばれるであらう。されば客觀的精神にとつて必要なことは自己の概念を自覺することであり、概念とは自己を客觀的に表現するためのオルガノンとなるものである。

それ故に精神は概念を含まねばならぬ。概念は分割とその止揚によつて自己へ還歸する存在であり、かくて精神は概念に媒介されて十分の意味にて論理的性格を持たねばならない。區別を區別として自覺することは自己を判斷(分割)することであり、自己を論理的に限定することである。表現的客觀的精神に於いてかかる論理的限定を見るのは實にヘーゲルの根本的思想であると云はねばならない。

區別なき精神は概念なき、したがつて論理的性格なき精神であり、却つて精神の自己喪失であると云はねばならぬ。精神が表現的客觀的意識となるためにはどうしても判斷(區別)に由つて媒介された論理的性格を持たねばならぬ。論理的に區別されてあるものでなければ區別の止揚を持つことは出來ず、したがつて自己を客觀的に限定することが出來ないからである。ヘーゲルの論理學は單なる思想の論理的性格を明かにしようとするものでなく、精神的存在の表現の論理として、存在の轉換を行はうとするものである。客觀的精神が特に客觀的と云はるゝ所以の根據を明かにしようとするものである。(3) この意味の「論理的」性格は已に現象學の中で說かれてゐる。現象學に於てヘーゲルは表現の論理について實に基礎的な考を已に現はしてゐるのである。ヘーゲルは現象學の序論の中で表象的思惟と概念的思惟とを區別し、表現の論理を概念的思惟に求めてゐるのである。そのことは當然のことゝ思はれるのであるが、注意すべきはこの區別のし方についてゞある。そこでヘーゲルは彼の以前に誰人も明かになし得なかつた表現の論理としての命題の辯證法的運動を示したのである。(4)

彼に從へば表象的思惟とは思惟と內容との必然的關係を見ずに任意の關係を見ようとするものである。卽ち主語はその述語に拘束されることなく、任意にその述語からはなれて自己へ退く所のある獨立的なものとされ、したがつて述語にとつては單にそれを述語するために結付くところの足場(Basis)の如きものと見られる。例へば主語となつて述語とならないと云ふアリストテレス的個物は、多くの離合常ない述語の任意的結合の基體をなすものと考へられるであらう。これに反して概念的思惟に於ては主語は述語を任意に結合するための基體としててなく、自から運動する概念の主體としてある。從つてそれは基體としての靜止的主語より出でゝ却て述語(內容)へ降下し、內容の主體となり、內容はこれに由つて運動するものとなる。靜止するとされるような主語は棄却されて述語の中に却て運動の主體が現はれ、これが眞實の主語となるのである。表象的思惟では主語は任意なる述語の足場として靜止してゐるものとされる故に、概念的思惟より見れば却て主體を喪失した所の、眞實の意味にて自己へ還歸する力の失はれたる判斷と云はねばならぬ。概念的思惟では述語は主語の概念(內容)であり、主語はその靜止的位置を捨てゝ述語(內容)の中へ降下して述語的主體となるのである。主語は述語から獨立した主體でなく、述語に於ける概念の運動の主體であり、述語の上へでなく、むしろその底の方へ超越してゐるものと云はねばならぬ。そこには主語が單なる靜止的主語たることを棄却して述語の中へ沈下する所の否定作用があり、述語としては主語の單なる述語たることを棄却して自己に於ての統一を自己の眞實なる主語として主語の位置へはね返す所の運動がある。卽ち主語は單なる主語を棄却して述語に沈むと共に述語は任意に、あれ、これに述語すると云ふ抽象的一般性を中止して、自己の中に自己を限定するものを見出し、これを再び主語の位置へ還歸させるのである。かように主語が述語の中へ自己を止揚し、再びそこから自己へ還歸する運動が眞實の主體としてのはたらきであつて、主語は述語に由つて限定されるとはこのことを意味しなければならない。述語的主體へかへることに由つて思惟は概念的思惟となり、主語と內容との必然的關係が明かにされるのである。ヘーゲルは普通の主語が退くことに由て「自己を知る我」が現はれて述語を統一すると云ふ。これは述語の底に現はれる述語的主體である。例へば「存在《ザイン》」とはかゝるものである。「一般者」も同樣であると云ふ。それ故眞實の主語とは述語に對する主語ではなく、むしろそれの否定に由つて自己自身に還歸してゐる主語でなければならぬ。このことは主語を辯證法的運動の主體として把捉する思想に外ならない。主語は自己を中止して述語に到り、述語は自己を主體化して主語に到る。この轉換をなすものは、概念の「區別」と、それの否定である。かくの如き概念の運動をヘーゲルは「命題の辯證法的運動」と呼んでゐる。
(Phänomenologie, S. 49—53.)

この思想はヘーゲル論理學の基礎的概念をなすものと云はねばならないが、それば實に表現の論理として、表現的主體とその運動を明かにすることを眼ざしてゐるものである。ヘーゲルの論理學は精神の表現的主體の本性についての辯證法に外ならない。自己の概念をもつて表現的主體とする所の客觀的精神は當然表現の論理學を自己の中へ含まねばならないのである。

(1) Phänomenologie, S. 24, Vorlesungen über die Geschichte der Philosophie, Bd. 1. S. 118, Enzyklopädie, § 384,
(2) Vgl. Vorlesungen über die Geschichte der Phil. Bd. 1. S. 45—48,
(3) Vernunft in der Geschichte, S. 65. S. 148—149. Vorlesungen üler die Geschichte der Phil. I. Aufl. Bd. 3, S. 685—686, Ebendas. 2 Aufl. Bd. I. S. 46,
(4) Phänomenologie, Vorrede, S. 49—53,

精神はその本性である所の自己の主觀化と客觀化の辯證法的統一にあるものとして當然客觀的精神とならねばならないことを上に述べた。現象學に於ける精神とは理性の立場に於て猶同一になることの出來なかつた「精神的」な實體とこれに對する意識とを、眞の意味で統一したものである。理性に於ては精神的主體に對する意識は、この實體についての形式知を出ることの出來ないもの、從つて客觀的な自己意識にまでなり得ないものであつた。この對立に於て精神的に An und für sich にある所の實體が自己をかゝるものとして意識するときに理性は精神となるのである。精神とは彼自身を「世界」として、また「世界」を彼自身として意識する精神である。この意味の精神は、現象する精神一般から區別されて、人倫的現實在である。それは自己意識であるが、併し對象に對する自己意識でなく、その反對に意識に對立する所の「對象的な現實的世界」としてあるものである。精神は人倫的に自己へ還歸することに由つて自己を人倫的な世界にまで客觀化するのである。そのことは精神の社會的共同的生活の基礎概念である。客觀的精神はかくて自から自己を荷擔する所の絕對的實在的存在であり、單なる意識、自己意識、理性の諸形態をモメントとして自己の中につゝみ入れると共に、これ等にまたそれぞれの限定に於ける現實的實存を與へる。すべての意識的形態の實存の根據は精神にあるのであつて、精神こそ「實存（Existenz）そのもの」であると云はねばならぬ(1)。この場合の實存とは現實的人倫的存在を持つことの意味である。卽ち單に主觀的に妥當するが、對象と十全的に一致し得ない知としてゞなく、かゝる知の主觀性を棄却することに由つて、人倫的世界として自己を客觀化してゐる存在の義である。かくて精神は、直接的眞理（諸契機の統一體としての）にあるものとしての一の民族の人倫的生活」であり「一の世界」としての個體、卽ち一般と特殊の綜合の客觀的個體である。この人倫的精神の持つ諸形態（法、家族、社會、國家、世界歷史）が「實在的精

神であり、本來の現實在であり、單なる意識の形態の代りに一の世界の諸形態をなす」ところのものである。(2)

かくの如き「生命ある人倫的世界」としての客觀的精神の構造は、この意味の「世界」の構造に由つて明かにされるべきものであらう。この「世界」は上述せる如く、個人をとりめぐり、個人がこれに對して自己の生を計劃するために交渉する所の「配慮された世界」の如きものではなくて、精神は今や個人的意識を超越して、民族精神となり、人倫的世界として自己を限定したのである。この意味の世界は敎養史としての意識の經驗に常に前提されてゐるものと云はねばならない。本論の序論で述べたように、精神現象學は「世界」精神の勞作としての「世界」の歷史の中に含まれる數々のモメントを、再び彼自身のものとして閱歷する精神の敎養史を敍述するものとせられた。ところで現象學が敎養史として見られるためには、これ等モメントとしての形態を、世界精神が已に時間のながい經過に於て閱歷したこと、彼がそれぞれの段階に於て自己の內容を實現したような「世界歷史の並ならぬ勞苦」をば前提せねばならぬ。(3) このことは個人意識の經驗が已に「世界」の中に置かれてゐることを意味する。即ちこの「世界」の中に於て、世界精神の勞苦の段階はそれぞれ das erinnerte Moment (Bedeutsamkeit) として保存されてゐる。このものを再び現實的に定在する意識の形態として經驗してゆくことの敍述が現象學である。かように個人の教養史としての現象學に前提されるこの「世界」の構造は云ふまでもなく「世界」歴史「世界」精神の意味する世界の構造であるべきである。それは唯歴史に於てそれを實現する所の民族精神の構造に由て明かにされる外はないのであらう。

こゝに世界と民族精神との相互限定がある。民族精神(客觀的精神)の構造は世界の構造を限定し、世界の構造はそれを實現する民族精神を限定する。されば客觀的精神は二つの契機を藏するのであつて、第一には卽自的に存在する自己同等性にbei sichにある所の理念としての實體的契機。第二は向自的存在として自由に運動する所の行爲的契機。この二つの契機の根本的關係に由つて、第一の一般的なるものはうち碎かれて、個體的主觀的なものが現實性を持つ。これは一般者と現實的個體との對立である。客觀的精神に於ては單なる意識に於ける知とその對象との對立は止揚されて、その代りに、一般者と個體との對立、卽ち世界の理念と個人との對立を起して來るのである。或はこの關係はまた精神の現實的實體としての民族と、それについての現實的意識としての民族の一員との對立として見ることも出來る。(4) 而して民族の實體とする所のものは世界精神の理念であり、個人をして個人たらしめる所のものは、ヘーゲルに由れば、常に自己内反省に由りて具體的存在より自己自身へ退く所の精神の向自的存在であり、その抽象性として限定されたものが、主觀的恣意の如きものである。これ等特殊性に於てある所の個體と、これに對する一般性との對立が、今や、單なる對象と、それの意識のし方との對立に代つて、人倫的意識に於ける本質的對立を示すことになつた。ヘーゲルの「世界」の構造はこの對立に由つて明かにされねばならぬ。

ヘーゲルが世界史の哲學講義に於て民族精神について分析する所の一つの問題は、實に世界精神の一般的理念と、個人の熱情に由てこれを無意識的に、又は彼が意識する以上の範圍に於て實現する所の行爲との對立であつて、これは明かにこの「世界」の本質的構造の問題に屬するものと云へるであらう。それはこの對立の論理的本性をかゝるものとして形而上學的に解明することでなく、それを前提するが、併し自由の「意識」の立場に立つて、又は人倫的「意識」を通して解明しようとする限り、なほ現象學的考察に屬するものと云ふことが出來るであらう。歷史哲學講義に於てヘーゲルの明かにしようとする人倫的世界の構造、卽ち客觀的意識のモメントは、自由の意識に於ける對立とそれの止揚を眼ざす點に於て「世界」の現象學的解明を期するものであり、その分析は一種の現象學的分析であると云ふことが出來るであらう。このことを少しく明かにして見よう。

客觀的精神はそれ自身の中に含む所の自己內反省に由りて、單なる對象とそれの知との對立の代りに、一般的理念と、それに對する個體性の對立を起す。この對立が客觀的精神の構造を示すのである。客觀的精神はモメントとして三つのものを自己の中に含んでゐる。第一は世界精神の理念卽ち一般者、第二はこれに對する個體性、第三は第一と第二の綜合としての人倫的世界卽ち世界の歷史の內容をなすものである。この第一の契機は、それ自身としては抽象態であり、內部的非現實的なものである。しかし理念としてのイデアリテートの中には契機の「區別」を藏してゐる。そこには對立する所の二つのモメントがある。(1)は自由なる一般的理念として、實體としてのモメント。(2)は常に自己を抽象し、主觀的に自己內へ退かうとする所の形式的向自在、又は抽象的主觀性のモメントである。この(2)は實體と對立する意味で實體なき抽象的個體性であると云はれよう。理念がかゝるモメントの區別をその中に含むと云ふことは理念の持つ表現的論理的性格である。この區別に於て理念が(1)の側に退くときに、(2)は抽象的離脱を起して直ちにこれに對立する。この對立は元來精神の概念そのものが、上述の如く、主體として自己へ復歸しようとする傾向の抽象的側面に屬するものである。主體の抽象的自己內復歸が(1)と(2)との對立を現實的に起すのである。

第二の契機は世界精神の理念に對立すると云ふ意味で個體性の契機である。元來單に抽象的なものは個體であることは出來ない。現實的個體は却て理念を實現する所の行爲的なるものでなければならないとヘーゲルは考へる。卽ち第一の契機に於ける(2)が現實在として(1)に對立するとき、これが第二の契機となるのであつて、このとき第二の契機は第一の一般的理念を實現する所の行爲的個體となる。一般とは却て抽象的なものであり、それを實現するものは現實的個體である。ヘーゲルは個體を現實的にする所のものを意志として見る。精神の主觀性は意志として把捉されねばならない。第二の契機は意志としての主觀性の立場である。意志は第一の契機と對應してまた二つの方面を含まねばならない。(1)には個體自身の特殊的存在を對象としてこれを意慾する方向、卽ち個人の恣意及び熱情である。熱情の對象は一つの特殊的個體である。併しヘーゲルが如何に偉大なる歴史的事業も熱情なくして成就されることはなかつたと云ふ如く、熱情は彼の意識するよりも以上のものをしたがつて彼が意欲する個體の存在よりも以上のもの、即ち世界の理念を實現するのである。これに對して(2)は精神自身の概念を意志して、精神がまさにそれである所の本質を知識しようとする方向である。これを絶對的主體的主觀(wahrhafte Subjektivität)の立場と云ふことが出來よう。(1)は主觀的自由の側面とすれば、(2)は客觀的自由の側面である。これに於て意志は思惟として、自己自身の概念の認識を求める。而して理念を眞實に認識すると云ふことは理念自身の自覺的限定である故に、(2)は理念の自知を目的とすると云ふことが出來る。この場合これはまた二つの側面を有し、主觀的側面としては自由の意識となり、客觀的側面としては人倫的世界又は歴史的社會的世界となる。自由の意識は主觀的自由から區別されて「思惟する理性の自己意識」と云はれ、第一と第二の契機の具體的統一は實にこの自由の意識としての思惟する理性の自己意識に於て限定される。ヘーゲルが一定の民族精神の形態は彼が自己自身を如何に認識するかと云ふ時代精神の自覺に由つて決定されると云ふのはこの地盤に於てゞある。これに對して客觀的側面としての人倫的世界は即ち第一と第二の契機の統一としての、第三の現實在の契機でなければならぬ。これの最高の形態としてヘーゲルは國家と世界歷史を見たのである。

以上三つのモメントについて、第一は一般者として內部にとゞまるもの。第三は現實的存在として外部に表現されたもの。第二はこの第一と第三の媒介者としてあるものである。第二の契機は行爲者であり、熱情に由つて彼自身の目的を遂行するが、結果に於ては彼が意識したより以上のもの、卽ち世界の理念が彼の手で實現される。卽ち世界史的個人の立場である。單に主觀的恣意に退く個人でなく、個人にあつて個人以上のものを實現する熱情である。精神の主觀性はヘーゲルに由て熱情ある所の個體の立場にまで進められて來た。しかし熱情それ自身は理念の意識ではなく、理念を實現する手段である。熱情の背後には理念の自知としての意志がある。民族の歷史的勃興と沒落の運命をあるがまゝに、眞理の姿に於て認識してゐる所のものは、熱情の背後にあるロゴスのはたらきである。熱情と自知とは、しかし共に働くものとして、第一の理念を第三の「世界」にまで實現する仲介者である。それは行爲的なものがロゴスの理念を歷史的社會的存在としての外的なものにまで媒介する推論式である。この意味にて、客觀的精神は論

理的本性、卽ち表現の論理を十分の意味にて含まねばならないであらう。(5)

客觀的精神又は人倫的意識についての此分析は、世界史の現象のし方についての現象學的分析と名付けることが出來るであらう。それは第一には自由の意識に於ける民族精神の現象であり、第二には客觀的なる世界を、それの向自態としての個體の主觀性にまで還歸せしめることであり、第三には、それにも係らずこれを世界精神の自己意識として、理念の純粹自知にまで高めることであり、この純粹自知の限定として民族の精神史的形態を見定めようとするものである。これは客觀的精神についての現象學的考察を示すものであると云ひ得るであらう。併し世界歷史の現象學に於ては客觀的精神の含む三つの契機の推論式的構造が、同時に表現的世界の構造として、十分の意味にて論理的性格を帶んでゐることに注意されねばならぬ。推論式的構造は勿論精神現象學の地盤をもなしてゐるものである。現象學も「自然的」意識と、對立なきエレメントとしての「概念」とを現象する「精神」に由つて媒介する所の一つの推論式的構造を持つものである。しかし精神現象學はかゝる推論式的構造が表現の論理の構造と如何なる關係を持つかを十分の意味に於て自覺しては居なかつた。それは現象學が論理學への豫備學にすぎないからと云ふ意味に於てゞはなく、特に客觀的精神の現象學的構造の上に於てかく客觀的であるために當然持たねばならない表現的論理の性格が如何にして主觀性に含まれるかと云ふことについて十分に自覺されて居らないのである。併しまたエンチクロペディーの客觀的精神の哲學は、表現の論理的性格を十分の意味にて含むとされるにも係らず、主觀性についての自覺、卽ち現象學的考察が不十分であり、このことはすべてを論理的表現的範疇として(世界歷史さへも一つの範疇として)見ようとするエンチクロペディーの構造より當然のことゝされねばならぬ。

以上の關係に由つて客觀的精神の具體的發展としての「世界」の歷史は絕對的精神の自覺的立場にまで高められて、世界歷史は絕對的精神の自覺史にまで純化されねばならぬ。かくて歷史の哲學としての精神史特に宗敎、藝術、哲學の精神史的考察は、精神現象學とエンチクロペディーとの統一として、哲學の最も具體的體系をなすものと考へねばならぬ。

このことの考察は我々を精神現象學よりエンチクロペディーに於ける客觀的精神の考察へ導くであらう。本論文は云はゞそれへの考察についての一つの導き

をなしたものにすぎないのである。(昭和八年十二月)

(1) Phänomenologie, S. 314.

(2) Ebendas. S. 315.

(3) Vernunft in der Geschichte, S. 49—50, 51—53, 68—74,

(4) Phänonemologie, S. 319,

(5) 註(3)、更に Vorlesungen über die Philosophie der Weltgeschichte, Reclams Ausgabe, S. 61—63.

フィヒテの道徳學に於ける形式主義の克服

柳田謙十郎

目次

一、カントの實踐哲學が殘した問題

何人も知る通りカントの哲學的思惟は數學的自然科學と實踐的當爲との二大樞軸をめぐつて動いてゐた。即ち一面に於てはニュートンに示された自然科學的認識の經驗的妥當性の根據を明らかにすると共に、他面又其の限界を明確に規定することによつて、道德律の命法に新たな妥當領域を示し、之によつて實踐的當爲の無制約的必然性を確立しようとしたのであつた。コーヘンはかの Kants Begründung der Ethik の冒頭に於てカントの倫理學に於ける功績をばアリストテレスの論理學に於けるそれと比較して、此の學がプラトン以來始めてこゝに當爲の學乃至 *ἐπέκεινα τῆς οὐσίας* の學として眞に確立されたことをのべてゐるが、まことにカント程深く當爲の意識に直面して其の生々たる事實としての無制約的必然性を體驗したものはすくないであらう。論理的形式的なる一の體系としてのカントの倫理學から單に其の文字だけをよみとつて形式主義云々といふが如き簡單なる理由の下に之を貶し去らんとするが如きことは彼を學ばんとするものの愼まねばならぬ點であらう。我々はまづその思想形態の醇母をなす彼の道徳的體驗の根源にかへつてその生命の動搖から出發して其の表現を理解せねばならぬ。啓蒙思想に對するカントの獨特なる位置は彼が徹底せる主意主義者であつた點に存する。勿論或る視點から見れば彼は合理論者であり主知主義者であつたともいへよう。彼にとつて意志は卽ち實踐理性であつた。善意志の無制約性は卽ち理性の無制約性であり、當爲の必然性はやがて理性法則の必然性であつた。かくて彼にとつて凡ての世界は合理化され或は合理化さるべきものとして示されるかの如くである(此のことについては後に更に詳細に論究する機會があるであらう)。しかし他面又彼のこの合理論の裏には一の爭ふべからざる非合理論的傾向が動いて居り、一の動かすべからざる主意的傾向が其の根をはつてゐるのを見る。成るほど我々が自然からものを學ぶのは敎師に對する生徒の資格に於てではなくて證人に答辯を强ふる裁判官の資格に於てではあるが、しかしこの裁判官は自己の意圖に從つて答辯の內容を證人に强要することは出來ない。悟性規則と所與直觀內容との間には永遠に合理化し切ることの出來ない深淵が橫はつてゐる。二律背反は正にこの深淵を合理化せんとする理性の努力の必然的所產であつた。而して意志の世界、實踐理性法則の世界はこの深淵の彼岸に横はる超悟性的世界として一の非合理的、否超合理的世界でなければならなかつた。彼にとつて意志とは唯に經驗的存在として對象化された心理學的有でなかつたのみならず、又かのショッペンハウエルが「意志と表象としての世界」に於てみとめたやうな何らかの形而上學的實體でもなかつた。宇宙の本質乃至實在の實在として見られた形而上學的意志と云ふが如きものは既に理性の對象として客觀化されたものので眞に行爲主觀としての意志と稱し得るものではない。カントの主意說はいかなる意味に於ても意志を存在化して說くあらゆる思想に對立するものである。意志が何らかの意味で存在の一形態として見られる時其處には既に意志の本質が失はれる。カントがその當爲の體驗に於ける自由としての意志は斷じてかゝる存在化され又合理化された概念ではなかつた。それは彼のフランシスをして地上の所有一切を放擲せしめ、又我が道元をして「凡そ學道の者は貧なるべし」と言ひ放たしめた如き超悟性的生命體驗のみのよく直證し得る實踐的自由そのものに外ならなかつたのである。かくてカントの先驗的主意說は悟性的見地に立つ主知說乃至合理論を超えるのみならず更に凡ゆる種類の意志の形而上學弁に存在論をも超える處に其の深き本質的特色をもつといふことができるであらう。(Vgl. Kroner, Kants Weltanschaung I.)

しかしカントのこの主意說は又その世界觀に於ける二元論的傾向を必然ならしめる。當爲の當爲としての意味は唯これに對立する存在を豫想としてのみ可能であり、行爲に於ける自由は唯自然に於ける必然との關係に於てのみ可能である。道德律に於て體驗せらるゝ自由はそれが我々の意識に於てあらはるる限りに於ては必然的に自然的存在に對するものとしてのみ意味をもつのであつて、經驗的有限者の被限定性を超克しきつた神の自由としてである事は出來ない。實踐的生活に於けるこの二元論的傾向を最もよく表明するものは云ふ迄もなく道德法と傾向との對立である。カントによれば此の兩者は本來その居所と起原とを全く異にするもので前者が徹頭徹尾先天的に理性に由來し、從つてそれの最高實踐的原理としての價値が唯この起原の純粹性にのみ求められねばならないのに對して、後者は經驗的存在としての我等の性格の中に必然的な座をもつものである。「されば經驗的なるものは道德性の原理に對する補助として唯に全く役に立たないばかりでなく、道德自身の純粹性のためにも最も有害である」(Grundlegung,

Vorländer 版 III. S. 50 以下カント著書よりの引用は凡て此の版の頁附による)。

然るに欲求能力の對象(實質)を意志の規定原理として豫想するあらゆる實踐的原理はみな經驗的であつて、本來先天的無制約的たるべき何らの實踐的法則をも與へ得ない(K. d. p. V., S. W. II. s. 26)。何となれば此る場合に於ては意志を規定する原理は對象の表象が主觀に及ぼす快不快の影響以外のものであること能はず、而していかなる表象が快或は不快と結合せられるかは先天的には到底認識せられず、其の時々の感受性の主觀的條件に基くが故にそれは唯主觀的格率として通用し得るのみだからである。かゝる實質的實踐的原理はそれ自身としては全く同一種類のもので自愛卽ち自己幸福の普遍的原理に屬する(Ibid. S. 27)。何となれば意志規定が快不快の感情に基く限り、それがいかなる種類の表象によつて感觸せられるにせよ、結局同じことになるからである。「費すべき黃金を用ふる人にとつては、其の質料たる金が何時でも同じ値で受けとられさへするならば、それが山から堀り出されたか砂から洗ひ出されたかは全く同じことであるやうに、生の快適のみが問題となる場合に於ては、悟性表象たると感性表象たるとを問はず、其らの表象がどれだけ多く且大なる滿足を最も長く自分に與へるかを問ふのみである」(Ibid. S. 29)。かくて彼はいふ「理性的存在が其の格率を實踐的普遍的法則として思惟すべきであるならば彼は之らの格率を實質の上からでなしに唯形式の上からのみ意志の規定根據を含む原理としての外は考へる事は出來ない」(Ibid. S. 34)と。かくてこゝに所謂彼の形式説なるものが成立するのである。

吾人は彼の形式説を檢討してそれの克服への歩みを進める前にそれが倫理學史上に於て持つ特殊なる意義を省みその使命の重要性に對して十分な理解を持たねばならない。彼は時代の輕浮なる道德思想の由來する處を何よりもまづ方法的に經驗論に於て見た。凡そ道德の本質を明かにせんとする者にとつて之を經驗に訴へんとする事ほど甚だしき危險をもつものはない。もし單なる經驗にのみ留意するならば吾人は恐らく純粹なる義務から行動する心術の確かな實例としては唯の一つすらもあげることはできないであらう。道德性にとつて之を實例から借りて來ようとする位よくないことはあり得ない。福音書の聖者と雖も之が聖者として認められるためには、我らに先天的なる道德的完全の理想と比較されなければならない。經驗的方法がもたらす處のものは結局種々に綴ぢ合された觀察や、いい加減な理屈をこねた諸原理からなる嘔吐すべき混淆物にすぎない。

かくて其處には或は完全性、或は幸福、又こゝには道德的感情、かしこには神に對する畏怖といふが如き類のものが之も少しあれも少しと驚くべき雜然の狀態に於て交せ合されてあることが見出されるのである。(Grundlegung, III. S. 26 ff) 彼は之らの諸說を意志の他律主義なる名稱の下に一括して排除した。それらは凡て意志が自己自身の法則に於てその格率を規定する代りに、それ自らを超え出でて、其の對象の何らかの性質中に自己を規定すべき法則を求めるもので、結局「余は或る他のものを意欲するが故に或ることをなすべきである」といふ他律的形式をもつものとなる。それは外觀のあらゆる相違にも拘らず遂には自己幸福の原理に歸着することを免れ得ない(Ibid. S. 68)。故に道德的行爲の規定原理は意志の對象の側に求めらるべきではなくて意志自身の中に求められなければならない。かくて意欲の對象たる經驗的實質が意志の規定原理から全く排除せられる時後に殘るものは唯先天的形式的なる原理のみとなる。意志は唯自己自身の先天的法則に從つてそれの對象からは全く獨立に己れを規定すべきである。この規定に對しては何らの理由も問はれることはできない。何となればそれが何らかの理由乃至根據を他にもつ限り其の意志は既に自己規定的たることをやめて、他律に墮するからである。道徳の命法が定言命法として無上絶對のものたる所以は將にそれがかく無根據無理由なるが故である。それは恰も佛徒が佛道を學ぶのが將にそれが佛道なるが故にでなければならないやうなものである。自己の安心のため、或は衆生劑度のためにといふが如きは既に眞の學道者の態度ではない。後二者の如きは唯前者の無上道の中に必然に含まれたものとしてのみ其の意義をもつ。人類の幸福國家の發展といふが如き目的論的見地と雖も唯無上の命法中に位置づけられたものとしてのみ一定の道德的意義を持つべきであつて決して其の逆であつてはならない。カントの形說式の中心生命は道德律の無制約性、意志の自律、當爲の絕對性(超合理性)を明かにすることによつて、悟性的なる功利的經驗的見地から道德を合理化し評價することによつて道德其者の本質的尊嚴を無みせんとするあらゆる種類の意志の他律主義を根本的に拒斥せんとする所にあつた。吾人はカントの形式說のすぐれた本質をここに見なければならない。時代の動搖は常に現實の功利的見地を中心として轉回する。學問の永遠性はこの經驗の現實の中にありてこれに捉はれず、常に冷靜に全體性の立場からその功罪を洞觀する處にある。吾人は徒らにカントの理說の外的體形の不整合を批判し、机上の論理的齊合に腐心する前に、彼の所謂形式説なるものの中に含まれた永遠的なるものを現實なる自己の内的體驗の中に深く生かすことを忘れてはならないであらう。

しかしかゝる洞察の深さにも拘らず彼の實踐哲學に尙多くの未解決な問題が殘されてゐることは爭ふことが出來ない。彼は理論理性と實踐理性との間に存する區別を論じて、前者にあつてはそれが經驗法則や感性知覺から引離されるときには全く把捉すべからざる自己矛盾に陷るが、後者に於ては凡ての感性的動機が實踐法則から除外される時始めて眞に評價力が自己の面目をあらはし始めるといつてゐるが(Ibid. S. 23)、吾人はこの比較に於て既に一つの曖昧なるものの芽が潛んでゐることを見る。彼は認識批判に於ては感性自身の中にアプリオリなるものを發見したが故に、其處では理性と感性との間には何ら entweder-oder の關係は成立しなかつた。認識原理に對する感性的なるものの混入が直ちに認識そのものの純粹性をきづつけるといふやうな關係は成り立たず、むしろ眞の先天的認識は唯感性的直觀の多樣との結合に於てのみ可能であり、之を除外すれば認識そのものが空虛のものとならなければならなかつた。しかし此の關係は果してカントのいふ如く理論認識の世界のみに限られたものであらうか。吾人の見を以てすればそれは全然同一とは云へないにしても少くとも尙これに類比せらるべき關係が實踐の世界にも存立することは否定し得ない。道德律が一の現實的實踐的法則として我らの具體的なる意志の規定原理たり得んがためにはそれが必然的に感性的經驗的質料と結びつかなければならない事は明らかである。かかる質料から抽象された單なる善意志が空虛なものである事は直觀なき概念がさうであるのと同樣である。當爲は凡て一定の經驗的內容に卽してのみ當爲たることが出來る。故にカントが實踐の世界に於て排除すべしとなした處のものは當爲の質料としての經驗的なるもののことではなくて、當爲に反逆し、その原理を撥無して自己の支配を主張せんとする感性的動機卽ち傾向の獨裁でなければならない。然らばかゝる感性的動機は道德の世界から全くその支配を驅逐せねばならぬものであらうか。道德の純粹本質はこれらの一切の經驗的動機を洗び落して、唯純粹に槪念のみの支配が確立した處に成立つといふことが出來るであらうか。少くともカントにあつてはかゝる考へ方が可成り强く支配してゐたことは爭ふことが出來ない。しかも此の思想の中には、單に禁欲主義乃至嚴肅主義なる名稱の下に簡單に一蹴し去ることの出來ないある重要なる契機が含まれてゐることも看過されてはならない。我らの道德生活に於て「否定」がもつ處の驚嘆にも値すべき深き實踐的意義は吾人はこれをいかに高く評價するとも過ぎることを知らないほど大なるものである。まことに我らの現實の社會的實踐の世界に於て最も多く缺けた處のものは我意我執の經驗的現實を克服するこの「否定」の力である。佛敎の人生觀が無の體驗から出發し、無限の否定を通じてのみ新なる高次の世界を生ぜしめんとするのは決して偶然のことではない。眞の肯定は唯無の底にまで屆く否定を通じてのみ生ずる事が出來る。たとひそれがどれほど赫々たる功業として世にあらはるるにしても、名利から出發し我意我執を生命の根として生れた仕事にどれだけの本質的意義があり得やう。かゝる私欲の土の上に咲く文明の花がどれほど人目を幻惑する力を持つてゐるとしても其處に何程の尊嚴があり得やう。眞實に上求菩提の憬仰に燃ゆる者の立場から見れば何れもそらごと、たはこと一としてまことあることなしといはざるを得ないであらう。まことに現代は最も切實に偉大なる否定を要求する時である。我らが現實の人生に於て將に成すべく成さざるべからざる處のものは安價淺膚なる個人的自覺に基づく自我肯定に非ずして、限りなく己れを否定しゆく沒我への歩みでなければならない。

しかしこの否定は單なる所否定者の立場からは決して現はれることはできない。傾向は本來傾向肯定の立場に立ち、名利はどこまでも名利の充足を念願する立場に立つ。一つの傾向が他の傾向を否定し、一の名利が他の名利を放棄すると言ふが如きことはあるとしても其處には唯目的と手段の假言的命法が成り立つのみであつて眞の道德的實踐は成り立たない。傾向の否定は唯傾向以上の立場に立つことによつてのみ可能であり、個我の超克は唯個我以上の立場に立つことによつてのみ可能である。凡ての否定の底には常により大なる肯定がはたらいて居なければならぬ。否定される處のものは常に部分であつて、この部分を否定する力は唯それを包む全體性の中にのみ與へられることが出來る。學道者は唯一切の諸緣を放下し名利を絕つことによつてのみ眞理を見ることを得ると云ふも、實はこの棄恩入無爲自身が眞理の立場に於てのみ始めて可能なのである。彼はこの否定に於て既に肯定の立場に立つてゐるのである。無所住而生其心といふも先づ無所住にして然る後其の心を生ずるのではなくて、住せず着せざる處其處に既に其心がある――其心を生ずるが故に無所住なるを得るともいへるのである。カントは眞の道徳性は一切の經驗的感性的動機を排除する時にのみその純粹なる姿をあらはすと云つてゐるが、實はこの排除それ自身が既に純粹なる道徳性の立場に立つことによつてのみ可能なのである。

扨カントによれば上述せる形式と實質、當爲と存在、道徳と自然、理性と感性、意志と傾向といふが如きさまざまの樣態を以て示され得る處の對立は劃然たる區別に於てなければならない。この區別が曖昧にされる處にあらゆる種類の自然的辨證論 (Ibid. S. 24) が成り立つといふ。勿論この兩者は或る意味では全く異る世界である。カントの云ふ如く自然が現象界に屬するとすれば道徳はノウメナの世界に屬する。前者の世界の法則を以て後者の世界を律することはできない。その意味で此の兩界は互に相對立するともいへる。しかしこの對立は地上に於ける國と國との對立の如き同一平面上に於ける關係ではなくて明かに次元を異にするものの關係を持つ。故にそれは言葉の一般的意味に於ては對立といふことの出來ないものでなければならぬ。もし普通の對立關係にあるものとすれば理性と感性とはあくまでも相戰ふものでなければならぬ。定言命法に對して感性が其の高次性を承認し、之に讓步し或は自己自身をば道德法の機關として淨化高揚するといふが如きことはいかにしても不可能でなければならぬ。カントは一面に於ては二つの世界の次元の相違を認めつゝも尙この兩者の端的なる對立關係を捨て切ることが出來なかつたが故に、意志の實質的規定と形式的規定とをいかにしても兩立し得ざるものとして前者を排去し後者のみを採つた。彼はこのことによつてのみ道德性をばその純粹性に於て保つことが出來ると信じた。勿論吾、人の意欲の對象がその生の全體性から切り離されて唯一の意志の規定原理としてはたらくならば、其所には主觀的實踐的格率は成立ち得ても客觀的實踐的法則が成り立ち得ないことは明かである。しかしこの意欲の單なる實質のみの排除は、果して彼の云ふ如く「單なる形式のみ」による規定を歸結するであらうか。もし形式なる語が其の實質から切り離されて之に對立するといふだけの抽象的意味に用ひらるゝならば之は明かに不當である。それは我らに直接的なる道德意識の事實に反する。成るほど道德律はそれが定言命法としてあらはるべき限りに於て義務のために義務を行ふ心術の純粹性に於て存せねばならぬことは彼のいふ通りである。しかしこの義務意識が我らの現實の意志規定原理として具體化される時には常に一定の對象意識と不可離な結合を保つてゐる。それは義務のための義務たると同時に一定の目的表象の實現のための義務である。後者を除去するならば前者も亦消失する。何らかの規定的對象にも向はざる義務なるものは此の世界には一も存しない。しかもこの對象は義務にとつてどうでもいいやうな中性的なものではなく、むしろこの對象の規定性を通じて義務意識が始めてかゝるものとして成立し得るやうな義務そのものの本質的契機をなす。しかもこの規定的對象は必ずしも傾向の要求に反立するとは限らない。例へば自己及び他人の生命を維持し、その幸福を增進するといふがごときことは傾向の對象でありつゝ同時に義務の內容ともなり得る。否いなる傾向と雖もそれの根元に溯つて考察するならばいかにしても義務の內容となり得ないやうなものは一つも存在しないのであるといふことが出來る。しかし又吾人の意志の實質をなす處の對象は必ずしもカントの云ふが如く傾向に基く主觀的格率を構成するのみであるといふことは出來ない。勿論一定の對象が吾人の意欲の對象としてあらはれるのはその實現の表象が何らかの形に於て我らに滿足の感情を呼び起すからに外ならないことは事實である。カントは此の滿足の感情をば直ちに感性的快樂と混同したが故に其處に經驗的以上の何ものをも見出すことが出來なかつた。彼は快不快は凡て感性的な感情であり、感性的なるものゝ中にはアプリオリなるものは存立し得ないと始めから獨斷して出發したが故に道德的實踐の世界に先天的感性的感情の存在することを認めることが出來なかつた。しかし理論的認識の世界に於て感性の中にアプリオリなる形式を認め得たカントは實踐の世界に於てもかゝるものを認めることが何故に出來なかつたであらうか。純粹理性批判に於て經驗論と唯理論とを各その一面性に於ては破斥しつゝも尙この兩者をより綜合的なる高き立場に止揚することによつて、その何れにも夫〻の適當なる位置を與へんとした彼の本來の批判的態度は、實踐的領域に於ても當然あらはるべき筈であつたにも拘らず、彼はこゝでは經驗論に對して何らの位置を與へんともせず、始めから之を一擧に斥けて、一見唯理論的主知主義にのみ味方するかの如き態度を示してゐる。これは恐らく道德の命法の先天的必然性をばそれの純粹性に於て開示せんとする彼の實踐的要求が、經驗論の道德觀をも唯理論のそれと同樣に自己の批判的體系の中に包容せしめて夫〻に一定の位置を與へつつこれを止揚せんとする理論的要求よりも強かつたことに由來するのであらうが、何れにせよ哲學的反省の立場からいへば一面的なるのそしりを免れ得ないであらう。例へば幸福への欲求といふが如きものはカントからいへば一の傾向として、客觀的意志の規定原理となることの出來ないものであつたが、更に深く反省するならば吾人はかゝる自愛の原理の中にも、ある高貴なるものへのあこがれ、超現實的なるものへの思慕がその奥に潛むことの必ずしも不可能でないことを見出すであらう。人が外的なるものに捉はれて走りつまづく愛欲の生活の苦しみにたへかねて、靜かに内に輝く法の光りを求め其處に限りなき淨福を生きんと欣求する時、この願はもはや單なる傾向の所産として見ることは出來ない。カントが完全善の理想に於て幸福の要素を除去し得なかつたのは決して偶然ではない。唯彼はこの概念をば一の自然概念としてのみ取扱ひ外的なる運命の偶然に支配さるるものとしのみ見たが故に其處に二律背反を生じ、神の存在の要請と云ふが如ききはめて不齊合なる思想によつて之を救はねばならぬ結果となつた。しかし幸福への欲求は單なる自然概念ではない。其の底には常に必然に超自然的なる先天的理念が動いてゐる。人はこの欲求に從つて深く自己を反省しゆく時必づこの理念に衝き當らねばならない。しかもこのアプリオリなる幸福の世界に於てはいかなる自然の法則も經驗の偶然もその力を及ぼすことは出來ない。まことに往生極樂への道はその王侯富貴たると匹夫野人たるとを選ばす知者たると凡愚たるとを問はないのである。我々は自己の幸福を求めることに於て直ちに神につながることが出來るのである。こゝに我々は少くとも當爲と存在とが單なる對立的關係を以て律することの出來ない複雜な相互作用の關係に於て存することを認めねばならないであらう。藝術的天才にとつて藝術品の創造は本來的には決して當爲となつては現はれない。彼は自ら知らざる强き衝動に動かされて筆をとり畫布に向ふ。彼は將にこの衝動に從ふことに於て直ちに實踐のアプリオリにつながるのである。この意味からすれば人が目前の義務意識に捉はれて自己の個性の本質に根ざす深き衝動的要求を否定せんとするが如きは必ずしも眞の道德的當爲に從ふものとはいへないであらう。

又カントは對象の表象がそれ自身で行爲の規定原理となる時にはそれは我々の快不快の感情と結びつくことによつてのみ可能となるが故に、それは一樣に自愛又は自己幸福の原理に基くものであるとなしてゐるが、しかし對象の表象は本來其自身としては必ずしも我々の感覺的動機と結合したものではなく、從つて單にそれのみによつて直ちに意志の規定原理となり得るものではない。それは時には吾人の感性要求と結合して傾向性の對象として感覺的動機を形成することもある(大部分の場合に於てはさうであらう)が、又理性法則と結合して、道德的行爲を成立せしめることも決してない譯ではない。前の場合に於てはカントのいふやうにそれは快不快の感覺的感情と結合することによつてのみ可能なるが故に自愛の原理に基くといへるが、後の場合にあつては、對象は道德法と結合することによつて、我々の中に彼の所謂尊敬の感情をよび起し、これによつて意志の規定原理となるのである。カントはこの尊敬の感情を以て一般の快不快とは全くその起原と本質とを異にする特殊な感情となしてゐるが、しかしそれが自愛を抑制し自負を破碎するものとしては不快の感情であり、之によつて自己の本質の高揚が意識せられる限りに於ては快の積極的感情であることは彼も自ら認めて居る通りである。彼によればこの道德律に對する尊敬(それは又必然にこの道德律と結合した對象に對する尊敬となる)は全く知的根據によつて生ぜらるゝもので、それが全然先天的に認識し得る又その必然性を洞察し得る唯一の感情であるのは之がためであるといふのであるが、しかし此の感情が成立つのは唯理性的たるを共に感性的、無限に高き理念へのあこがれ持ちつゝも現實的には尙卑しき衝動の束縛を斷じ得ざる我ら有限的存在の立場に於てのみである。卽ちそれは感性的理性體たる人間の立場からのみ成立つ感情である（彼がこれを純粹實踐理性の動機論に於て論究の對象としてゐるのは此がためである）。それは勿論知的根據なしには不可能であるが、しかも同時に感性への關係を離れては成り立たない感情である。それは一面叡智の立場に立つてそれの感性界への關係に基いて生ずる感情であると共に、他面又感性の立場に立つて叡智界の法則の支配を感受するものの感情である。この情によつて自愛が抑制され自負が破斥されるのは將にかゝる相互能作の關係にあるが故に外ならない。

扨かくの如く法則が直接に感性の上に影響して尊敬の情を生ぜしめ、感性が直接にこの法則の優位性を承認して自己を抑制し或は破斥するといふ相互關係が成り立つためには、この兩界は抑もいかなる根源的關係に於て立たねばならぬであらうか。それは少くとも全く絶緣された二つの世界であることは出來ない筈である。こゝにカント哲學が一の必然性を以て衝き當らなければならない大なる暗礁がある。しかも此の暗礁はカントの方法的見地に立つ限りに於てはいかにしても乘りこえることの出來ないものなのである。彼はその認識批判の根本問題として先天綜合判斷はいかにして可能なりやといふ問題をとりあげはしたが、しかし此の問題の解決のために彼がとつた所謂先驗的方法なるものは尙概念分析の論理的見地を離れないものであつた。彼にとつて類概念とは多くの表象に共通なるものへの反省の所產であり、それは個別的差異の凡ゆる標識をばとりのぞくことによつて得らるゝ普遍概念に外ならなかつた。從つてこの概念がもつ處の普遍性卽ち多くの個別的諸表象への適用可能性は、全くそれの抽象的性格、不可分なる直觀の全體性からの解離によつてのみ可能とならねばならなかつた。かゝる思惟方法の下にあつては個體の類に對する現實的な從屬關係が成り立たなくなるのみならず、同一類の下にある各個體の間にも何らの現實的な結合も成り立たなくなる。其處ではその類の下に包攝される個物の多數は單なる實例の集合にすぎない。類概念は何らの現實的實在性をも持たずその諸實例間に何らの現實的な統一もない。かくて彼の先驗的方法に於てはアプリオリは全く認識論的分析の所產として見られ、純粹思惟形式は分析的論理學の命題に基いて形成された先驗的類概念となる。かくて範疇幷に之に基く悟性の原則は、個體なるものがそれに包攝せしめられる處のある共通的者《ダスゲマインザーメ》又は普遍者《ダスアルゲマイネ》としてのみ認められる (Vgl. E. Lask, Fichtes Idealismus und Geschichte, G. S. I. S. 31 ff.)。かゝる普遍に包攝される所の、卽ち單にその下に立つにすぎない處の特殊は本來普遍とは全く異るものでなければならない。しかしもし普遍形式と特殊質料とが全く異るものであるとすれば此の兩者の經驗的認識に於ける結合は遂に理解すべからざるものとなる。彼はこの困難をのぞかんが爲にこの兩者を媒介するものとして時間の圖式を置きはしたがかゝる第三者の挿入が結局問題を一歩奥に押しやるにすざない無益の努力に終るべきである事は明かである。彼に於けるこの分析的態度は實踐理性批判に於ても變らなかつた。道德律卽純粹實踐理性の原理は凡ゆる經驗內容から獨立なものとして、純粹に理性者一般の概念から分析された。この理性者の概念は凡ての經驗的人間からそれの有する一切の經驗的感性的動機を洗ひ去つて得られる處の理念としての抽象的普遍者に外ならなかつた。抽象的普遍は個別なる特殊を自己の中に含み切ることはできない。個別は何處までも普遍とは離れた異質的者である。然るに我らに現實的なる道德はかゝる個別を抽象した純粋普遍の立場に於て成立つのではなくこの兩者、卽ち事實と法則、傾向と理性、フェノメナとノウメナとの綜合の上にのみ成り立つ。尊敬の感情は單なる知性界にのみ根據を有する先天的感情ではなくて、この綜合を豫想し、その上にのみ可能なるいはゞ先天的綜合感情である。しかもこの先天的綜合感情は我らに現實體驗として與へられた理性の事實としていかにしても否定することの出來ないものである。從つて此の綜合の可能はいかなる哲學的思想によつても之を拒否することはできない。吾人にとつて問題はそれが可能なりや否やといふことではなくていかにして可能なりやといふことになければならない。吾人はこの問題の解決をフィヒテの辨證法的思惟を通じて追求し行かんとするものであるが、こゝにまづ明らかなとはこの綜合が可能ならんがためには少くとも感性そのものの中にも何らかの意味に於てアプリオリなる契機——たとへ自身としてはかゝる性質を持ち得ないものではあるにしても、何らかの道を通してアプリオリなるものにつながる契機をもたねばならないといふことである。我らの道德生活が單なる理性肯定の直線的進行にあらずして常に否定を通しての肯定、メフィイストの惡を通してのファウストの善への創造であり、闇を通じての光りへの步みである限りに於て、メフィスト的否定の中にも何らかの積極的な意味がなければならない。否定なき肯定は眞の肯定でなく、克服さるべき惡を持たざる善は眞の善ではない。傾向はたしかに吾人の道德的精進の過程に於て遂に克服さるべきものであるには相違ないが、しかし人生の全體に於て無意義なるものとして初めから放棄さるべき餘計な附加物ではない。豐饒なる土地は必ず雜草を繁成せしめる。雜草をさいて砂礫の上にまかれた種子には遂に豐かな實りを期し得ないであらう。かくて雜草も亦穀物と同じ壤土に根をはる如く傾向の根底にも尙何らかの意味に於てアプリオリなるものが潛んで居るのではなからうか。然らば我らの道德生活の眞の本質は單に傾向をしりぞけて純粹理性の立場から抽象的なる道德法の實例となるといふが如き形式的なるものではなくて、むしろ傾向と理性との戰を通じて兩者の地盤をなす根原的なる具體的全體的なるものに還りゆくことによつてこの兩者をば新しき光の下に復活せしめることではなからうか。カントの先驗的反省は抽象的分析的立場に止つてゐたが故に上述せる如き抽象的普遍に到達し得たのみで、凡ゆる個別を個別的なるまゝに包括してこれに夫々の位置を與へる具體的普遍の概念には遂に到達することが出來なかつた。これが爲めに彼は個體的なるものがもつそれぞれの特殊相をば、特殊相として意味づけ價値づけること能はず、價値は唯普遍的法則の中にのみ置かれた。太郎が太郎としてもち、次郎が次郎としてもつ個性の特殊な意義は凡て無みせられてそれらは凡て普遍的なる法則の實例としてのみ取扱はれねばならなかつた。かくて彼は人格の尊嚴をとき、目的の王國といふが如き思想にまで到達しはしたけれども、その內容は遂に具體化されず、抽象的なる合法則的自律的意志の集合《アッグレガット》以上のものであることは出來なかつた。彼の倫理學が一面に於てはきはめて抽象的な、個別無視の普遍化的倫理學でありながら、他面、人格の社會的歷史的意義に對して殆んど何らの方途をも示さない個人主義倫理學なりと評せられるも決して偶然のことではない。否むしろかく個性を無視する普遍の立場に立つが故にこそ、具體的なる社會的歷史的全體性に於ける個別的人格の道德的意義を見失はざるを得なかつたのである。

　カントの實踐哲學に於けるこの方法的缺點を除去し、社會的歷史的全體性の立場に立つ道德の個別的具體性を明かにする倫理學を打建て得むがためには、彼の道德に對する反省をば更に反省する思辨的反省の立場にまで自己を深めなければならない。彼の先驗哲學は惜かに我らの認識と道德とに於けるアプリオリなるものにまで反省をしはしたが、しかし彼はこの反省を反省することにまでは遡らなかつた。彼の思索の中に沈潜しつゝ彼を超越し行く道は唯この一途の外には求め得られないであらう。しかしてこの道を歩むことによつて眞に內からカントを深化し其の根底にまで超越して行つたものは誰よりもまづフィヒテであつたのである (Vgl, Kroner Von Kant bis Hegel I. S. 140 f. 189)。

二、一七九四年の知識學に於ける實踐我の優先と汎論理主義

カントの理論哲學は經驗的認識に於ける客觀性の根據を先天的なる主觀の形式的側面に求めて、遂に認識の最高原理としての先驗的統覺の根源的統一の思想にまで到達しはしたが、しかも尙分析的論理學の抽象的立場を離れ得なかつた爲めに具體的認識に於ける質料と形式との眞の統一根據を明らかにすることが出來なかつた。又彼の實踐哲學は通常の道德意識に於ける無制約的價値の客觀性の根據を行爲主觀の先天的形式的側面に求めて自律的意志なる概念にまで到達

しはしたが、尙この意志をば感性的なる意欲から截然と切り離して之と明確に對立せしめて終つたが故に具體的行爲に於ける兩者の現實的結合の根據を明かにすることが出來なかつた。これはカントが思惟乃至行爲を反省してその客觀性の根據を尋ねたに止つて、この批判的反省をば更に反省する思辨的反省にまで自己を深めなかつたからであつた。彼は所與の事實を批判してその制約にまで遡つて行きはしたが、更にこの制約を反省して制約の制約を求め、以て理論的實踐的全哲學的思惟の終局綜合統一を求めようとはしなかつた。カント學徒フィヒテがまづ成就せんとした處のものは將に此の統一に外ならなかつた。彼は先づ認識に於ける質料と形式の對立をば能動性としての自我の概念中に統一せしめると共に、更に理論我の全體をば絕對能動性としての實踐我の概念によつて基礎づけ、以て全知識學の統一的基礎を明かにせんとした。しかし彼のこの努力は一七九四年の知識學に於てはその驚くべき强靭なる思索力を以てなされてゐるにも拘らず尙終に終局的な完結にまで達することはできなかつた。それは前節に提出された問題の解決に對しても重要な一步を踏み出してゐるにもかゝはらず、尙唯一步の前進たるにとゞまつてゐた。從つて彼に於けるカントの形式主義の克服への歩みを知らんがためには吾人は一七九四年の「全知識學の基礎」や一七九八年の「道德學の體系」を先づ考察せねばならないことは勿論であるけれども、恐らく此らのものにのみ止ることはできないであらう。むしろ吾人は彼の全生涯に於ける一歩一歩の思索の發展的行程の必然的階梯としてこれらの初期の知識學や道德學を考察して行かねばならないであらう。

こゝに吾人にとつて當然問題となることはフィヒテの哲學がこれらの諸著を通じて一貫した統一をもつか否かといふ事である。此の問題は既にフィヒテシエリングとの論爭に於てあらはれ、フィヒテが自ら一の統一的理論體系を示してゐるといふ確信を持つてゐた (Vgl. z. B. Fichte, S. W. B. I, S. 399 f; B. VIII, S. 362, 369; Nachl. B. I, S. 3; Nachl. B. II, S. 194, 329; Nachl: B. III, S. 356)のに對してシエリングはフィヒテが彼の影響の下にその體系を根底から改變したと主張した (Schelling, Darlegung des wahren Verhältnisses der Naturphilosophie zu der verbesserten Fichteschen Lehre, S. W. B. VII, S. 71 f. 及び Fichtes Leben und Briefwechsel, 2 Aufl, B. II, S. 351 參照。尙之に對するフィヒテの答は Bericht über die Schicksale der Wl., 1806, B. VIII, S. 385—407 其の他に示されてゐる。) ことに始まる。其の後多くの哲學史家はこの改變說に傾き、エルドマンはその著 Versuch einer wissenschaftlichen Darstellung der Geschichte der neueren Philosophie, 1843—53 に於てフィヒテの哲學に於ける後期と前期とを全く引離して取扱ひ、Grundriß der Geschichte der Philosophie, 1866 に於ても之に從つてゐるがウィンデルバンドも亦その「近世哲學史」第二部に於て、前期の知識學をば倫理的觀念論として特色づけてゐるのに對して後期のそれをば宗教的觀念論として前者から全く切り離して論じてゐる。比較的最近のものとしてはラスクの Fichtes Idealismus und die Geschichte 1902 を始めとして E. Fuchs, Vom Werden dreier Denker, 1904 : E. Hartmann, Geschichte der Metaphisik B. II; Heimsceth, Fichte, 1923 ; F. A. Schmidt, Die Philos. Fichtes mit Rücksicht auf die Frage nach der veränderte Lehre, 1904 等皆改變説の立場に立つてフィヒテを見てゐる。之に對してフィヒテ説の本質的統一性を主張するものには古くは Löwe, Darstellung des Fichteschen Philos. やクーノー・フィツシヤアの「近世哲學史」(第六卷)があり、稍新らしいものとしては Medicus, 13 Vorlesungen über Fichte 1905; Heilscher, Denksustem Fichtes 1913 がある。又 Georg Gurwitsch は此の問題に關してフィヒテ思想體系の内的統一(彼は之をその Transzendentolismus に於て見た)を主張しつゝ尙其處に辨證法的發展の三段階がみとめられるとなし、その第一期を一七九四年の知識學を中心とする汎論理的道德主義《モラリスムス》、第二期を無神論々爭の時代を中心とする非合理的浪漫的道德主義、第三期を一八〇四年に完成された知識學を中心とする先驗的觀念實在論又は純粹道德的精神主義となし、この時期に入つて彼は精神《ガイスト》概念の發展により道德的理念の辨證法を止揚したと主張してゐる (Vgl. Einheit der Fichteschen Phil., 1922; Fichtes System der konkreten Ethik 1924)。之に對して Max Wundt はフィヒテの思想は不斷に新なる敍述の形式を求めて行きはしたが、その方向は終始遂に動搖しなかつたとなし、この敍述形式の變化は一面その根據を彼の眞理探究の精神の核心の中にもつと共に、之を彼が傳へんとした環境にもつといふ立場から一七九四年の知識學をば Sturm und Drang との關係に於て、一七九七年のそれを ば獨乙古典主義精神との關係に於て、一八〇一年の知識學をばロマンティクとの關係に於て、又一八〇四年のそれをばシェリングとの論爭との關係に於て見た。これらの諸研究は吾人のフィヒテに對する首題的研究に對してもそれ〴〵價値多き光りを投げ與へてくれるものではあるけれども、尙首肯し難き點をもつ。例へばグールウィッチの三段階説はフィヒテ思想の統一と變化とを結合するに辨證法的見地を以てする處誠に明快なるものではあるけれども、やゝ自己の圖式に捉はれすぎてフィヒテ自身の豐富複雜なる思想內容の展開をば强いて三段の圖式にあてはめやうとしてゐるやうな嫌ひがあり、又マックス・ヴントの研究は知識學の諸敍述の生れた外的事情を明かにすることによつて其の思想の形式と內容の理解にみのり多き光りを投げ與へてくれると共にあまりにこの環境に重きを置くため思想內容の思想內容としての論理的統一的發展の跡を稍看過しすぎてゐる憾みがある。何れにせよフィヒテの思想がその敍述形式のいかなる變容にも拘らず常に之をフィヒテ的として性格づけるこの出來るやうな核心を持つてゐたことは爭ふことの出來ない事實であると共に、又その二十年にわたる不斷の努力に於て何らかの意味で發展と深化への步みを運んだものであることも否定し得ない。人はよくカントよりフィヒテへ、フィヒテよりシェリング、ヘーゲルへと獨逸觀念論の發展の跡をたどることによつて、フィヒテをば既に克服されたる媒介的存在の如くにのみ取扱ふが、單に一七九四年の知識學のみを以て彼の全體をつくせるかの如く思惟し、それが主觀的觀念論であり合理論的發出論であるといふ理由を以て直ちにその全體を放擲し去らんとするが如きことはあまりにも抽象的圖式的な見方であると思ふ。彼にはシェリングによつて否定され、ヘーゲルの中に止揚される一面と共に、彼自身の內なる步みによつて過去的なるものを克服し止揚しゆく不斷の努力があつた。吾人はこの努力の路を追ひゆくことによつてカント倫理學の具體化、全體的綜合的見地への高揚への道を——しかもカントの先驗的立場、當爲實踐の本來的立場を失はずして切りひらき得ると信ずるものである。

カント的形式主義の克服は彼に於ける思惟と存在、自由と自然の二元的對立が何らかの意味で克服されることを豫想する。フィヒテがかの一七九四年の「知識學或は所謂哲學の概念について」なる論文に於て知識學を以て學一般の學となし、凡ゆる學がもつ處の各根本命題をば根源的に綜合統一する處の最高無制約なる命題を求めて行つた時、彼には既にこの對立の止揚による克服への意圖が動いてゐた。其の時彼はこの綜合統一を成就せんがためにはカントの如く相對對立の概念分析の立場から出發すべきではなくて逆に對立以前の直觀的統一的見地から出發せねばならぬことを自覺して居た。部分から全體に進むことの代りに、全體から部分への進行がこの統一にとつて必然であることを自覺してゐた。哲學は一の學である。學なるものは體系的形式をもつ、それに於ける凡ての命題は唯一の根本命題に聯關し、之に於て一の全體に合一される。學は一であり、全體であるべきである。個々の命題はそれ自身で學となり得べきではなくて、それらが全體の中に於て、全體に於ける夫々の位置により、全體に對する關係によつて初めて學となる。然るに個々の命題間のかゝる統一的關聯が成立ち得むがためには、少くとも其處に一の絶對無制約に確實なる命題があつて、他の諸命題は直接にか間接にかその確實性をこの唯一の根本命題から分與されるのでなければならないであらう。而してこの唯一確實なる根本命題はその確實性を他の命題との結合によつて受とるのではなくして、之に先立つて有つてゐなければならぬ。何となれば多くの部分の何れにも存しないものが、それらの部分の結合によつて生じ得ることはないからである。而してかゝる無制約的に確實なる命題は唯一つ以上であることは出來ない。何となればもし數ヶありとすればこれらは全く互に相孤立するか或は相關聯するのであるが、もし前者であれば一の全體を形成する能はず、後者であればこの關聯を可能ならしめるより高き根本命題が要求されるからである。(Vgl. Über den Begriff d. Wl. S. W. B. I, S. 38 ff)

かくしてカントが經驗からその制約に、被制約から能制約へと遡つて行つたのに對して彼は絕對無制約者から出發して行つた。而して彼は之をカントの先驗的觀念論の精神に從つて自我自身の中に求めて行つた。カント以前の凡て哲學的思惟が一般に「世界」の思惟であつて何らかの意味に於て對象的性格をもつたものに向つて居り、時に自我自身の內なるものに向ふ場合と雖も一の神秘的傾向をもつものとして失驗論理的反省とはならなかつた、合理論も經驗論も、實在論も觀念論もこの點では一樣に Ich-lose-Philosophie として特徵づけられ得る性格をもつて居たのに對して、カントは始めて對象認識の先驗的構成原理をば自我自身のアプリオリの中に求め、之によつて眞の意味での自我の哲學を建設せんとしたのであるが、フィヒテは此の點に於ては最も顯著な意義に於てカント學徒であつたと云ふことが出來る(Vgl. Kroner, ob. cit. I, S. 42—45)。唯彼はカントの批判的反省をば更に深めて之を根元的に統一せんとの要求をもつてゐたが故に、カントの先驗的統覺の概念に滿足する能はず、之を事行としての絕對我に求めた。彼の絕對我はカントの純粹意志乃至實踐理性と深き聯關を有し、其の主意說に直接のつながりをもつことは勿論であるけれども、しかも彼がこれを純粹意志とよばずして事行と名づけ、實踐理性とよばずして絕對我と呼んだことには十分なる深き理由がなければならなかつた。彼はこの事によつて既にカントの理論哲學に於ける直觀質料と範疇形式との根元的統一を意圖したと共に、又實踐哲學に於ける感性的質料と理性的形式との具體的なる統一をば(たとへ理論哲學に於けるほど直接明確にではないとしても)豫見してゐた事は想像に難くない。何れにせよ彼はカントが其の分拆の終局に於て到達すべきであつた處のものから出發し、其處から理性の凡ゆる活動をば自我の必然的行爲として導出せんとした。かくて今や自我は現實的に中核とされ、凡ての現實性はそれの定立として現象せしめられる。カントにとつては所與の現實性が(それの全客觀的多樣性に於て)自明な出發點であつたが、フィヒテにとつては自明なるものは自由獨立なる自我であり、凡ての現實的なるものはこの自我の機能として把捉された。

フィヒテがその哲學の第一根本原理に對して、多くの誤解をよび起す基となつた此の「自我」なる概念を用ひたのは決して偶然ではなかつた。其處には彼の時代と性格との根源的な結合の上になるSturm und Drangの根強き精神が横はつてゐた。知識學は形式的なるその方法的側面に於てはカントによつて決定的に規定されてゐたが、その精神的內容はむしろ彼自身の生の源泉から酌みとられたものであつた。彼がその靑年時代に於て多くの外的障害と戰ひつつ、其の洗ふが如き赤貧の中にあつて熱情的に自由を求めて生きて來たその精神は、まことにスツルム・ウント・ドラングの直接的な體驗に外ならなかつた。いかなる運命の下にありても尙まぐることなき不羈なる自負、いかなる障害をも恐れずしてこれを戰ひぬかんとする强靱な意志、及どれほど卑賤なる現實的環境の下に置かれても常に最高なるものを目指して進むことを忘れなかつた彼の精神は、やがて當時のスツルム・ウント・ドラングの精神そのものに外ならなかつた。彼は彼がその素質と還境との中に獲得せる彼自身の生命内容をばカント哲學の方法的形式の中に注ぎ込むことによつて、知識學最初の體系を建設せんとした(Vgl, Max Wundt, Fichte Forschungen, 1929, S.1—37)。彼が自我を以て事行となし、之を以て其の本質上能動的、行爲的、創造性なりとした思想はカントの實踐理性の優先の思想に更に一歩を進めて、自我概念に全く新な内容を與へたものに外ならなかつた。彼の自我は結局自由なる絶對主觀に外ならなかつた。それの存在が、單に自己自身を存在的として定立すると云ふことによつてのみ成り立つものは絶對主觀として能動的自我の外にはない。彼は人間精神をば本質的に感受的なるものとして見るためにはあまりに深く自主的創造的なる自由の精神に滿たされてゐた。かくて彼は凡ての存在の重點をば自己意識の内核に置き、精神の自由なる創造力に基かしめねばやむことが出來ないあるものを持つて居た。まことに自由は彼の全生命に根をはる一の全的要求であり、從つてそれは彼の哲學のアルファであると共にオメガでなければならなかつた。自我の本質は自由である。自由によつての外何ものも存在し得ない。自己意識は唯自由の行《タート》によつてのみ成立つ。自我の中には自我自身の定立しないもの、自由によつて創造せられないものは一つもない。

扨我々の本來の考察の課題に對してこゝに最も重要な問題はこの絕對我に於ける事行から出發する一七九四年の知識學が其本質的特徵の一として汎論理的發出論なる名稱を持ち得るか否かといふことである。例へばラスクは彼の「フィヒテの觀念論と歷史」に於て明かに之に先驗論理的發出論 der transzendentallogische Emanatismus なる名稱を與へ、フィヒテはカント說の未完結性と斷片性とを補つて觀念論哲學に包括的なる體系と確固不動の基礎を與へんとしてかへつて發出論理の絕對合理論に陷つたとのべてゐる (ob. cit. G. S. I, 86 f.)。ラスクの云ふ處によれば九四年の知識學に於ける絕對我はその出發點に於ては全く形式的無內容なるカントの先驗的統覺に應ずるもので、凡ての異質的構素から純化され凡ての內容から裸にされた自我の自己定立は全く抽象的先驗的な普遍概念として思惟されてゐる。然るに彼は第三節以後に於てこの無內容なる形式的概念をば突如として具體的實質的なるものに解釋し易へ、類と實例との論理的關係をば全體と部分との現實的關係に置きかへることによつて發出論的辨證法を成立せしめた。

これによつて本來無限の彼岸にのみ求めらるべき二元論の克服は哲學的構成の現在性の中に置き入れられたかの如くに見へ、又之によつて各個體的なるものはかゝるものとして自我に於けるそれの特殊性に於て、包括的なる一の全的個體の秩序づけられたる個體項 Gliedindividualität として示され、從つて經驗的個別的なるものは辨證法的思辨によつて演繹されることが出來るものとなつた。かくて彼はその發出論の開始される第三原則に於て先驗論的概念關係を量化し、自我と非我(それは常に經驗的なるものを意味する)の相矛盾する對立をば無限性と有限性、實體と偶性(S. W., I, S. 142)の關係とし從つて又 „unter“ der Ichheit, の關係をば „in“ der Ichheit の關係に轉化せしめた。それは我々人間悟性ならぬ直觀的悟性のみのよくなし得る處である。然るに彼はこのことによつてカントに未解決に殘された個體の問題を解決しうると信じ、自我の根源的自己定立に基いて、之に對立する處の、ある他者をば自己自身から外出せしめる aus sich selbst herauszugehen (I. H. Fichte, Fichtes Leben u. literalische Briefwechsel II, S. 214) といふことがいかにして可能なるかといふ知識學の主要問題に答へることが出來ると信じた。かくて知識學の大部分は自我は何故に自己自身から外に出るかといふ問題の探究に捧げられ、而して其處には經驗的現實性は既に萠芽として絕對我中に含まれ辨證法的に其處から展開せしめられ得るといふ見解が支配してゐた(Vgl. S. W. I. S. 272 ff.)。かくて自己規定的自我は自己の中に既に同時に質料的なるものの可能性を含み、それの自己自身からの外出《ヘラウスゲーン》は唯一の肆意的なる自己制限としてのみ思惟され、非我は自我の創造的能動性の所產としてのみ認められる。而してかゝる絕對我にあつては批判哲學にとつて本質的に重要なる形式我と理念としての自我との區別は無視され、自己定立的自我はこの兩者に無關係なるものとして思惟されると。(Lask, ob. cit. S. 86—99)

ラスクの此の解釋の中には慥かにある眞實なものが含まれてゐる。フィヒテがカントの先驗的二元論の思辨的統一への試みに於て、少くとも或る意味に於て發出論的思惟の步みを辿つたといふことは九四年の「基礎」を讀む者の何人と雖も一應首肯せざるを得ない所であらう。勿論それはカント以前の形而上學、特に新プラトン派に於けるが如き發出論(フィヒテとプロチンとの著しき思想的類同に關しては後に考察される機會があるであらう。)とは方法論的基礎に於て既に十分な區別がみとめられなければならない。彼の發出論は單なる形而上學的實在としでの一者からの多様者の發出又は流出をとくものではなくて先驗的思辨的反省にもとづく思惟と存在との根元的統一としての絕對我乃至事行からの非我の辨證法的外出を示すものである。かゝる區別の豫想の下に彼の知識學が一の發出論又は發出論的傾向を持つといふことはいかにしても否定することは出來ない。唯ラスクが彼の發出論をば第三節に於ける第三根本命題から始まるとなし第一第二根本命題にあつてはフィヒテは全くカントの分析論理の立場に立つてその絕對我をばカントの先驗的統覺と全く同一なるものとして考へて居たといふのは如何であらうか。之は明かにフィヒテに對する新カント的轉釋である。彼が第一根本命題の絕對我をば事行として立てたのは將にカントの先驗的統覺に於けるが如き概念の形式性に滿足する能はず、何らかの意味に於て內容的なるものとのより深き結合を求め、其處から全知識學の諸命題をば體系的に展開せしめ得んがためにに外ならなかつた。彼は事行が事行として把捉し得られむがためには、人が差し當り事行と考へ得るでもあらうやうなものに對する反省と、實際これに屬しない處の總てのものの抽象とを必要ならしめると憭かに言つてはゐる(I. S. 91)。しかし彼はかくこゝに抽象なる語を用ひたからと言つて其處から直ちに彼の事行がカント的な抽象的先驗的普遍概念であつたといふことはできない。彼が事行の思惟に際して抽象が必要であるといつたのは我々が事行を思惟する場合に考へてはならぬこと——事行ならぬもの、單なる事や物、自我に屬せぬもの、非我——を考へることを避けしめんがためであつた。事行は單なるTatではない。それだからといつてそれは又單なるHandlungでもない。それはTatであると共にHandlung、HandlungなるとともにTatなのである。抽象は事行に對する反省の過程としては必然的であるが、それは決して事行そのものが單なる抽象概念であることを意味するものではない。少くともカント的なる抽象的普遍概念でないことは明らかである。彼が第二根本命題をば第一根本命題から、形式的には全くこれに獨立的なものでありつゝ內容上からはこれに制約さるるものとして導出し得たのは之がためである。

然らば第一根本命題に於けるこの自我は一の絕對我として、全知識學の諸命題が一に其處からのみ導出され得るやうな具體的普遍概念であるといふことができるであらうか。彼が少くとも或る意味に於てはかゝる要求をもつてゐたことは各所に散見する文章から推して想像するに難くない。知識學は本來人間知識一般を酌みつくすべきものであり、それは單に從來眞實なりとされた人間知識のみならず、更に人間が現在の生活段階以外に、そのあり得べく、考へ得べき凡ゆる段階に於て知り得ることがらを無制約的絕對的に規定すべきである。而して之がためには設定された根本命題が完全に包括的であり、且つそれ以外にいかなる根本命題も不可能なることが示されなければならない。而してこの根本命題が完全包括的であるといふのは、完全なる體系がその上に建設され、根本命題が設定されれる凡ゆる命題を必然的に導き、設定される凡ゆる命題が逆に之に遡及し得るといふことを意味する。もし根本命題が與へられるならば凡ての命題も亦與へられなければならない。それに於て、且つそれによつて個別的(特殊的)命題の一切が與へられるのでなければならない(Vgl. I. S. 57—58)。かくて知識學に於てはそれの完全なる體系としての完結はやがて又その始元に還ることでなければならない。原則は出發點であると共に又到達點でなければならない。「されば知識學は絕對的總體性をもつ。それに於ては一は全に導き全は一に導く。而も之は完結され得る唯一の學である。從而完結といふことはそれの著しき性格である」(Ibid. S. 59 anm.)。事實彼の知識學は事行から出發しつゝその終局に於て再び實踐我の絶對能動性、衝動のための衝動なる概念に還つてゐる。しかし吾人が更に彼の第一根本命題のもつ性格を深く反省しゆく時、それが必ずしも具體的普遍としての絶對的全體でないことを認めざるを得ない。或るほど彼の自我はカントの純粋統覺の如き形式我ではないが、しかも尚それはどこまでも非我を對置せしむべき自我であつて、非我と自我との根源的綜合統一としての絶對それ自身ではない。尤も彼は第三根本命題に於て此の困難を切り拔けんがために可分割性の概念を用ひ、自我と非我との關係をば空間的量的關係に譬へ、此の兩者をば相互に制限し合ふもの、實在性と否定性の部分的廢棄の相互關係にあるものとして說明した。しかし絶對能動性としての自我をばかゝる空間的量的なる全體性、非我をばそれの可分割性に於て完全に含み得るやうな絶對者として見ることは、いかにしても第一根本命題に於ける事行としての自我には許されることはできない(ラスクの批評は此の點をつくものとしては尙十分の意味をもつてゐる)。第一根本命題の自我は非我をば辨證法的に對置せしむべき自我として既に非我の定置への何らかの契機を自己自身の中にもつたものであるには相違ない(卽ちそれは單に非我に對立せしめらるべき靜的自我ではない)が、しかし非我をば自己の部分として完全に包み切つた絕對的全體であることはできない。もしそれがかゝる絕對的全體であるならば知識學の根本命題は唯一を以て足りると共に、其處からはいかにしても自我と非我との辨證法的運動は展開せしめられず、知識學の體系は所謂凡ての牡牛の黑く見へる闇の中に沒し去つて遂に不可能とならねばならないであらう。此の事はフィヒテ自身も決して氣がつかない譯ではなかつた。彼も亦凡ゆる對立性を超へた絕對我と非我に對立せしめられた自我との間には明確且原理的な區別を置いてゐた(Vgl. z. B. I, S. 248—249, 252, 254, 264, 277)。かくて「基礎」に於ては啻に理論的被制限的有限我たる知性又は悟性のみならず、之をこえて實踐的無限努力的なる絕對能動的自我も亦絕對我に對立せしめられる。のみならずかの第三根本命題に於て始めて示されてゐる處の理論我と實踐我との分離對立は決して直ちに絕對我の中に止揚さるべきものではなくて、第二原則に明かにせられた非我に對立する自我に於て止揚されるものである。唯彼は不幸にも純粹我とも呼ばれ得べき後の意味の自我(Vgl. Zweite Einleitung in die Wl., I, S. 474, 505, 506)と絕對我とを屢混用したのである。此の兩者間の限界は絕對我が絕對無規定者であること、それがいかなる賓辭をも持たず又持ち得ないものであることに成立つ。それは端的にWas es istであつてそれ以上のいかなる規定をも許さないものである。(I. S.1 10)。絶對我に於てはいななる對立も成立たない。それは全く超選言的超制限的なるものである。然るに純粹我はそれの下位に立つ他の凡てのものと共に對立的性格をもつものとして、之に對立せしめられるものへの關係に於ける單なる一項であるにすぎない。かくて對他的緊張《シュパンヌンゲ》の性格を以て語られ得るものは純粹我のみであつて絶對我であることはできない。「絶對我は全であると共に又無である。何となればそれは自己に對して無であり何らの定立者も所定立者も自己自身に於て區別され得ないから。」(I. S. 264)かゝる無賓辭的絶對我は一般に反省に於てあらはれることはできない。それは絶對に把捉されず唯それの不可把捉性に於て要請されるだけである。それは何らの現實的意識にも與へられることなき一の理性であつて、唯自我の實踐的な無限なる要求の根底に必然的に置かれなければならないものに外ならない(Vgl.I, S. 227)。かくて我々が絶對我をばかゝるものとして特色づける時それはいかにしても九四の知識學に於ける第一根本命題の自我たること能はず、むしろ一八〇四年以後の知識學に於ける絶對の先驗論的否定神學にまで還歸せざるを得なくなるのである。

さればフィヒテが「基礎」に於て第一根本命題の自我から出發しつゝ、その體系の全環に於て再びこれに還歸し得むがためには、此の絕對我をば何らかの方法によつて純粹我たらしめ、或は少くとも純粹我に近接したものとしなければならなかつた。かくて彼は絕對我を以て Tat と Handlung との自己同一性、自ら一の純粹行爲でありつゝこの行爲が直證的に反省直觀せらるる行爲的知性的主客觀に外ならないとなした。彼は自我に於ける事行のこの直證に對して後に「知識學の新敍述の試み」に於て知的直觀なる名稱を與へることによつて、彼の所謂絕對我の、有限的理性者としての我らの意識に於ける可自覺性を明確にした (I. S. 530)。かくて彼は絕對我をば何らかの意味に於て意識化し、知性化し論理化することによつて意識の辨證法的世界に引出し、之によつて非我の對置への必然的展開を可能ならしめ、第一根本命題より第二第三根本命題への辨證法的發展の可能性への途を開いた。かくて彼の九四年の知識學はこゝに汎論理的發出論の性格を帶びることになつたのである。それはロゴスの光りの何處までも遍照する世界である。其處は一片の非合理論的偶然者も存在し得ないほどに完全に合理化しつくされ得る世界である。其處ではいかなる矛盾も背理も宇宙の統一を破ることはできない。

メフィストの惡もやがてはファウスドの善を創造しゆく力であり、善人なほ往生す、いはんや惡人をや、彌陀の本願をさまたぐるほどの惡なきが故にの世界である。フィヒテにとつては對象は Gefühl であり、Gefühl は Anstoss であり、Anstoss は絶對衝動たる自我がその本質をみたさんがために必然的に對置せしめねばならぬものであつた。

フィヒテに於けるかゝる汎論理的(辨證法的)發出論への歩みは一面に於てはカント先驗哲學の發展であつたと共に又さうでなかつた。それはカントに於ける非合理的なるものと合理的なるものとを辨證法的に統一止揚せんとしつつ尙合理的なるものの一面に偏局してしまつたものに外ならなかつた。彼は九八年の「道德學の體系」の序論に於ても、客觀的なるものがいかにして主觀的なるものとなり、存在がいかにして表象化されるかといふ問題が結局この兩者が主客未分なる一者に還歸せられざる間は答へられ得ないことを主張つゝも尙その一者を自我性とし、知性とし、理性とする立場を離れることが出來なかつた(IV. S. 1)。勿論彼と雖も經驗の全內容をばアプリオリなるものとし、認識に於ける經驗的契機を全く無視せんとした譯ではない。むしろ彼は常に erschaffende Philosophie や Eräsonieren des Gegebenen に反對してゐるのである(S. W. B. I., S. 492, 77;)。「自我に對してのあらゆる現實性の最后の根據は、知識學に從へば自我と自我の外なる何らか或るものとの間の根源的な交替作用であつて、このあるものについてはそれが自我に全く反立されてゐなければならぬといふこと以上には何事も云ひ得ない――故に知識學は實在論的である」(I., S. 279)。かくてそれは有限的存在者の意識が、それから獨立に存し、それに全然反立された力が假定されなければ到底説明され得ないことをみとめる。けれども知識學は決して最後までかゝる立場に止まるものではない。それは又此の力、この非我をば結局自我の限定能力に基くものとして其處から導出する。そしてそれが確かに知識學である限り、これらの限定を實際導出しなければならないのである(Ibid. S. 280)。

フィヒテは終始一貫して彼がカントの先驗論《トランセンデンタリズムス》の繼承者であり發展者であることを以て自ら任じてゐた。先驗論はカントにあつては吾人の認識をば無限の課題として把捉した。其處では凡ての知識は決して克服すべからざる緊張《シュパンヌンク》にとゞまつてゐた。しかしまた之と共に先驗的なるものの概念自身の中には何らかの仕方に於てこの認識の過程性有限性をば克服し、之を超絶する自體的なるものに觸れんとする要求がある。超絶的なるものと内在的なるものとを何らかの仕方で結合し、其處にわれらの認識の永遠へのつながりを見出さんとする要求がある。かくて先驗的なるものは内在的なるものと超絶的なるもの、觀念的なるものと實在的なるものとを媒介する結合項としてあらはるべき運命をもち、先驗論は先驗的觀念實在論 transzendentaler Ideal-Realismus となるべき必然性をもつてゐるといふことが出來る。かゝる先驗論にとつては、ロゴスや理性はもはやいかにしても終局絶對のものであることはできない。それは對立に於ける一項として、常に之に對立し之を制限する同權的なる他者、非合理的なるもの、反理性的なるものを豫想する。かくてロゴスはいかなる意味に於てももはや全能たることは與はず之と他者との間に横はる hiatus irrationalis を克服することは出來ない。其處には常により高きもの、超對立的なる絶對者が前提せられる。しかも此の絶對に關してはそれが既にロゴスを超出したものである限りに於て、無賓辭的超對立的であるといふこと以外にいかなる立言をなすことも許されてはならない。故に先驗論がその終局にまで到達せしめられる時、凡ゆる種類の絶對の相對化並に相對の絶對化は原理的に拒否されなければならない。其處に可能である處のものは唯絶對の否定神學だけである。批判哲學は、素樸的實在論をば經驗的對象としての物を絶對化し合理的獨斷論をば悟性的範疇を絶對化するものとしてしりぞけたが、しかしもし主觀的觀念論が主觀乃至自我（フィヒテの自我は必ずしも單なる主觀ではなくて主-客觀であり、行爲に於けるそれの自覺としての純粹我ではあるが、しかもそれが知性たり理性たる限りに於て尚主觀的なるものの領域に屬することを免れ得るものではない）を絶對化し、汎論理主義が行爲の自己直觀に於ける知性を絶對化し、又汎道徳主義が實踐我に於ける道徳的衝動を絶對化するならば、それは決して先驗論本來の精神と調和するものではない。先驗論の眞の Pathos は無限性への Pathos である。フィヒテの九四年の知識學は此の點に於てあまりにも早急にこの無限性を終局せしめんとした。尚完結への道程の中にあるべきものを途中にして完結せしめてしまはふとした嫌ひがある。

更にこの絶對我の合理化、道徳的衝動の論理化はカントの倫理學に於て實踐理性の優先の思想が持つてゐた特殊な倫理的意義をも危險にするものであつた。先にも述べた通りカントの先驗的倫理學のすぐれた一つの功績は、理論的認識に對する道徳的認識の完全な獨立、實踐の世界に於ける意志の全き自律、換言すれば理論理性の合理性に對する實踐理性の非合理性の優先性を明かにしたことにあつた。何となれは先驗論はロゴスが非合理的なるもの(實踐的意志)の中に全面的に宿されると見ることによつてのみ、眞に道德の國の自律的獨立性を救ひ得るものだから。もし我らの知が絕對自身であり、理論理性が全能な力を有するものであるならば、吾人の行爲は必然的にこの領域の下に立つことにならねばならないであらう。理論理性は行爲の領域をば全世界の普遍的法則の下に持ち來し、理論的洞察によつて導くことになるであらう。同樣にして、たとひ實踐的意志の優先がとかれる場合でも、もしこの意志が哲學の至高原理にまで高められて意識化され、其れの反省乃至直觀に基いてその全體系が打建てられるならば、その意志は此處に必然的に知性化せしめられ自律の根據たりしその非合理性は放棄せしめられ、嘗て非論理的なりし道德原理は最高の合理的なるものとなつてしまふ。フィヒテの知識學は無限努力としての實踐的意志の優先をとき、これによつて知識學の最高原理に還歸するものとなしたが、彼のこの徹底的なる主意說は同時に最も著しき汎論理主義、思辨的主知義であるとを免れることが出來なかつた。

尤もかゝる合理論的契機はカントの主意說に於ても既に含まれてゐない譯で

はなかつた。彼が實踐的意志をば一の(實踐)理性としたことが既にこの點に於て其の立場の必ずしも純粹主意說にあらざることを示す。彼にとつて理性とは本來原理又は理念《イーデン》の能力として範疇的悟性認識をば更に體系的に統一せんとするものであつた。彼が道德的純粹性たる實踐的意志をば一の先天的なる理性として規定した時彼はこの先天性をば理論的のそれと同一なるものとして認めざるを得なかつた。理論的にせよ實踐的にせよ、アプリオリに判斷する處のものは常に一にして同一なる理性である。實踐理性と思辨理性とは兩者が共に純粹理性たる限りに於て同一なる認識能力を根底にもつ。(Vgl., K. d. P. V. S. W. II, S. 155 u. 115)。かくて彼は純粹意志をば理性一般と同一視し、法則の單なる表象によつて實踐的である(そしてかゝる場合には理性と呼ばれる)處の純粹悟性は純粹意志である」(Ib. S. 72)となし普遍的理性に對して直接に意志を規定する力を歸屬せしめてゐる(Ibid. S. 31. 40 f, 60 f.)。彼は又意志を目的の能力として定義し、之によつて理論的と實踐的との區別を因果的考察法と目的論的考察法との區別に還元せんとさへしてゐる。(Vgl. Ibid. S. 77; K. d. U., S. 250)。かく純粹意欲が思惟の目的論的方向に外ならずとされるとき彼の倫理學は必然的に主知論的性格をもつものとなる。カントにとつては自由すらも一の道徳法の可能制約として要請されたものであるにすぎず、何ら直接的なるものとして定立された譯ではなかつた。そこでは當爲も一の普遍的合法則性として把捉され著しく合理化されてゐる。

この合理論乃至主知說は彼の倫理學の中心思想たる意志の自律と矛盾する。この矛盾の克服は彼の先驗哲學が更に深化されて、フィヒテ後期の觀念論的實在論の立場に還ることによつてのみ止揚されるのである。(Vgl. Gurwitsch, Fichtes System der konkreten Ethik, S.5—21. 65—75)

吾人は更に眼を知識學の實踐的部門に向ける。こゝでは或る意味ではカントの思想をばその主知論的性格から更に純化して端的に非合理的な意志に基く倫理的理念の形成がなされてゐる。そこではもはや啓蒙主義的なる合理論的色彩は全くその陰を消して、實踐的意志の無制約的優先は終局的に確立される。彼は既に理論的知識學に於て明かに非我に對する自我の優先性、客觀に對する主觀、存在に對する行爲の優先性を示し、表象を以て單なる所與と認めず、自我の生產的構想力の所產として之を演繹しうるものとなした(I, S. 335—339)が、彼の哲學に於けるかゝる傾向乃至特色は實踐的知識學の領域に進むに到つて更によくあらはれるに到つた。こゝでは自我の能動性の根本性格は努力——無限的努力におかれる。努力は自我の能動性の中に互に相爭ふ二つの方向、無限的能動性とそれの制限とを必然的に豫想する。この二つの契機は絶對我に於ては統一されてあるが、實踐我に於ては相分離し、相互間の不斷の緊張の中に置かれる。而して其處に當爲の意識が成り立つ。この對立は能動性への限りなき渴望とそれの妨害、意欲とそれの不可能《ニヒト・ケンネン》としてあらはれるが、自我に於けるこの不可能の意識は感情《ゲフュール》と呼ばれ、其處に能動性とそれの制限との緊張せる關係に於ける結合が成立つ。(I, S. 289)。感情に於て自我は自己の制限を知り、この制限に於て其處に表象が成り立つ。能動性は表象能動性となり、衝動は表象衝動となる。(I, S. 291—294) 自我の能動性はこの表象に於て拒否されるが、しかも尚それはかゝる抵抗によつて靜止せしめられず、これを破つて乘り越へてゆく。かくして其處に内的な力の感情が成り立つ。この無限能動性と制限された能動性(受動)、能感と所感とは、共に自我に於て定立されたものであり、實在性の意識はまさに自我に於ける兩者のこの直接的統一に於て成立つ。かくて衝動は實在性への衝動として示される。(I, S. 297—301) 此の實在性への衝動はその限りなき努力を通じて終に完全に滿されることはできない。そこに憧憬が成り立つ。それは單に缺乏、不滿によつて充實を求め、それが何處から來るかを豫示しない空虛によつて――自らをあらはす處の全く知られざるものへ向つての衝動である(I, S. 303)。かくて自我の能動性に於ける無限の努力は常に要求と滿足との終局することなき交替に於てのみ成り立つ。人は外的對象への渴望に於てはどこまで進んでも究局の滿足に達することはできない。もしそこに調和と滿足とが得らるべきであるとするならば、それは衝動が自己自身の上に向ふ時のみである。換言すれば彼の能動性をば彼が自ら現實的に規定し得る自己自身の上に向ふ時のみである。かくて努力の最高の狀態としてあらはれる衝動は自ら自己を絕對的に生產する衝動、絕對的衝動、衝動のための衝動である(I, S. 327)。こゝでは衝動は唯自己自身を規定するのみであるが故に衝動と行爲とは自己自身との完全な調和に達する。之を一の法則としてあらはすとすれば、法則のための法則、絕對的法則或は無上命法である――汝當に端的になすべし、Du sollst schlechthin である(I, S. 327)。要求と滿足との間の永遠の對立、緊張の關係はこゝに始めて止揚される。彼は之を適意 Beifall の感情となづけた。しかもこれも尚決して憧憬をば永久に終結せしむるものではない。適意は一瞬しかつづかない。憧憬は必然的に舞ひもどつて來るのである。(I, S. 328) こゝに吾人はあくまでもファウスト的なる彼のスツルム・ウント・ドラング的な精神を見る。其處にはもはやいかなるアパテイアも許されない。人生は限りなき不安《ウンルーエ》から出發し、又限りなき不安の中に終る。この不斷の緊張動搖の中にのみ自我の生命が宿る。この不安の除去、動搖の靜止は唯死を意味するに過ぎない。

ここには慥かに彼の哲學の非合理論的一面が示されて居る。しかしそれは唯一面であるにすぎない。彼の全知識學は事行としての自我から出發して絶對衝動乃至無限的能動性としての自我に終局する。しかも彼の知識學にとつては始めは常に終りであり、終りは同時に始めでなければならない。何となれば完結せる體系は常に自己に始まつて自己に還歸する一の圓環をなさねばならないから。然るに能動性としての自我は自己分裂的對立の中に不斷にそれの止揚に向つて進む努力的有限的自我であつて、自己完結的全としての絶對我であることはできない。もし終局がやがて始元であるべきならば彼の知識學の第一根本命題は絶對我であることは出來ず、知的に直觀せられ得、ロゴスの光りの汎通し得る純粹我でなければならない。勿論純粋我はそれが先驗論的「我」として能動性たり事行たるべき限りに於て、單なる所動的靜止的な固定された單なる Begriff 又は Satz でなくて、それ自身の中に、自己を超へ出でて自己を否定する原理を定立すべき辨證法的必然性をもつた thesis でなくてはならない。thesis はそれ自身 antithesis でもなく、いはんや Synthesis でもないが、しかも尚自己の中に之らのものを豫想し、之らのものを豫想せずしては自ら thesis として成立つこととの出來ぬやうなものでなくてはならない。吾人は彼の知識學の第一根本命題をばかゝる thesis としての純粋我と見る。かく見る時彼の絕對衝動は再び非合理性の闇から浮び上つてロゴスの世界に躍り出たものとなる。

フィヒテによれば理論我は實踐能力に基く。「もし理性が自ら實踐的でないならば、それ自身理論的であることは出來ない。もし實踐能力が人間の中に存しないならばいかなる知性も彼の中に可能ではない。凡ゆる表象の可能性は實踐能力に基いてゐる」(I, S. 264)。かくて理論我は非我による被制限性にも拘らず、單なる受動性として認ゝられず、尚一の能動性、卽ち減少されたる一定量の能動性として認められる。彼の倫理的主意說が直ちに又主觀的觀念論としてよれば得るのは之が爲めである。彼は知識學の理論的部門から實踐的部門への內的移行を示す處のかの生產的構想力の理說に於て既に知性に自發的自己規定的な無制約者に迄上る能動性を歸せしめたが、この能動性は更に直接的無限的努力としての純粹能動性の中に置かれる。無限なる努力は無限に彼方へ凡ゆる客觀の可能性の制約である。努力がなければ客觀も存しない(I, S. 262)。かくて凡ての實在性は能動的であり、凡ゆる能動的なるものは實在的である(I, S. 134)。かくて彼は絕對能動性と質料創造的なる自由とを理念的世界の普遍的原理にまで高め、單に之によつて理論我實踐我の區別を撥無し、純粹我一般を特性づけたばかりでなく、更に之を本來前對立的無賓辭的なるべき絕對我にまで歸した。彼の九四年の「基礎」は將にこの超概念的なるものの合理化道德化を以てその冒險な演繹を始めるのである。そこでは實踐我の無限的努力は絕對我の無限的無制約的能動性と、理論我の有限的被制約的能動性との媒介的統一の中階として構成される(I, S. 255—256)。然らばこの三者はいかなる區別と關係とに於てあるか。理論我と實踐我との區別に關して彼はいふ。自我の實踐的努力は之に對立する何らの現實的世界をも規定するのではなくて、自我によつて端的に凡ての實在性が定立される時に、それがあるであらうやうな世界、卽ち理想《イデアール》的なものを規定する。之によつて成立つものは唯あるべき處のものの系列だけである。然るに理論我の能動性に於ては規定の限界が常に非我に從屬するが故に、この非我による限界をば無限に擴大せんとはするけれども、何ら自己自身との絕對的一致を要求するものではなく、それは常に間接定置の無限性の中にとゞまる。かくて彼に於ては此の兩者の區別は自體的なる純粹能動性と相對的る能動性、純粹性自身の無限性と移行の無限性との差異に歸着することになる。けれどもフィヒテの知識學の本來の立場からすれば、根元的なる無限的能動性の間に本質的な種類の區別を立てることは不可能でなければならない。彼は實踐我の能動性たる努力の概念の中には、主客の相關々係中に定置された道德主觀の能動性と、この相關々係をこえた實踐我の自體存立的能動性との二つの意味が含まれてゐるが、前者の意味に於て言ふならば客觀をこえて進む能動性は正にそれがかゝるものであるが故に、客觀の存在といふ制約の下に立つ、(I, S. 271)從つて其處には或る異質的なるものが豫想されなければならない。けれどもこの異質的なるものは上述の理由により實踐我に對して全く無緣的なる他者であつてはならず、むしろ自我の自己自身からの外出《ヘラウスゲーヘン》の上に成立つたものとして思惟されなければならない。かくて吾人は自我自身の中には、それの能動性の異る方向が存在するだけであるといふやうに考へることができる。卽ち自我が端的に自己を定立する時、其處には遠心的に無限に自己から出てゆく運動と、求心的に無限に自己自身に還歸する運動との相對立する二つの方向が成立つ。實踐我と理論我の區別は結局此の方向上の區別に外ならない。(I, S. 273—278)。唯フィヒテは其の際實踐我の能動性の遠心的方向に優位性をみとめ、理論我の能動性に於ける求心的方向は唯前者による障害に基いてのみ可能であるとなしたが故に、(ebda) 理論我の能動性に對立して、之を部分的に規定する處の非我は、實は根源的には實踐我の能動性でなければならず、しかもこの實踐我の能動性は其の本質に於て既にそれ自身絕對我の根源的能動性に外ならないとなした。

かくて彼にとつては理論我、實踐我、絕對我の三者は自我のゲネシスに於ける三つの異る段階として認められたと考へることも出來るが、しかし此の段階は直線的進行に於て表象せらるべきものではなくてむしろ自己還歸的なる一の圓還をなす處の段階である。彼は自我の實踐能力をば唯一の根源的實在性にまで高めたと共に、他面またこの能動性の單なる絕對的自己定立からの前進を說明するものとして理論我の求心的能動性を用ゐた。後者は形而上學的思辨的意味に於て反省となづけられ、この反省が道德的努力を基礎づけるものとされる。「自我の中なる因果性一般への根原的努力は、發生的に自我の法則から導出せられる、卽自己自身を反省し、及びこの反省に於てそれが全實在性として發見されることを要求するといふ自我の法則から導出せられる。自我の自己自身へのかの必然的反省は、自己自身からの凡ての外出の根據であり、自我が無限を充すといふ要求は因果性一般への努力の根據である。兩者は全く自我の絕對存在に於て基礎づけられてゐる(I, S. 276)。自我の中に何らの實踐能力も存しないならばいかなる知性も可能ではないが、しかし又自我が知性でないならばかの實踐的能力のいかなる意識も可能でなく、一般にいかなる自己意識も不可能である(I, S. 278)。

クロオナも批評してゐるやうに、彼の知識學に於ける二大契機、——完結を要求し一の全的體系たらむことを要求する思辨的反省的態度と、あくまでも未完結的なる無限的努力の中に自我の眞實の生命を見出さんとするストゥルムウンド・ラング的なる倫理的根本心情との對立はこゝに到つて最も明かに示される。(Kroner, Von Kant bis Hegel I, S. 528 ff.)。彼は一面に於ては實踐的努力に理論的能動性に對する優位を許しつも、他面又これを以て純粋論理的體系的演繹の原理とし、彼の理論的關心の滿足に奉仕せしめた。こゝに到つて彼の倫理的主意説はそのまゝ直ちに主知説合理論となる。彼の實踐理性の優先は本來非合理的なる道德的理性をば思辨的論理的要求を滿さんがための手段としてとりあげ、之を論理的辨證法的體系の先端に置き、論理的本質性の發出論的展開の演繹の原理としたことに存する。かくて、絶對我は啻に實踐我であるばかりでなく又同時に理論我でもなければならなくなり、事行として絶對能動性であるのみならず又直接にそれの反省、直觀でなければならない。かくして對立に先行する無賓辭的絶對はこゝに對立相對の過程中に引き入れられ、汎論理主義的性格が完成せられたのである。

我々は以上によつて彼の九四年の「全知識學の基礎」がいかなる意味に於て主意論的であり、又いかなる意味に於て汎論理的、發生論的であるかを見た。彼のこの知識學はそれが主意論的であり、根源的なる意志の辨證法をとく限りに於てはカントの批判的反省に一歩を進めて思辨的反省によるそれの綜合統一を成就するものであり、實踐理性の優先の思想をば更に深く徹底せしめて行つたものであるといふことが出來ると共に、この意志が論理化され知性化されて概念の能力とさへ同一視せらるる限りに於ては尚カント的主知說、主觀的觀念論の立場に止り、むしろカント以上に主觀の一面に偏した哲學的思辨に陷つたといふことが出來る。かくてそこではカントの理論哲學に於ける直觀と範疇、存在と思惟の對立はそれの辨證法的統一への凡ゆる努力にも拘らず遂に終局的に止揚せられ得なかつたやうに、又カントの實踐哲學に於ける感性と理性、存在と當爲の對立の眞實な統一的見地にまで到達されることができなかつた。(未完)

〔附記〕本稿は完結までには尚少くとも數年を要する見込みである。かゝる遲々たる研究の步みを運ばねばならぬ者にあつては、前に表示された見地は屢々後に至つて放棄乃至改變の必要に迫られる危險をさけることが出來ないであらう。從つて本稿の如きは一の未定稿として、唯今後の思索の小溪に投ぜらるべき棄石にすぎぬものとなるかも知れない。御諒恕を請ふ次第である。

尙彼の第一根本命題に於ける絕對我の本質に關しては本年四月以後の「哲學研究」に掲載さるべき拙稿「フィヒテの絕對我について」を參照されたし。又彼の意識の辨證法によつて演繹されたものが表象一般乃至非我一般であつて、特殊個別的なる「この」又は「あの」表象や非我でないこと、從つて彼の合理主義には尚いかにしても合理化しつくし得ない非合理的殘餘として個別限定的なる經驗的所與感情を殘すものであることについては後に詳細に論究する機會があるであら

昭和九年五月廿一日印刷
昭和九年五月廿五日發行

編纂兼發行者　臺北帝國大學文政學部

東京市神田區錦町三丁目十七番地
印刷者　白井赫太郎

發賣所　東京市神田區神保町二丁目　巖松堂書店
電話九段四一三五・神田二四六七
振替口座東京六五五六